KV-052-233

Vom Blatt zum Blättern

Falzen, Heften, Binden für Gestalter

Franziska Morlok, Miriam Waszelewski

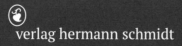

verlag hermann schmidt

Dieses Buch ...

... zeigt die Möglichkeiten beim Falzen, Heften und Binden aus der Sicht (und mit den Fragen) von Gestaltern und Produktionern – und erleichert damit den Prozess und die Zusammenarbeit mit Buchbindereien.

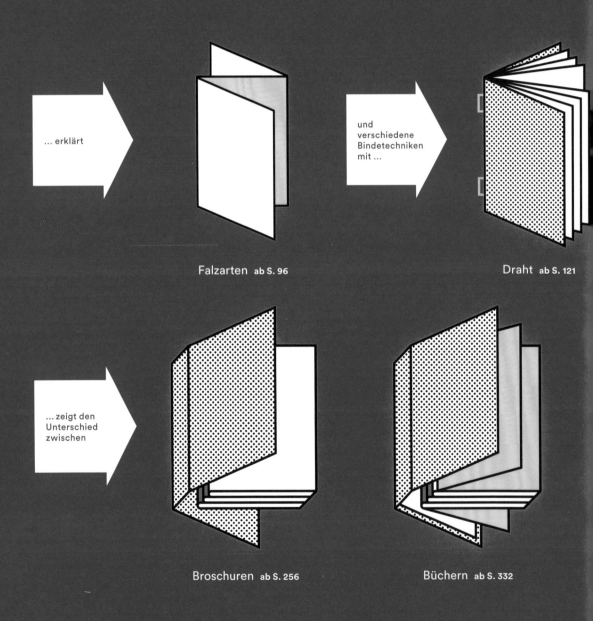

... erklärt

und verschiedene Bindetechniken mit ...

... zeigt den Unterschied zwischen

Falzarten **ab S. 96**

Draht **ab S. 121**

Broschuren **ab S. 256**

Büchern **ab S. 332**

... gibt sehr viele wichtige

✔ Tipps von Buchbindern

⚡ Hinweise zu Fehlerquellen

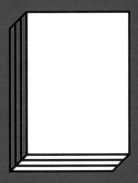

Leim ab S. 141

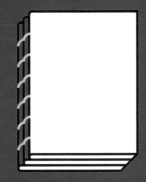

Faden ab S. 171

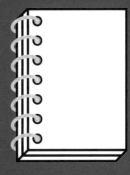

Bindesystemen ab S. 210

... und greift andere wichtige Themen auf, wie zum Beispiel

- Planung einer Publikation ab S. 20
- Herstellungsablauf ab S. 60
- Format ab S. 24 und Papier ab S. 30
- Ausstattung ab S. 358

Inhalt

Bei der Realisierung eines Printprojekts geht es nicht nur um die Bindetechnik, sondern auch um die Art des Umschlags und viele andere Entscheidungen. Die unterschiedlichen Kapitel dieses Buches beschäftigen sich deshalb mit allen Bestandteilen eines Druckerzeugnisses – von der Bindetechnik über das Papier bis hin zum Umschlag und weiteren Ausstattungselementen.

✓ Aus Gründen der Einfachheit (bei der oft schon recht komplex erscheinenden technischen Sprache) wird in den Texten auf das Gendern verzichtet – dennoch sind natürlich alle Gestalter*innen damit gemeint.

Vorab

So entwickelt man ein Printprojekt

Das Buch als besonderes Objekt

Falz- und Bindetechniken

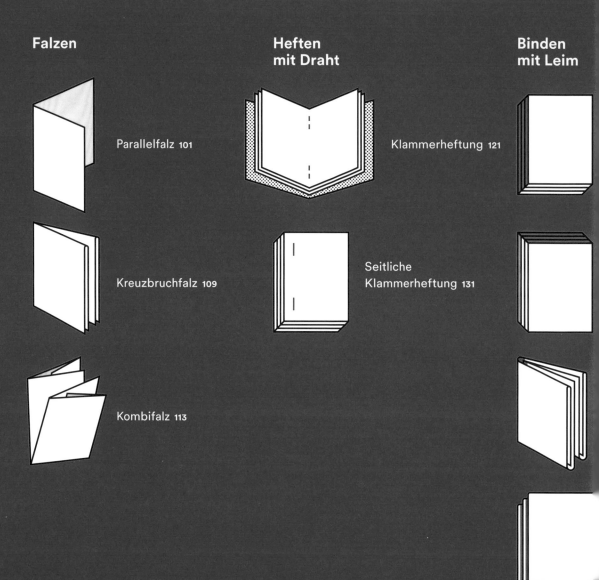

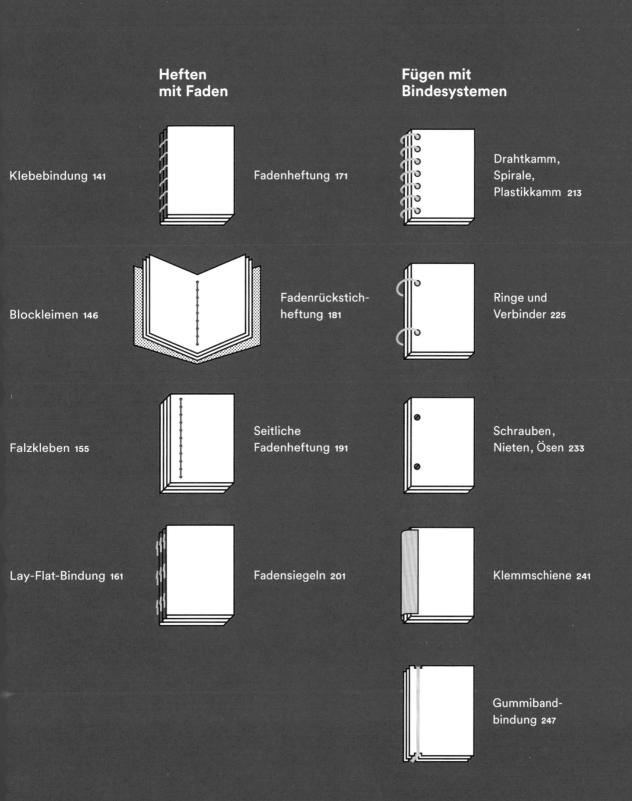

Heften
mit Faden

Fügen mit
Bindesystemen

Klebebindung 141

Fadenheftung 171

Drahtkamm,
Spirale,
Plastikkamm 213

Blockleimen 146

Fadenrückstich-
heftung 181

Ringe und
Verbinder 225

Falzkleben 155

Seitliche
Fadenheftung 191

Schrauben,
Nieten, Ösen 233

Lay-Flat-Bindung 161

Fadensiegeln 201

Klemmschiene 241

Gummiband-
bindung 247

Aufbau einer Broschur

Aufbau eines Buches

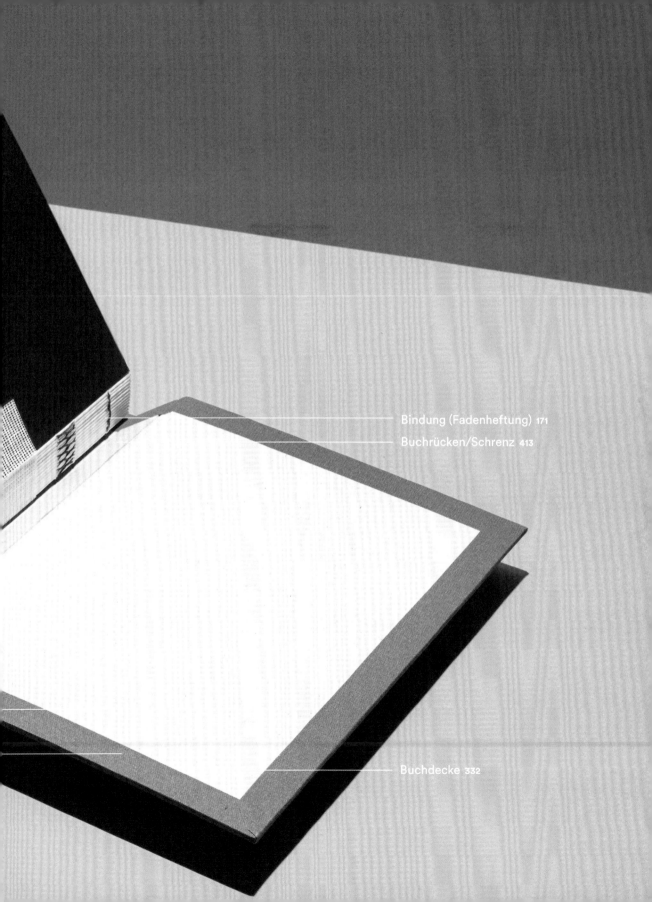

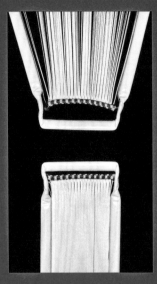

Fadenheftung 171
Ganzband 346

Fadenheftung 171
Ganzband 346
Runder Rücken 386

Fadenheftung 171
Halbband 352
Gerader Rücken 386

Fadenheftu
Halbband 3
Runder Rüc

Buchdecke aus
Kunststoff 342

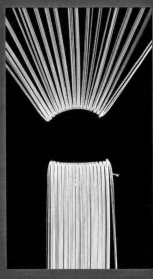

Fadenheftung 171
Offener Rücken 178

Fadenheftung 171
Steifbroschur 322

Fadenheftu
Offener Rü
Steifbrosch

äge

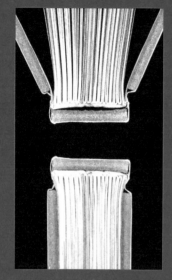

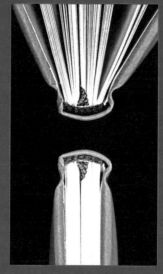

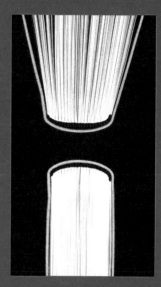

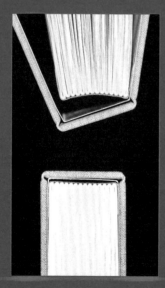

Übersicht verschiedener Umschl

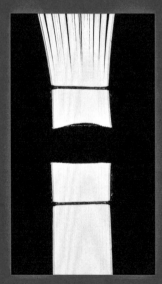

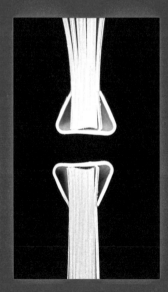

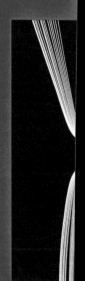

äge

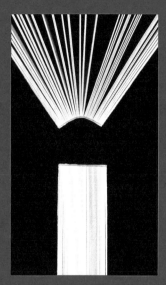

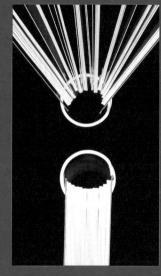

Rückstichheftung
unbeschnitten 125

Rückstichheftung
beschnitten 125

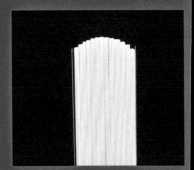

Wire-O 213

Ausklapper 376

Japanische Bindung 195

Steifbroschur 324

Wattierte Buchdecke 354

Feste Buchdecke 332
Folienschnitt 377

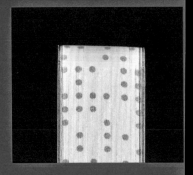

Bedruckter Schnitt 377
Abgerundete Ecken 386

chnitte

Standardbroschur 284

Klappenumschlag 266

Klappenbroschur 288

Feste Buchdecke 332
Gerader Schnitt 386

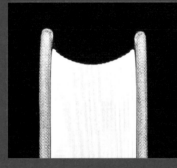

Feste Buchdecke 332
Gerundeter Schnitt 386

Einteilige Buchdecke 336
Gerundeter Schnitt 386

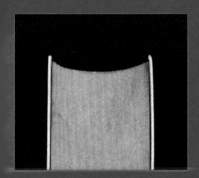

Farbschnitt 377
Gerundeter Schnitt 386

Das Konzept: Eine Publikation entwickeln und realisieren

Bei der Konzeption einer Publikation gibt es viele verschiedene Aspekte zu berücksichtigen. Die Frage, welche Falz-, Broschur- oder Buchart sich am besten eignet, sollte man dabei von Anfang an einbeziehen, denn innere und äußere Form und der Inhalt sollten eng aufeinander abgestimmt sein.

Bücher, Broschuren, Flyer und Folder sind nicht allein Informationsträger, deren Form der Aufbewahrung und dem Schutz des Inhalts dient. Sie sind auch dreidimensionale ästhetische Objekte, die gewisse physische, optische, haptische und gestalterische Kriterien erfüllen müssen. Eine gelungene Publikation ergibt sich immer aus der Wechselwirkung von innerer und äußerer Gestaltung. Neben dem Layout, der Typografie, Bildern oder Farben spielen deshalb auch das Format, die Materialien, die Falzart und die Bindetechnik eine wichtige Rolle.

Eine Publikation kann viel mehr sein als nur eine lineare Abfolge von Seiten – im besten Fall ein Gesamtkunstwerk, das auf verschiedenen Ebenen die Sinne anspricht und kreativ mit dem Inhalt umgeht. Gerade in Zeiten der Digitalisierung werden aus solchen Publikationen zunehmend hochwertige Objekte und Liebhaberstücke. Das Ziel sollte immer sein, dass die Form den Inhalt nicht nur klar kommuniziert, sondern beides ineinandergreift.

In der Realität allerdings rücken die Kosten oder bestimmte Anforderungen an die Funktionalität oft so sehr in den Vordergrund, dass etwa über die Bindetechnik oder die Ausstattung gar nicht mehr diskutiert wird – gestalterisches Potenzial, das unausgeschöpft bleibt. Doch auch dann, wenn Format, Form, Umfang und Gewicht bereits vorher festgelegt wurden, gibt es viele Möglichkeiten, einer Publikation eine außergewöhnliche Erscheinung zu verleihen.

Deshalb ist es wichtig, den Buchbinder von Anfang an in die Konzeption einzubeziehen. Zwar lassen sich nicht alle Ideen immer technisch umsetzen, aber wer die Verfahren, Arbeitsweisen und technischen Möglichkeiten der Drucker und Buchbinder kennt, findet leichter alternative Lösungen. Mit einem guten Basiswissen und der Expertise von Fachleuten kann man realisierbare Projekte entwickeln, die über traditionelle bzw. standardisierte Formen hinausgehen – häufig entstehen dabei Publikationen, an die der Gestalter vorher gar nicht gedacht hatte oder die sogar den Buchbinder zu Neuerungen beflügeln.

Am Anfang der Konzeptionsphase sollte man sich einige Fragen stellen, deren Antworten den weiteren Entscheidungs- und Gestaltungsprozess wesentlich beeinflussen können.

Welche Inhalte sollen vermittelt werden?

Geht es um ein Fotobuch, eine Zeitschrift, einen Roman, einen Kunstkatalog, ein Informationsblatt oder ein Faltposter? Soll eine lineare Geschichte erzählt werden? Oder lässt sich eine neue Ordnung entwickeln, die die narrativen Strukturen des Inhalts bewusst unterbricht und umformt?

Wer ist die Zielgruppe?

Sind es Wissenschaftler oder Kinder? Sind es tausende Leser oder nur eine kleine Gruppe? Altersgruppen, Lesegewohnheiten und die Sozialisierung spielen dabei eine Rolle.

Für welchen Zweck ist die Publikation gedacht?

Handelt es sich um ein Festival, das nur drei Tage dauert und Infomaterial für diese Zeit braucht, oder um ein Lehrbuch, das häufig und intensiv genutzt wird? Je nach Verwendungszweck muss man auf das Format, das Gewicht oder das Aufschlagverhalten einer Publikation achten. Häufig benutzte Bücher brauchen beispielsweise eine starke Bindung, bei langen Texten darf das Papier nicht zu weiß und zu durchscheinend sein. Und ein großes, schweres Buch kann auch unpraktisch sein oder respekteinflößend.

Wie wird die Publikation gelesen?

Eine Zeitung liest man selektiv, einen Roman hingegen linear – das unterschiedliche Leseverhalten (man spricht von Lesarten) wirkt sich auch auf die Form einer Publikation aus, etwa auf das Format.

Welchen Eindruck soll die Publikation machen?

Soll das Buch besonders hochwertig erscheinen? Steht es für eine bestimmte Marke? Oder geht es um ein Fanzine, das eine gewisse Leichtigkeit ausstrahlen soll? Die Art der Gestaltung, das Format, die Farben, die Materialien – all das hat eine bestimmte Wirkung, der man sich bewusst sein sollte: Die Beschaffenheit des Papiers, der Geruch der Druck-farbe, die Schwere eines Buches, die Leichtigkeit eines Faltposters, das sich aus einem kleinen Format in ein überdimensionales Bild ver-wandeln kann; raues Leinen, das wie eine starke, warme Decke wirkt, als Kontrast zur faszinierend künstlichen Geschmeidigkeit eines synthetischen Bezugspapiers, das sich wie Haut anfühlt. Solche Texturen können an-ziehend oder abstoßend sein, in jedem Fall fordern sie eine Reaktion heraus. Es gibt viele gestalterische Mittel, mit denen man kommunizieren kann, nicht alle eignen sich jedoch für jeden Verwendungszweck.

Welches Budget steht zur Verfügung?

Gibt es bestimmte Einschränkungen, die durch die Produktionskosten bedingt sind? Kann man bei der Aus-stattung eventuell auf günstigere alternative Materialien ausweichen? Können hohe Versandkosten entstehen, die man bei der Herstellung berücksichtigen muss?

Warum hat der Versand manchmal Einfluss auf die Konzeption einer Publikation?

Wer Printprodukte plant, die einzeln versendet werden sollen, muss sich an Format- und Portogrenzen orientie-ren. Bei kleinen Auflagen spielt das weniger eine Rolle, bei hohen Auflagen können die Versandkosten die Hälfte des Budgets ausmachen. Daher ist es sinnvoll, Verpa-ckungen direkt in den Produktionsablauf zu integrieren. Ein Jahrbuch zum Beispiel, das an alle Mitglieder ver-sandt werden soll, kann direkt in der Buchbinderei in eine Versandverpackung eingelegt werden. Papiergewicht und Format sollte man so wählen, dass der Kostenrah-men für den Versand nicht überschritten wird.

Format

Wenn man nicht auf die klassischen Formate zurückgreifen möchte, von denen es ziemlich viele gibt, kann man das Format natürlich auch frei wählen. Welches Format am besten zum jeweiligen Projekt passt, hängt von mehreren Aspekten ab, etwa vom Leseverhalten, dem Satzspiegel oder den Kosten.

Um das geeignete Format für eine Publikation zu finden, können folgende Aspekte ausschlaggebend sein:

- Inhalt
- Zielgruppe, Handhabung
- Design, Satzspiegel, Umfang
- technische Kriterien (Druckbogengröße, Druckmaschinengröße, Materialien)
- Kostenfaktoren (gerade bei der Materialauswahl und Ausstattung)

Als erstes sollte man sich mit dem Inhalt der geplanten Publikation beschäftigen. Welche Inhalte sollen vermittelt werden? Ist es vor allem Text, oder sind es viele Bilder? Ist ein großes Format unerlässlich, weil Bilder besonders detailgetreu dargestellt werden müssen? Oder gibt das Bildformat (zum Beispiel bei Kunstwerken) schon das Buchformat vor, weil die Bilder vollflächig dargestellt, aber nicht beschnitten werden sollen? Vielleicht reicht aber auch ein Taschenbuchformat, weil man einen Roman abdrucken möchte.

Publikationen sind für Auge und Hand von Lesern bestimmt und sollten deshalb in ihrem Format, Umfang und Gewicht auf die anvisierte Zielgruppe abgestimmt sein: Einen Roman hält man eher in der Hand. Ein Fachbuch findet Platz auf dem Schreibtisch. Ein Bildband kann groß und dekorativ auf dem Couchtisch liegen. Zeitschriften müssen manchmal in die Handtasche passen und ein Festivalplaner möglichst in die Hosentasche.

Auch die Form, also das Verhältnis von Breite zu Höhe, vermittelt einen bestimmten Eindruck: Ein Format kann hoch oder quer sein. Dabei spielen das Layout – zum Beispiel der Satzspiegel – und der Umfang eine entscheidende Rolle. Wenn man Texte mit Marginalspalten unterbringen muss, ist ein breiteres Format zu empfehlen. Ein besonders umfangreiches Buch mit vielen Seiten darf nicht zu klein sein, weil durch die Bindung womöglich 394 viel Platz im *Bund* verloren geht. Schmale Formate können dynamisch wirken, breitere hingegen klassischer und hochwertig. Auch bei Broschuren, Flyern oder Faltpostern kann man entweder auf die klassischen DIN-Formate zurückgreifen oder ein exklusives Sonderformat wählen.

25

Grundsätzlich unterscheidet man zwischen Hochformat, Querformat und quadratischem Format,
die sich natürlich immer individuell anpassen lassen.

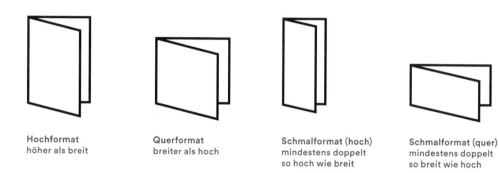

Hochformat
höher als breit

Querformat
breiter als hoch

Schmalformat (hoch)
mindestens doppelt
so hoch wie breit

Schmalformat (quer)
mindestens doppelt
so breit wie hoch

Papier- und Bogenformate

In Deutschland wird für Papierformate die DIN-Norm
verwendet, bei der das Verhältnis von Breite zu Höhe
immer gleich ist, nämlich $1:\sqrt{2}$. DIN-Formate sind bei
Postern, Postkarten, Flyern und Schulheften Standard.
(alle Angaben in Millimetern)

Reihe A				Reihe B				Reihe C		
DIN A0	841	×	1.189	DIN B0	1.000	×	1.414	DIN C0	917	×	1.297
DIN A1	594	×	841	DIN B1	707	×	1.000	DIN C1	648	×	917
DIN A2	420	×	594	DIN B2	500	×	707	DIN C2	458	×	648
DIN A3	297	×	420	DIN B3	353	×	500	DIN C3	324	×	458
DIN A4	210	×	297	DIN B4	250	×	353	DIN C4	229	×	324
DIN A5	148	×	210	DIN B5	176	×	250	DIN C5	162	×	229
DIN A6	105	×	148	DIN B6	125	×	176	DIN C6	114	×	162
DIN A7	74	×	105	DIN B7	88	×	125	DIN C7	81	×	114
DIN A8	52	×	74	DIN B8	62	×	88	DIN C8	57	×	81
DIN A9	37	×	52	DIN B9	44	×	62	DIN C9	40	×	57
DIN A10	26	×	37	DIN B10	31	×	44	DIN C10	28	×	40

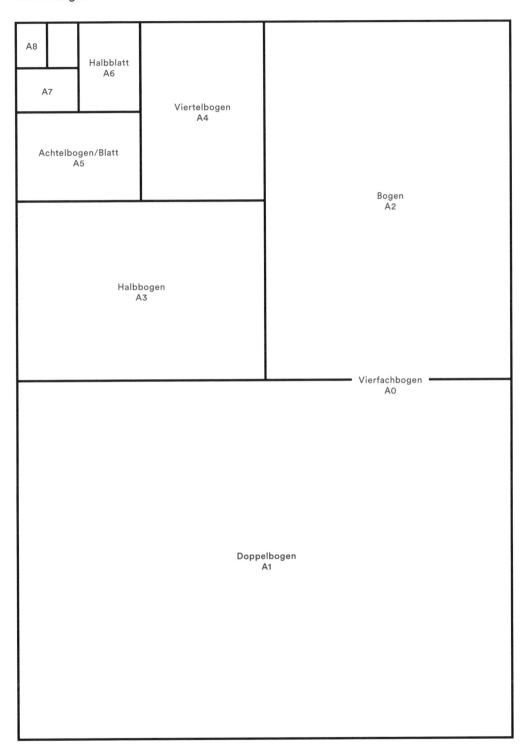

Daneben gibt es noch die sogenannten Bogenformate, die für alle im Offsetdruck produzierten Bücher und Broschuren gebräuchlich sind. Diese Formate sind Industrie-Standard.

Beispiele:
50 × 70 cm
61 × 86 cm (für 16 A4-Seiten)
70 × 100 cm
64 × 96 cm
78 × 104 cm

Es ist nicht nötig, sich bei der Produktion von Büchern auf DIN-Formate zu beschränken. An DIN-Formate sind wir zwar gewöhnt, ihre Proportionen wirken vertraut, sie sind aber oft nicht besonders elegant. Schon eine kleine Abweichung, etwa eine Verkürzung des Formats in der Höhe, kann ein Buch ungewöhnlicher erscheinen lassen.

Andererseits gibt es klassische Buchformate, die sich durchgesetzt haben. Ihre Maße haben teilweise mit der optimalen Ausnutzung des Druckbogens zu tun, das heißt, wie viele Seiten man auf einen Bogen drucken kann, teilweise aber auch mit der späteren Verwendung und Vermarktung eines Buches: Ein Taschenbuch muss ein kleineres Format haben, damit man es auf Reisen oder im Bett lesen kann, ein repräsentativer Bildband kann ein größeres Format haben, weil man ihn sich eher auf einem Tisch ansieht und er sich so auch hochwertiger ausnimmt.

Klassische Buchformate

12 × 19 cm	Standard Taschenbuch
17 × 22 cm	Standard Fachbuch
17 × 24 cm	Standard Schulbuch

Andere Buchformate

8 × 13 cm	Duodez
14,5 × 22,5 cm	Oktav
16 × 24 cm	Großoktav (Lexikonoktav)
18 × 24 cm	Kleinquart
22,5 × 28,5 cm	Quart
24 × 32 cm	Großformat
21 × 33 cm	Folio

In Nordamerika, China und Japan sind andere Standardformate für Papiere üblich, was bei internationalen Projekten leicht zu Komplikationen führen kann.

Die Versandkosten können im ungünstigsten Fall höher ausfallen als die Druckkosten.

Neben inhaltlichen Fragen und Überlegungen zur Gestaltung und Handhabung können auch technische Kriterien das Format beeinflussen. Häufig ist es jedoch das Budget, das Grenzen setzt: Wenn man günstig produzieren will, muss man den *Druckbogen* besonders gut ausnutzen. Und wenn man Publikationen per Post verschicken muss, sollte man sich vorher nach den Versandkosten bestimmter Formate erkundigen, um Geld zu sparen.

Bei höheren Auflagen, etwa für die erste Auflage eines Buches oder Flyers, lässt sich das Papier wegen der hohen Menge oft günstig im gewünschten Format einkaufen – Nachdrucke in niedrigerer Auflage können allerdings leicht teuer werden.

In manchen Fällen ist es deshalb besser, sich schon von vornherein auf ein Standardformat zu beschränken oder ein Papier zu verwenden, das der Drucker ohnehin für verschiedene Kunden vorrätig hält und das entsprechend günstiger ist.

Papier

Bei jedem Projekt muss
man sich neu entscheiden,
welches Papier man verwendet. Ausschlaggebend für
die Auswahl sind vor allem
die Funktionalität, die
Wirkung und die Kosten.

Natürlich gibt es gewisse Kriterien und fachlich begründete Argumente für oder gegen bestimmte Papiersorten, die einem bei der Wahl des Papiers weiterhelfen können. Es kann aber auch sein, dass man die gewünschte Wirkung nur dann erzielt, wenn man sich gerade nicht an diese Kriterien hält.

Fest steht, dass ein gestrichenes Papier filigrane Typografie und Bilder mit feinen Verläufen besser wiedergeben kann als ein offenes, ungestrichenes Naturpapier. Lange Texte dagegen lassen sich besser auf einem gebrochen weißen Werkdruckpapier lesen, weil es nicht glänzt und sich angenehm anfühlt. Wenn es um den gegensätzlichen Effekt geht, einen künstlich-artifiziellen Look, ist womöglich ein hochglänzendes Papier das Richtige.

Papiere lassen sich nach folgenden optischen, haptischen und technischen Kriterien unterscheiden:

- Zusammensetzung
- Oberflächenbeschaffenheit
- Gewicht, Volumen
- Farbe, Helligkeit, Weißgrad
- Lichtechtheit
- Opazität
- Laufrichtung

Daneben können auch das Format, die Verfügbarkeit, die Lieferzeiten und der Preis eines Papiers ausschlaggebend dafür sein, für welche Sorte man sich entscheidet. Bei kleineren Auflagen fällt der Papierpreis weniger ins Gewicht, bei höheren Auflagen kann ein teures Papier die Produktionskosten deutlich erhöhen.

Zusammensetzung und Herstellung

Papiere bestehen in der Regel aus organischen Fasern, das heißt, aus Zellstoff oder zermahlenem Holz; in manchen Papiersorten sind auch Textilfasern verarbeitet, sogenannte Hadern. Es gibt holzfreie, holzhaltige und hadernhaltige Papiere – und solche 363 411 mit *Recyclingpapier*-Anteil.

Holzfreie Papiere werden fast ausschließlich aus Zellstofffasern hergestellt und dürfen nicht mehr als fünf Prozent holzhaltige Fasern enthalten. Sie sind überwiegend von hoher Qualität und eignen sich auch für anspruchsvolle Druckaufträge.

Holzhaltige Papiere werden unter Verwendung von Holzschliff hergestellt und neigen dazu, relativ schnell zu vergilben. Sie kommen deshalb eher für kurzlebige Produkte infrage. Häufig mischt man holzhaltigen Papieren auch Fasern aus Altpapier bei.

Hadernhaltige Papiere sind besonders hochwertig und werden oft für allerhöchste Ansprüche wie den Druck von Banknoten und Sicherheitspapieren genutzt. Sie sind sehr reiß- und falzfest, witterungs- und alterungsbeständig.

Recyclingpapiere werden aus Sekundärfasern (Altpapier) hergestellt. Sie haben oft einen dunkleren Farbton, werden manchmal jedoch auch aufgehellt. Recyclingpapiere sind buchbinderisch schwierig zu verarbeiten, weil die Papierfasern sehr kurz und brüchig sind.

Für alle Papiere verwendet man eine Mischung aus verschiedenen Fasern, Leimen, Kunstharzen, Füllstoffen wie Talkum, Gips oder Kreide und weiteren Hilfsstoffen, etwa Farbstoffen und optischen Aufhellern. Vom jeweiligen Mischungsverhältnis hängt es ab, welche Eigenschaften das Papier hat – ob es eine geschlossene, glatte Oberfläche bekommt, wie transparent es wird, wie weich, geschmeidig, saugfähig, beschreibbar oder scheuerfest.

Oberflächenbeschaffenheit

Ein entscheidendes Kriterium für die Wahl eines Papiers ist seine Oberflächenbeschaffenheit, die von Sorte zu Sorte sehr unterschiedlich ausfallen kann und auch dafür verantwortlich ist, wie das Papier aussieht und sich anfühlt. Je nach Oberfläche lässt sich Papier besser oder schlechter bedrucken, was ein erfahrener Drucker aber durch den gezielten Einsatz von Druckfarben ausgleichen kann. Wenn das Papier aus der Papiermaschine kommt, hat es eine bestimmte, vom Herstellungsverfahren geprägte **408** Struktur, man nennt es *maschinenglatt*. Danach wird es üblicherweise noch veredelt oder beschichtet.

Ungestrichenes Papier (Naturpapier, uncoated): Ungestrichene Papiere sind gar nicht oder nur minimal veredelt und haben eine offene, matte Oberfläche, die sich leicht rau anfühlt. Die Poren zwischen den Fasern sind vergleichsweise groß – bei genauem Hinsehen kann man einzelne Fasern auf der Papieroberfläche erkennen. Oft nennt man das Papier auch Naturpapier, weil es sich so natürlich anfühlt. Man kann ungestrichene Papiere optimal beschreiben und bestempeln, allerdings fällt die Farbwiedergabe im **412** Druck etwas schwächer aus. Durch eine *Satinierung* lässt sie sich erheblich verbessern.

Gestrichenes Papier (coated): Gestrichene Papiere sind mit einem Bindemittelauftrag, dem sogenannten Strich, veredelt. So entsteht eine gleichmäßige, geschlossene Oberfläche, die matt, seidenmatt oder glänzend sein kann und eine hohe Detailwiedergabe im Druck ermöglicht. Gestrichene Papiere eignen sich daher insbesondere für anspruchsvolle Druckerzeugnisse. Der Strich kann unterschiedlich intensiv sein, weshalb es gestrichene Papiere in vielen Varianten gibt und mit speziellen Eigenschaften für unterschiedlichste Anforderungen.

Satiniertes Papier: Ungestrichene und gestrichene Papiere kann man zusätzlich noch in einem Walzwerk maschinell glätten. Das sogenannte satinierte Papier hat eine besonders glatte und glänzende Oberfläche, aber auch hier gibt es Abstufungen.

Geprägtes Papier: Geprägte Papiere haben eine reliefartige Struktur, die man mit Stahlwalzen in die Oberfläche einprägt. Das können feine Strukturen oder Rapporte von Ornamenten sein, auch grafische Muster und Oberflächenimitationen von Naturmaterialien werden angeboten.

Beschichtetes Papier: Beschichtete Papiere werden mit Kunststoffen oder Lacken veredelt, um sie wisch- und wasserfest zu machen oder ihnen eine andere besondere Oberfläche zu geben. Es gibt auch Beschichtungen mit *speziellen Folien*, die nach dem Druck auf das Papier kaschiert werden.

378

Rauigkeit und Glätte

Ungestrichene und unbeschichtete Papiere haben eine unterschiedlich raue Oberfläche, gestrichene und beschichtete Papiere dagegen sind mehr oder weniger glatt – bei der Auswahl des Papiers sollte man angeben, wie rau (Rauigkeit) oder glatt (Glätte) es sein kann oder darf. Beide Oberflächenbeschaffenheiten haben ihre Vor- und Nachteile, sie lassen sich zum Beispiel mehr oder weniger gut bedrucken.

Optische Eigenschaften von Papier

Farbe, Helligkeit und Weißgrad

Farbe und Helligkeit sind optische Merkmale von Papier, die man immer im Zusammenwirken wahrnimmt. Weißes Papier kann eine bläuliche, gelbliche, rötliche oder grünliche Tönung haben. Die Helligkeit variiert in unterschiedlichen Intensitäten zwischen Weiß und Schwarz.

Jeder Farbton verleiht dem Papier eine andere Wirkung und spielt auch für die Druckmotive eine wichtige Rolle, denn er kann den Druck unterstützen oder beeinträchtigen. So eignen sich bläulich kühle Papiere besonders für technische Darstellungen, ein Papier in einem warmen Weißton beispielsweise für Druckmotive mit Hauttönen.

Der Weißgrad gibt an, wie viel weißes Licht das Papier reflektiert: Auf einem Papier mit hohem Weißgrad erscheint der Druck wegen des starken Kontrasts kräftiger.

Opazität

geringe Opazität

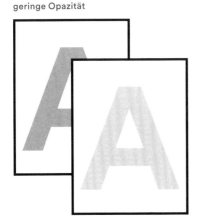

höhere Opazität

Mit Opazität ist die Undurchsichtigkeit des Papiers gemeint. Die Opazität ist gering, wenn das Papier sehr lichtdurchlässig ist – dann scheint das Druckbild auf der Rückseite des Blatts durch.

Je höher die Opazität, desto weniger durchsichtig ist das Papier. Eine hohe Opazität erreicht man, wenn man mehr Füllstoffe zwischen den Papierfasern anlagert oder die Papiere beschichtet. Auch durch die Farbigkeit und die Papierstärke lässt sich die Opazität beeinflussen, ein stärkeres Papier ist normalerweise weniger durchscheinend als ein dünneres.

Lichtechtheit

Die Lichtechtheit informiert darüber, wie farbbeständig Papier bei längerer Beleuchtung insbesondere mit einem hohen Anteil an UV-Licht ist. Gerade farbige Papiere sind oft nicht lichtecht und ändern ihre Farbe, wenn sie längere Zeit dem Licht ausgesetzt sind; auch weiße Papiere sind nicht immer lichtecht. Je nachdem, wie das Papier zusammengesetzt ist, ob optische Aufheller beigemischt wurden und wie lange und stark Licht darauf fällt, hellt sich das Papier auf oder vergilbt.

Technische Eigenschaften von Papier

Papiergewicht

Das Gewicht von Papier wird als Flächengewicht in Gramm pro Quadratmeter (g/m²) angegeben. Je nach Grammatur unterscheidet man zwischen Papier, Karton oder Pappe, wobei die Übergänge fließend sind. Letztlich liegt es eher an der Steifigkeit des jeweiligen Materials, ob man von Papier, Karton oder Pappe spricht.

Papiere:	7 bis 170 g/m²
Halbkartons:	170 bis 200 g/m²
Kartons:	200 bis 500 g/m²
Pappen:	über 500 g/m²

Wie hoch die Grammatur sein sollte, hängt von den Anforderungen an das Printprodukt ab. So kann ein dünnes Papier zu durchscheinend sein, und ein zu starkes Papier lässt sich eventuell schlecht falzen.

Papiervolumen

Neben der Grammatur ist auch das Papiervolumen entscheidend dafür verantwortlich, wie fest das Papier ist und wie es sich anfühlt. Das Volumen ergibt sich aus dem Verhältnis von Papierstärke zu Grammatur. Papiere können unterschiedlich stark sein, auch wenn sie die gleiche Grammatur haben, ihr Volumen weicht dann voneinander ab.

Bei einem durchschnittlich verarbeiteten, normal glatten Papier spricht man üblicherweise von einem einfachen Volumen (1-fach). Hat ein Papier ein höheres Volumen, liegt der Wert über 1 (1,25-fach bis zu 2,2-fach). Papiere mit einem niedrigeren Volumen haben einen Wert unter 1.

Papiere mit hohem Volumen bestehen aus einem weniger dichten Faserverbund mit vielen Hohlräumen, sie fühlen sich weich an und sind sehr saugfähig. Man verwendet sie zum Beispiel, um Bücher mit wenigen Seiten umfangreicher erscheinen zu lassen.

hohes Volumen   durchschnittliches   Untervolumen
                       Volumen

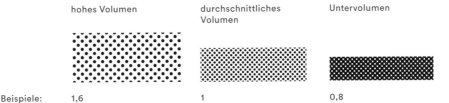

Beispiele: 1,6   1   0,8

Es gibt auch Papiere, deren Faserverbund stark ver-dichtet ist. Ihr Volumen ist niedriger als normal, sie sind härter und weniger saugfähig. Dazu gehören Pergamentpapiere, stark satinierte Papiere und Papiere mit starkem Strich – denn die Streichmasse, die bei gestrichenen Sorten auf das Rohpapier aufgebracht wird, ist oft schwerer als das Papier selbst. Wie viel so ein Papier mit Untervolumen vergleichsweise wiegt, merkt man, wenn man zum Beispiel einen Fotoband in die Hand nimmt.

Verarbeitungstechnische Kriterien

Laufrichtung

Bei der Papierherstellung wird der Zellstoff auf ein Endlossieb aufgebracht, das in einer bestimmten Richtung durch die Maschine läuft. Die Fasern richten sich dann parallel zur Produktionsrichtung – der Laufrichtung – aus.
Am Ende der Produktion wickelt man das Papier auf Rollen auf und teilt diese mit großen Rollenschneidern in unterschiedliche Breiten. Daraus kann man wiederum die Bogen für den Druck mit unterschiedlichen Laufrichtungen schneiden.

⚡ Alle Materialien, die man in einem Buch verwendet (Vorsatz- und Überzugspapier, Pappen usw.), müssen in der richtigen Laufrichtung sein, also parallel zum Bund. Das betrifft auch eingeklebte Blätter oder aufgeklebte Bilder.

Papierrolle

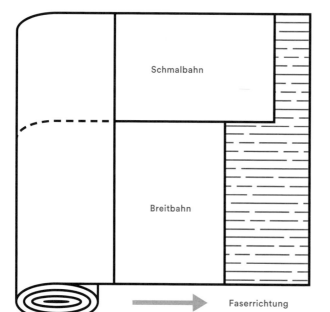

Schmalbahn

Breitbahn

Faserrichtung

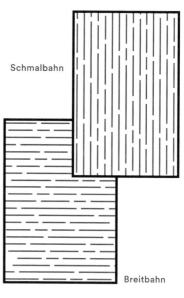

Schmalbahn

Breitbahn

38

✓ Bei Formatangaben wird immer zusätzlich die Laufrichtung angegeben.

Zum Beispiel:
100 × 70 cm BB
(BB = Breitbahn)
oder
70 × 100 cm SB
(SB = Schmalbahn)

⚡ Auch wer Papier selber im Papierladen kauft, um es digital bedrucken und dann binden zu lassen, muss auf die richtige Laufrichtung achten – sonst können sich die gebundenen Blätter zum Beispiel wellen, und das fertige Produkt lässt sich nicht so gut aufschlagen.

Schmalbahn: Die Laufrichtung von Schmalbahn-Papieren verläuft parallel zur langen Seite. Das klassische DIN-A4-Papier ist zum Beispiel Schmalbahn.

Breitbahn: Bei Breitbahn-Papieren liegen die Fasern des Papiers parallel zur kurzen Seite.

Bei der Verarbeitung von Papier muss man immer auf die Laufrichtung achten, egal ob es bloß um einen Faltprospekt geht oder ob man eine der verschiedenen Buchbindetechniken einsetzen will. Sonst kann es zu Schwierigkeiten beim Falzen, Leimen oder später beim Blättern kommen.

Blätter in der falschen Laufrichtung können sich wellen oder unschöne Falten bilden, wenn sie feucht werden. Das liegt daran, dass sich feuchte Papierfasern in erster Linie in die Breite ausdehnen und nur minimal in die Länge. Die Laufrichtung des Papiers sollte deshalb immer parallel zum Buchrücken bzw. der Falzkante sein.

Papierfasern

feuchte Papierfasern

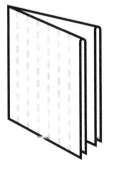

Außerdem lassen sich Papiere in Laufrichtung leichter biegen und falzen, weil die Fasern dabei nicht brechen. Falzt man quer zur Laufrichtung, können unschöne aufgebrochene Falzkanten entstehen. In der Buchproduktion verwendet man deshalb Druckbogen, deren letzter Falz parallel zur Laufrichtung ist – das Buch lässt sich dann besser aufschlagen.

Methoden, um die Laufrichtung zu ermitteln

Biegeprobe

Wenn man das Papier mal in die eine, mal in die andere Richtung biegt, spürt man einen deutlichen Unterschied: Biegt man es gegen die Laufrichtung, ist der Widerstand viel stärker als parallel zur Laufrichtung.

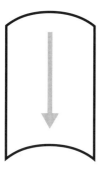
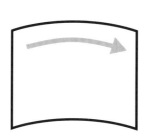

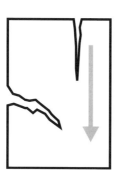

Einreißprobe

Reißt man das Papier ein, ergibt sich in Faserrichtung ein glatter Riss, während der Riss gegen die Faserrichtung ausfranst und nicht gerade verläuft.

Nagelprobe

Zieht man die Papierkanten zwischen den Fingernägeln von Daumen und Zeigefinger hindurch, wellt sich das Papier in Laufrichtung weniger, gegen die Laufrichtung stärker.

Falzprobe

Beim Falzen eines Blatts in Längs- und Querrichtung entstehen ein glatter und ein eher unregelmäßiger Bruch – hier sind die Fasern gebrochen. Die Laufrichtung ist also parallel zum glatten Bruch. Diese Methode eignet sich insbesondere für stärkere Papiere und Karton.

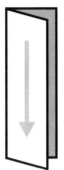

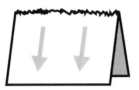

Feuchtprobe

Wenn man das Papier als Ganzes oder nur die Ränder befeuchtet, quellen die Fasern auf, und das Blatt gerät unter Spannung: Es wölbt und wellt sich gegen die Laufrichtung stärker als parallel zur Laufrichtung.

Feuchtigkeit

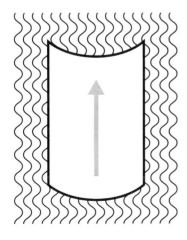

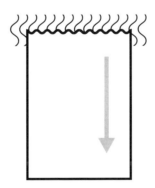

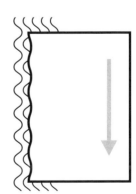

Druckbogen

Der Druckbogen ist Grundlage und Ausgangspunkt für jedes Printprodukt – unabhängig davon, ob er nachher zu einem einfachen Flyer verarbeitet oder zu einem Buch oder einer Broschur gebunden wird.

Druckbogenherstellung generell

Ein Druckbogen ist der bedruckte Papierbogen, auf dem die Einzelseiten einer mehrseitigen Publikation positioniert sind – oder mehrfach das gleiche Motiv, wenn es sich zum Beispiel um eine Postkarte handelt. Der unbeschnittene Druckbogen ist um einiges größer als das Endformat des späteren Druckerzeugnisses, weil neben dem eigentlichen Druck noch weitere Informationen darauf Platz finden müssen. Die sind wichtig für den Drucker, um die Druckqualität zu überprüfen, und für den Buchbinder, der die Weiterverarbeitung übernimmt. Nach dem Druck wird der Bogen gefalzt und beschnitten.

Ausschießen

Das Ausschießen ist ein Arbeitsschritt vor dem Drucken, bei dem festgelegt wird, wie die Einzelseiten einer Publikation auf dem Druckbogen angeordnet werden. Die Seiten liegen nicht linear nebeneinander, sondern folgen einem ganz bestimmten Schema – entsprechend dem Muster, nach dem der Druckbogen später zu einem Heft gefalzt wird.

Das Ausschießschema hängt von folgenden Faktoren ab:

1. Falzschema
2. Seitenzahl
3. Zahl der Druckbogen für die gesamte Publikation

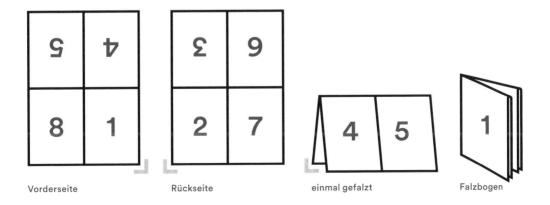

Vorderseite   Rückseite   einmal gefalzt   Falzbogen

43

✓ Druckdaten sollte man immer als PDF mit Einzelseiten abgeben.

⚡ An den Stellen einer Publikation, an denen der Bogen wechselt, kann es Farbabweichungen bei über den Bund laufenden Bildern oder einen Bundversatz geben.

Entscheidend ist, dass sich alle Seiten eines Buches vollständig auf die Druckbogen verteilen lassen. Auf einen Druckbogen passen mindestens 4 Seiten, weitere gängige Seitenzahlen sind 8, 12, 16, 24, 32 oder sogar 64 Seiten. Die Gesamtseitenzahl muss sich durch die Zahl der Seiten pro Bogen teilen lassen: Für ein 80-seitiges Buch können das 5 Bogen à 16 Seiten sein; hat das Buch besonders große Seiten, kann es auch sein, dass man 10 Bogen à 8 Seiten nehmen muss.

Grundsätzlich geht es darum, möglichst viele Seiten auf einem Druckbogen unterzubringen, um den Platz auf jedem Bogen effizient zu nutzen. So bleiben am Ende auch keine leeren Seiten im gefalzten Heft übrig. Wie viele Einzelseiten auf einem Bogen platziert 36 werden können, hängt auch von der *Grammatur* ab – je stärker das Papier ist, desto weniger oft sollte es gefalzt werden.

Das Ausschießen übernimmt normalerweise die Druckerei digital mit einer Software. Dabei werden auf den Standbogen auch gleich weitere wichtige 47 Elemente angeordnet: *Schnittmarken, Pass-* und *Falzkreuze* und mehr.

Nach dem Falzen und Schneiden müssen die Seiten in der richtigen Reihenfolge sein.

Der traditionelle Buchbinderbogen, der in der Buch- und Broschurenproduktion zum Einsatz kommt, entsteht durch drei Kreuzbrüche und enthält 16 Seiten. Man nennt ihn auch ganzen Bogen, wovon sich die Bezeichnungen halber Bogen für einen achtseitigen Bogen, Viertelbogen für einen vierseitigen Bogen und Achtelbogen für einen zweiseitigen Bogen ableiten. Diese Bezeichnungen sind formatunabhängig.

4 Seiten, Einbruchkreuzfalz = Viertelbogen (1/4 Bg.)
8 Seiten, Zweibruchkreuzfalz = Halber Bogen (1/2 Bg.)
16 Seiten, Dreibruchkreuzfalz = Ganzer Bogen (1/1 Bg.)
32 Seiten, Vierbruchkreuzfalz = Doppelbogen (2/1 Bg.)

rechts: mehrere zusammengetragene, noch unbeschnittene, gefalzte Bogen. Der Greiffalz und die Falzperforation sind gut zu erkennen.

44

Druckbogenaufbau

Neben den gedruckten Einzelseiten befinden sich
auf dem Bogen noch verschiedene Informationen und
Druckhilfen, die ebenfalls Platz beanspruchen, der
einzuplanen ist. Darum kümmert sich in der Regel
die Druckerei, nicht der Gestalter. Dennoch sollte man
es als Gestalter nicht aus den Augen verlieren: Der
zusätzliche Platzbedarf kann zum Beispiel dann eine
Rolle spielen, wenn das Bogenformat aus Kosten-
gründen optimal ausgenutzt werden muss. Der Druckbogen wird in der Regel beidseitig bedruckt.

Zu den Druckhilfen gehören der Druckkontrollstreifen,
Schneide-, Falz-, Register- und Flattermarken und
die Bogensignatur. Außerdem muss auch noch Platz für
den sogenannten Greiferrand bleiben, an dem die
Druckmaschine die Blätter greifen und bewegen kann.

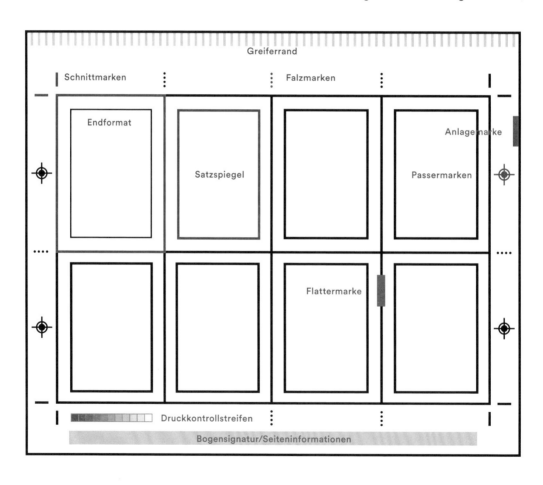

Schnittmarken (Anschnittmarken, Formatmarken, Schneidemarken)

Nach dem Drucken und Falzen wird der Druck auf sein Endformat beschnitten. Dafür benötigt der Buchbinder Schnittmarken, die jeweils an den Ecken des Endformats liegen.

Anschnitt (Beschnitt)

Druckbogen lassen sich nicht auf den halben Millimeter genau falzen. Damit bei Fehlfalzungen oder bei einem 394 *Bundzuwachs* keine Blitzer entstehen, legt man das Druckdokument mit einem 3 mm breiten Rand an, dem sogenannten Anschnitt, auf den randabfallende Bilder und Farbflächen überlaufen können.

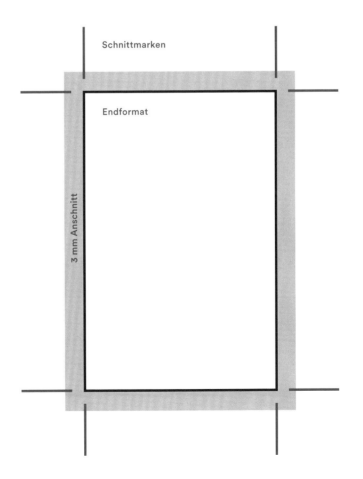

Schnittmarken

Endformat

3 mm Anschnitt

Passermarken (Registermarken)

Bei einem mehrfarbigen Druck müssen die einzelnen Farben exakt übereinanderliegen, also passgenau sein, damit es keine Blitzer gibt und das Druckbild nicht verschwommen und unscharf erscheint. Kontrollieren lässt sich die Passgenauigkeit an den Passermarken, die die Form eines Fadenkreuzes haben und außerhalb des Motivs auf dem Druckbogen liegen. Das Fadenkreuz wird in allen Druckfarben des Printprojekts immer an dieselbe Stelle des Druckbogens übereinandergedruckt.

Je nach Druckverfahren kann die Passgenauigkeit unterschiedlich ausfallen. Beim Digitaldruck ist sie deutlich höher als beispielsweise beim Siebdruck. Das liegt daran, dass das Papier beim Digitaldruck bewegungslos bleibt, während sich beim Siebdruck das Papier bzw. das Druckmotiv durch den starken Druck auf das Sieb leicht verziehen kann.

⚡ Passerfehler kommen bei klassischen Druckverfahren häufiger vor als beim Digitaldruck.

✓ Normalerweise setzt der Drucker die Passermarken, aber auch der Gestalter kann sie beim Erstellen des Druck-PDFs generieren. Am besten, man spricht sich ab.

nicht registerhaltige Passermarken

Passermarken CMYK

Falzmarken

Anhand der Falzmarken erkennt der Buchbinder, an welchen Stellen der Druckbogen gefalzt werden muss. Bei mehrseitigen Publikationen werden die Falzmarken automatisch mit dem Ausschießprogramm in der Vorstufe der Druckerei gesetzt.

Falzmarken

Flattermarken

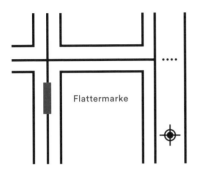

Flattermarke

Flattermarken dienen dem Buchbinder dazu zu überprüfen, ob die Druckbogen nach dem Falzen in der richtigen Reihenfolge zusammengetragen wurden. Die schwarzen, 3 bis 4 pt breiten Balken sind außen am Heftrücken zu sehen, und zwar von Bogen zu Bogen an einer anderen Position. Wenn die Flattermarken eine treppenförmige Reihe ergeben, liegen die gefalzten Bogen in der richtigen Reihenfolge. So lassen sich fehlende, vertauschte oder versteckte Bogen bei der Kontrolle schnell erkennen.
Auch die Flattermarken werden automatisch mit dem Ausschießprogramm in der Druckerei auf den Druckbogen gesetzt.

Bogensignatur/Seiteninformationen

Eine weitere Möglichkeit, die richtige Reihenfolge der gefalzten Druckbogen zu erkennen, bietet die Bogensignatur. Sie befindet sich außerhalb des *Beschnitts* und besteht aus der Druckbogennummer und dem Kurztitel des Projekts.

392

Druckkontrollstreifen

Der Druckkontrollstreifen liegt am Rand des Bogens und enthält verschiedene Farbmess- und Kontrollfelder, mit denen man die Druckqualität visuell und messtechnisch überprüfen kann. Er wird beim Belichten der Druckplatte erstellt.

Graustufen

Farbstufen

Wissenswertes: Druckbogen

Bundzuwachs

Wenn man die Druckbogen zu Heften ineinandersteckt, verschieben sie sich gegenseitig so, dass die inneren Blätter am Vorderschnitt weiter herausragen, die äußeren weniger. Den typischen treppenartigen Verlauf nennt man Bundzuwachs. Üblicherweise bringt der Buchbinder das Papier dann mit dem Endschnitt wieder auf eine optische Länge.

Weil die inneren Seiten auf diese Weise schmäler und die äußeren Stück für Stück breiter werden, kann sich der Satzspiegel verschieben – insbesondere bei Einlagenbroschuren mit großen Seitenumfängen. Im Layout sollte man das entsprechend ausgleichen,

indem man den Bundsteg von Bogen zu Bogen nach
außen verbreitert, bis der Satzspiegel wieder genau
übereinanderliegt. In der Regel macht das der Drucker
mit einer Software.

Bundzuwachs

vor dem
Beschnitt

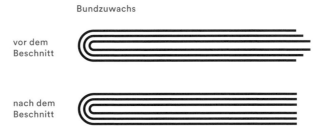

nach dem
Beschnitt

Bunddopplung

✓ Es gibt keine Grundregel
für die Bunddopplung,
da es von der Bindetech-
nik, aber auch von der
Stärke des Buches ab-
hängt, wie viel vom Motiv
im Bund verschluckt
wird. Am Besten spricht
man sich vorher mit der
Druckerei ab.

Bei Bindetechniken mit hoher Klammerwirkung sind
über den Bund laufende Motive oft nicht vollständig
zu sehen; vielleicht werden nur wenige Millimeter
verschluckt, die aber stören das Gesamtbild. Am größten ist das Problem bei einer seitlichen Heftung,
Klebebindung oder bei Klemmmappen.

Mit einer Bunddopplung lassen sich die fehlenden
Bildabschnitte wieder hervorholen. Dafür muss man das
Motiv jeweils um einige Millimeter vom Bund wegrücken
und den Bildrahmen zum Bund hin weiter aufziehen.
Je höher die zu erwartende Klammerwirkung ist, umso
größer sollte man die Bunddopplung anlegen; häufig
führen 3 bis 5 Millimeter zu einem guten Ergebnis.

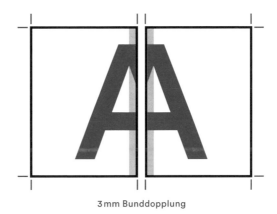

3mm Bunddopplung

51

Die Registerhaltigkeit ist gerade bei Büchern mit viel Text und leicht durchscheinendem Papier wichtig – es lenkt sehr ab, wenn die Textzeilen von der Rückseite durchscheinen und nicht genau auf derselben Grundlinie sitzen.

Registerhaltigkeit

Die Registerhaltigkeit gibt an, ob der Zeilenraster und die Ränder des Satzspiegels auf der Vorder- und Rückseite eines Druckbogens deckungsgleich sind. Hält man den Druck gegen das Licht, kann man gut sehen, wie genau das Druckbild aufeinanderpasst.

Blockstärke

Besonders umfangreiche Bücher und Broschuren mit einer Blockstärke von mehr als 5 cm lassen sich nur schwer verarbeiten. Oft geben Buchbindereien die maximale Blockstärke für ihre Buchfertigungsstraßen an. Am besten stimmt man sich mit dem Buchbinder vorher ab, welcher Umfang möglich ist.

⚡ Voluminöse Papiere werden durch den Druck oft etwas dünner – Blindmuster können dann eine höhere Blockstärke haben als später das gedruckte Buch.

⚡ Umfangreiche Publikationen mit hohem Farbauftrag hingegen können 1 bis 2 mm stärker werden als das Blindmuster. Einen Schuber sollte man deshalb besser erst nach dem Druck anpassen oder eine entsprechend höhere Blockstärke einplanen.

Dummy (Blindmuster)

Es ist unbedingt zu empfehlen, sich von jedem Printprojekt vor dem Binden ein Blindmuster anfertigen zu lassen. Gerade bei Büchern und Broschuren kann man zwar mit Formeln die Blockstärke errechnen, aber an einem Blindmuster lassen sich eben noch andere Aspekte wie die Funktionalität, die Oberflächenbeschaffenheit oder das Gewicht besser abschätzen.

Titel auf dem Rücken

Je nachdem, in welchem Land ein Buch erscheint, wird der Rückentitel unterschiedlich gesetzt: Bei Büchern in englischer Sprache (Abb. 1) verläuft der Rückentitel eines aufgestellten Buches von oben nach unten, in Deutschland (Abb. 2) – aber auch in Frankreich, Spanien, Italien und Russland – überwiegend von unten nach oben. Kann man allerdings ein Buch wegen seines großen Formats nur liegend im Regal verstauen, werden auch bei deutschsprachigen Büchern (Abb. 3) Autor und Titel von oben nach unten gesetzt – dann liegt das Cover obenauf.

Abb. 1   Abb. 2

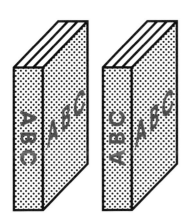

Abb. 3

Druckverfahren und Bindungen

Zwischen bestimmten Druckverfahren und Bindetechniken kann es zu unerwünschten Wechselwirkungen kommen, etwa Strichbruch oder abgelegte Druckfarben. Vermeiden lassen sich solche Probleme, wenn man Drucker und Buchbinder informiert und die Verfahren aufeinander abstimmt.

Wie gut sich ein Buch oder eine Broschur binden lässt, hängt auch von den verwendeten Druckverfahren ab: Nicht jedes Druckverfahren lässt sich problemlos mit jeder Bindetechnik kombinieren. In allen Fällen kann es Schwierigkeiten geben, wenn man Bilder randabfallend druckt, denen unbedruckte Flächen gegenüberliegen – dann kann sich beim Schneiden oder Pressen Farbe auf den weißen Stellen ablegen. Bei gestrichenen Papieren oder lackierten Seiten

414 kann beim Falzen der *Strich* aufbrechen und auf die Blätter stauben, zurück bleibt eine weiße Linie im Druckbild. Das hängt auch von der Strichfestigkeit der Papiere ab – bei qualitativ guten Papieren bricht der Strich weniger auf. Bei vollflächig lackierten Seiten

141 kommt es vor, dass der Leim bei einer *Klebebindung*
149 mit *Dispersionskleber* nicht genügend haftet.

Im Offsetdruck lassen sich unterschiedlich große
393 *Bogenformate* bedrucken, der Standard ist 70 × 100 cm. Aus diesem Format kann man mit jeder Technik Bücher
401 binden, und man kann die verschiedensten *Papiergrammaturen* und -qualitäten dafür verwenden, vom
362 369 *Dünndruckpapier* bis zu starken *Kartons* für Buchdecken – mit entsprechenden Auswirkungen auf die Buchbindung: Extreme Papierstärken sind nicht so einfach weiterzuverarbeiten. Sehr starke Papiere lassen sich
150 zum Beispiel nur als *Einzelblattbindung mit PUR-Kleber*
360 binden, bei *Naturpapieren* muss man nach dem Druck längere Trocknungszeiten einrechnen.

Im Digitaldruck bedruckte Bogen können bei der buchbinderischen Weiterverarbeitung vor allem dann Probleme bereiten, wenn kein Flüssigtoner, sondern ein Trockentoner verwendet wurde: Drucke mit Trockentoner haben einen so hohen Wachs- oder Silikonanteil, dass möglicherweise der Leim einer Klebebindung nicht gut genug hält. Das im Digitaldruck strapazierte
378 Papier lässt sich auch schwerer *folienkaschieren*.

Der Digitaldruck mit Flüssigtoner hingegen kommt dem Offsetdruck qualitativ am nächsten und wird deshalb oft für Kleinauflagen von Fotobüchern genutzt. Weil man mit einem Flüssigtoner weniger Hitze benötigt, wellen oder verziehen sich die Papiere seltener. Noch ist das Verfahren allerdings recht kostspielig, die Druckfarben sind sehr teuer. Und die Papiere, die damit bedruckt werden, kann man nicht recyceln, weil sich die Farbe nicht vom Papier lösen lässt.

Am besten macht man dem Buchbinder immer genaue Angaben darüber, wie der Druck produziert wurde. Es gibt auch Buchbinder, die sich darauf spezialisiert haben, Druck und Buchbindung »on demand« aus einer Hand anzubieten – so lassen sich viele Probleme von vornherein verhindern. Wer kleine Auflagen möglichst günstig drucken und binden will, wird um eine gewisse Standardisierung nicht herumkommen, etwa um Standardformate oder Standardausstattungen. Hat man sich für Digitaldruck entschieden, sollte man daran denken, dass sich noch nicht alle Papiergrammaturen und Papiersorten damit bedrucken lassen.

362 Tintenstrahldruck (Inkjet) ist für große Formate auch als Rollen- oder Bogendruck möglich. Damit lassen sich zum Beispiel beidseitig vierfarbige *Dünndrucke* produzieren, die im Offsetdruck nur schwer zu drucken wären. Im Inkjet bedruckte Papiere müssen ausreichend trocken sein, bevor man sie buchbinderisch weiterverarbeitet, außerdem sollte man darauf achten, dass sie sich während des Druckprozesses nicht verzogen haben.

Siebdruck setzt man häufig ein, um Umschläge oder Buchcover zu bedrucken, auch anspruchsvolle Materialien lassen sich damit bedrucken. Allerdings sind die Farben sehr scheuerempfindlich und können zum Beispiel auf Transportbänder abfärben. Man sollte sich frühzeitig mit dem Drucker bzw. Buchbinder abstimmen und Tests vereinbaren, damit es später keine Reklamationen und Enttäuschungen gibt.

Die Risographie ähnelt dem Prinzip des Siebdrucks. Sie ist vergleichsweise umweltfreundlich, weil die Toner nicht so giftig sind wie etwa beim Laserdruck, und kommt ohne Lösungsmittel und Hitze aus. Vor allem eignet sie sich für ungestrichene Papiere. Weil sich damit nur Formate bis A3+ bedrucken lassen, sind die Möglichkeiten der Buchbindung allerdings eingeschränkt: Die Bogen kann man zum Beispiel mit 141 121 einer *Klebebindung* oder *Rückstichheftung* binden.

Industrielle und handwerkliche Buchbinderei

Neben den Industriebuch-
bindereien, die hohe Auflagen
vollautomatisch produzieren,
gibt es auch Handbuchbindereien, in denen niedrigere
Auflagen mit vielen händischen
Zwischenschritten gebunden
werden.
Je nach Auflage, Verarbeitung
und Kostenrahmen kann eine
industrielle oder eine handwerkliche Buchbinderei für ein
Projekt besser geeignet sein,
manchmal sollte man auch
beides miteinander verbinden.

Handbuchbindereien haben sich oft darauf spezialisiert, individuelle, hochwertige oder besondere Bücher, Schuber, Mappen und Buchobjekte ab einer Auflage von einem Stück herzustellen. Sie reparieren auch beschädigte Bücher oder binden sie neu ein. Viele Arbeitsschritte werden hier von Hand gemacht oder mit mechanischen Geräten wie Rillmaschinen, Steppheftungsmaschinen oder Pappschneidern, die per Handanlage zu bedienen sind. Der Buchbinder muss die Stapel dabei selbst von Station zu Station bewegen.

Handbuchbindereien können fast jede buchbinderische Idee umsetzen, weil sie nicht abhängig sind von den Vorgaben und Maßen der Maschinen, auch die händischen Zwischenschritte lassen viel Gestaltungsspielraum. Bei höheren Auflagen kann das allerdings schnell teuer kommen – jedes Buch mehr, das gebunden wird, bedeutet zusätzliche (händische) Arbeitszeit, und damit steigen die Kosten.

Einzelne Bindetechniken lassen sich nur in einer handwerklichen, nicht in einer industriellen Buchbinderei produzieren. Beispielsweise müsste man bei einer 195 141 *japanischen Bindung* mit Faden auf eine *Klebebindung* ausweichen, um höhere Auflagen zu erreichen. Auch 374 echtes *Leder* lässt sich industriell nur schwer verarbeiten. In solchen Fällen muss man Auflage, Ästhetik und Kosten gegeneinander abwägen.

In Industriebuchbindereien werden Bücher in langen Buchstraßen ähnlich wie am Fließband produziert, fast ohne händische Zwischenschritte. Ganz ohne Zwischenschritte geht es nicht, wenn man etwa Einzel- 397 seiten *einstecken* oder besondere Formate anlegen muss, was oft nicht vollautomatisch möglich ist. Je mehr händische Zwischenschritte notwendig sind, desto teurer wird das Buch.

Normalerweise haben die Industriebuchbindereien zusätzlich auch noch mechanische Buchbindemaschinen, die sie zum Beispiel dafür verwenden, Blindmuster zu binden – es wäre einfach zu teuer, für ein einzelnes Muster die komplette Buchbindestraße auf das richtige Format einzustellen.

Bei bestimmten Bindeverfahren bietet es sich an, mit einer Industriebuchbinderei und einer Handbuchbinderei gleichermaßen zusammenzuarbeiten. Denn manche Arbeitsschritte wie das Falzen lassen sich schneller und günstiger von einer Industriebuchbinderei ¹⁸⁵ erledigen, eine spezielle Heftung wie die *Steppheftung* eher von einer handwerklichen Buchbinderei.

Es gibt aber auch Buchbindereien, deren Stärke es ist, beides in einer hohen Qualität anzubieten. Für Gestalter kann es sich jedenfalls lohnen, solche Überlegungen in die Planung einer Publikation mit einzubeziehen.

Manchmal ist es gar nicht so einfach zu durchschauen, welche Schritte industriell erledigt werden können und welche nicht. Es gibt buchbinderische Produkte, die sich industriell nur schwer fertigen lassen, weil sie zum Beispiel ein für die Heftmaschine zu großes Format haben oder weil ein Zwischenschritt nötig ist, um das Produkt umzudrehen – auch wenn es gar nicht so außergewöhnlich aussieht. Am besten spricht man die Produktion einer Publikation frühzeitig mit der Buchbinderei ab.

Wie läuft der Herstellungsprozess ab?

Es ist durchaus hilfreich, die Abläufe einer Buchproduktion zu kennen. So kann man die Qualität besser kontrollieren, Fehler vermeiden und damit den Prozess insgesamt positiv beeinflussen.

Hat man sich auf ein Konzept für die Publikation fest-gelegt, muss man sich für die Materialien, das Druck- und das Bindeverfahren entscheiden – und sollte sich dabei bereits mit dem Drucker und dem Buchbinder absprechen. Wer die Kostenvoranschläge und Angebo-te einholt, hängt von der Arbeitskonstellation ab: Bei kleinen Teams kann das durchaus auch mal auf den Gestalter zurückfallen, bei größeren Projekten über-nimmt es die Herstellungsabteilung.

Besonders bei aufwendigen oder ungewöhnlichen Publikationen lohnt es sich, sich vom Buchbinder oder
392 der Druckerei ein *Blindmuster* anfertigen zu lassen.
393 Blindmuster geben Aufschluss über die *Blockstärke*, die Funktionalität und eventuelle Schwierigkeiten, etwa wie bestimmte Materialien miteinander reagieren. Man sollte allerdings wissen, dass Blindmuster fast immer händisch hergestellt werden und deshalb nicht bis ins letzte Detail verbindlich sind.

Jetzt kann man sich an die Gestaltung der Publikation machen und den jeweiligen Drucker und Buchbinder in den Prozess einbeziehen, die die Materialien bestel-len und vorbereiten. Dann werden die Druckdaten an die Druckerei geliefert – vom Gestalter selbst, von der Agentur oder vom Verlag.

✓ Häufig wird statt Stand-plot auch der alte Begriff Blaupause verwendet.

Vor der Plattenbelichtung druckt die Druckerei
413 einen nicht farbverbindlichen *Standplot:* ein Ausdruck, der zur visuellen Kontrolle an Gestalter, Verleger, Herausgeber und eventuell noch an andere Beteiligte geht. Anhand des Standplots, der nicht auf dem
391 Originalpapier gedruckt wird, kann man das *Aus-schießen,* also die Reihenfolge der Seiten, überprüfen und sehen ob alle Elemente auf den Seiten richtig positioniert sind.

411 Zusätzlich kann man auch noch einen *Proof* drucken lassen, einen farbverbindlichen digitalen Ausdruck einiger wichtiger Bildausschnitte der Publikation. Dem Drucker dient er als Vorlage, um an der Druck-maschine noch geringe Farbkorrekturen vorzunehmen.

Kontrollmöglichkeiten
im Herstellungsprozess

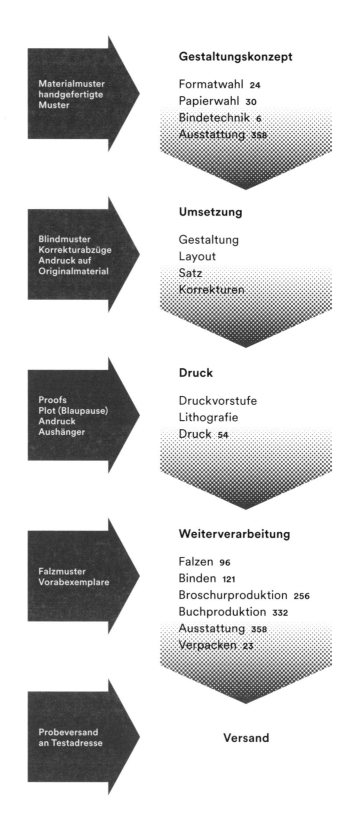

Gestaltungskonzept

Formatwahl 24
Papierwahl 30
Bindetechnik 6
Ausstattung 358

Materialmuster
handgefertigte
Muster

Umsetzung

Gestaltung
Layout
Satz
Korrekturen

Blindmuster
Korrekturabzüge
Andruck auf
Originalmaterial

Druck

Druckvorstufe
Lithografie
Druck 54

Proofs
Plot (Blaupause)
Andruck
Aushänger

Weiterverarbeitung

Falzen 96
Binden 121
Broschurproduktion 256
Buchproduktion 332
Ausstattung 358
Verpacken 23

Falzmuster
Vorabexemplare

Versand

Probeversand
an Testadresse

Sobald die Druckerei die Druckfreigabe erhalten hat, beginnt der Druckprozess. Als Kunde hat man häufig die Möglichkeit, beim Andruck dabei zu sein und sich der Qualität und Farbwiedergabe des Drucks zu vergewissern. Das ist zum Beispiel bei Kunstdrucken von Bedeutung, weil schon leichte Farbverschiebungen stark vom gewünschten Ergebnis abweichen können.

Zur gleichen Zeit können bereits die ersten buchbinderischen Arbeiten beginnen. Bei einem klassischen Buch wird jetzt die *Buchdecke* gedruckt, hergestellt und veredelt. Es gibt Druckereien, die eine angeschlossene Buchbinderei haben, andere lassen ihre Druckerzeugnisse in externen Buchbindereien binden. Viele Druckereien können neben dem eigentlichen Druck auch noch andere Arbeiten selbst erledigen, etwa Inhalts- und Umschlagseiten *lackieren* und laminieren. Gerade bei speziellen Wünschen kann es aber sein, dass sie die Druckbogen an einen externen Buchbinder übergeben müssen – und damit erhöhen sich die Kosten deutlich.

Wenn der Druckvorgang abgeschlossen ist, können die Druckbogen weiterverarbeitet werden. Geht es um ein Poster, werden die Bogen bloß noch beschnitten. Bei einem Buch oder einer Broschur müssen die Bogen vorher noch auf das entsprechende Format gefalzt und in die richtige Reihenfolge gebracht werden.

Der Buchbinder verarbeitet die Bogen dann weiter, je nachdem, für welches Bindeverfahren man sich entschieden hat. Bei einem klassischen Buch wird der *Buchblock* beispielsweise gebunden, beschnitten und dann in die Buchdecke eingehängt. Für eine Broschur verbindet man den *Broschurblock* je nach Bindeverfahren direkt mit dem Umschlag und beschneidet beides gemeinsam zum Schluss.

Nach dem Binden bekommt man als Auftraggeber in der Regel einige Vorabexemplare vor dem offiziellen Erscheinungsdatum zugeschickt. Bei der Endkontrolle prüft man, ob das Produkt den Vorgaben entsprechend hergestellt wurde und ob die Qualität zufriedenstellend ist. Zu guter Letzt wird die Auflage verpackt und verschickt.

⚡ Zwischen dem Herstellen der Buchdecke und dem Einhängen des Inhalts darf nicht zu viel Zeit verstreichen. Sonst kann sich die Buchdecke verziehen.

332
381
393
393

Books on Demand

Seit einigen Jahren finden
»Books on Demand«
Verbreitung, ein System der
Buchherstellung auf Bestellung, bei dem Bücher ab einer
Auflage von einem Stück
digital gedruckt, maschinell
gebunden und vertrieben
werden. Den Service nutzen
Self-Publisher ebenso
wie klassische Buchverlage.

Dadurch dass »Book on Demand«-Anbieter auch einzelne Exemplare herstellen, können die Verlage ihre Bücher jederzeit in kleinen Stückzahlen nachdrucken und binden lassen und ihr gesamtes Sortiment stets lieferbar halten. Das ist vor allem deshalb von Bedeutung, weil Autoren nach dem zur Zeit gültigen Urheberrecht den Verlag wechseln können, wenn ihre Bücher eine bestimmte Zeit lang nicht lieferbar sind. Außerdem lassen sich mit »Book on Demand« Fachbücher aktuell halten und vergriffene Werke schnell wieder auf den Markt bringen. Inzwischen produzieren viele Verlage erst ein E-Book und dann, wenn es sich gut verkauft, auf Bestellung auch gedruckte Bücher – das Stichwort lautet hier »E-Book first«. Wer Kleinauflagen oder sogar bloß einzelne Bücher auf Bestellung produziert, spart Lagerkosten und riskiert nicht, dass er nicht verkaufte Bücher irgendwann schreddern muss. Im Digitaldruck lassen sich Bücher auch personalisieren, das heißt, einzelne Seiten lassen sich mit individuellen Texten und Bildern bedrucken – zum Beispiel gibt es Kinderbücher, bei denen der Käufer den Namen der Hauptfigur frei wählen kann. »Selective Binding« nennt man die Möglichkeit, eine Publikation je nach Zielgruppe unterschiedlich zusammenzustellen und zu binden, indem man Bogenteile austauscht oder Einleger individuell einheftet.

Auch Self-Publisher können mit Kleinstauflagen ihr finanzielles Risiko minimieren, sie müssen nicht mehr hohe Auflagen im Offsetdruck vorfinanzieren und die entsprechenden Lagerkosten dafür tragen. Der Vertrieb erfolgt in erster Linie online und wird von den großen »Book-on-Demand«-Herstellern übernommen – genauso wie die Gestaltung des Buches.

Anbieter von »Books on Demand« nutzen Druck- und Buchbindestraßen, in denen die Bücher in einem Produktionsdurchgang gedruckt und gebunden werden. Oft wird auch ein Barcode zur Identifizierung eingedruckt, damit automatisch der richtige Umschlag umgelegt werden kann. Um wirtschaftlich arbeiten zu können, ist ein hohes Maß an Standardisierung notwendig: Die meisten Verlagspublikationen werden mit Klebebindung in Standardformaten hergestellt. Zur Auswahl stehen nur wenige Formate und Papiersorten, weil die BoD-Hersteller beim Einkauf große Mengen abnehmen und die Maschinen dann nicht immer wieder neu eingerichtet werden müssen. So halten sie die Herstellungskosten niedrig.

Textbücher werden im Digitaldruck mit Trockentoner oder im Inkjetdruck gedruckt, was Einschränkungen bei der Farbigkeit mit sich bringt – es sind zum Beispiel keine Sonderfarben möglich. Die fertig gebundenen
378 Bücher werden oft mit einer *Glanz- oder Mattfolie* kaschiert, andere Ausstattungsvarianten dagegen wären für solche Verlagspublikationen zu kompliziert und teuer.

Eine große Rolle spielt bei »Book-on-Demand«-Projekten auch die Logistik: Oft werden die Abläufe so gesteuert, dass über eine Software immer genau zu sehen ist, welche Daten eines Buches vorliegen und was davon bereits wie produziert wurde. Die Umstellung vom E-Book auf eine Druckausgabe funktioniert in der Regel vollautomatisch, ohne dass ein Gestalter daran beteiligt ist.

Eine Ausnahme auf dem »Book-on-Demand«-Markt sind Fotobücher, die einen eher repräsentativen Charakter haben sollten und deshalb nicht so wirtschaftlich hergestellt werden müssen wie andere Bücher. Einige Anbieter haben sich darauf spezialisiert, Fotobücher in Kleinstauflagen zu produzieren, und
171 bieten auch andere Bindetechniken wie eine *Faden-*
161 *heftung* oder *Lay-Flat-Bindung,* verschiedene Formate, Ausstattungsvarianten und Veredelungen an. Fotobücher werden meist im Digitaldruck mit Flüssigtoner gedruckt, womit man eine sehr hohe, dem Offsetdruck vergleichbare Qualität erreicht, was aber auch relativ teuer ist.

Anfrage

Wer eine Publikation plant, sollte unbedingt eine detaillierte Druck- und Bindeanfrage stellen. Sie ist die Basis, um mit den Produzenten zu kommunizieren, und dient dazu, Kostenvoranschläge zu vergleichen.

Druckanfrage

Objekt/Projektname
Buch, Broschur, Flyer, Faltblatt, Poster etc.

Bindetechnik, Verarbeitung
Klebebindung, Fadenheftung etc. + Art des Umschlags
(Hardcover, Klappenbroschur etc.) oder Falzart bei
Flyern, Faltblättern oder Postern

Format
Breite × Höhe in Millimetern oder Zentimetern
geschlossenes Endformat oder offenes Format

Im Kunstkontext wird
die Höhe vor der Breite
genannt, aber auch das
wird international nicht
einheitlich gehandhabt.
Zur Sicherheit sollte man
immer Hoch- bzw. Quer-
format dazuschreiben.

Beispiele:
17 × 24 cm (Hochformat)
24 × 17 cm (Querformat)

Umfang
Innenteil: Seitenzahl
Umschlag: Seitenzahl
bei Klappen: Einschlagseite nach innen
oder nach außen

Auflage
Stückzahl gesamt
(eventuell Teilmenge, beispielsweise bei
verschiedenen Sprachen)

Materialien, Papier
Innenteil: Art oder bestimmte Sorte/Hersteller,
Gewicht in g/m^2, Volumen
Umschlag: Art oder bestimmte Sorte/Hersteller,
Gewicht in g/m^2, Volumen

Druck, Farben
Druck: ein- oder mehrfarbig, Skala und/oder
Schmuckfarben, Lack
gesplittet für Inhalt und Umschlag:
z. B. Innenteil: 4/4-farbig (Skala),
Umschlag: 4/4-farbig (Skala)

Weiterverarbeitung
z. B. Stanzen, Nuten, Rillen, Perforieren, Prägen,
Schutzfolie etc.

Konfektionierung
z. B. Probe oder Postkarte einkleben

Verpackung

z. B. in Folie einschweißen, in Papier einschlagen oder in Kartons/Stülpschachteln verpacken

Mehr-/Minderkosten (bitte kalkulieren)

Mehrkosten Innenteil z. B. bei +8 Seiten
Minderkosten Innenteil z. B. bei -8 Seiten

Vorlage

Art der Druckdatenanlieferung (Dateiformat)

413 **Lieferung eines *Standplots***
(analog oder digital),
411 falls gewünscht ein *Proof*

Termine

Angebot
Erstellung der Bilderproofs
Anlieferung der Druckdaten
Erstellung und Freigabe des Plots
Fertigstellung des Drucks
Lieferung der Druckbogen an den Buchbinder
391 Lieferung von *Aushängern*
Lieferung von Vorabmustern
Auslieferung des fertigen Produkts

Lieferort, Anschrift

ggf. Teillieferung an verschiedene Orte
Testlieferung bei schwierigen Versandbedingungen

⚡ Für Bücher und Zeitschriften mit randabfallenden Abbildungen sollte man das Papier größer bestellen, weil der Greiferrand für die Druckmaschine berücksichtigt werden muss. Wer an ein knappes Budget gebunden ist, denkt am besten schon beim Konzipieren der Publikation an den Papiereinkauf. Am günstigsten sind häufig die Standardformate.

✓ Normalerweise berechnet der Drucker oder Buchbinder, wie viel Papier für das Projekt benötigt wird. Aber auch Gestalter sollten wissen, dass man bei einigen Drucktechniken zusätzliches Papier bestellen muss – beim Offsetdruck braucht man Vorlaufbogen, um die Druckmaschine einzurichten. Je nach Druckmotiv können dann bis zu 1.000 Bogen dazukommen.

Papierbestellung

Papier

Bezeichnung der Sorte/Hersteller, Gewicht in g/m^2,
36 26 38 *Volumen, Format, Laufrichtung*
39 *(Schmalbahn SB oder Breitbahn BB)*

Menge

in Bogen oder Tonnen
(Inhalt und Umschlag jeweils getrennt)

Liefertermin, Lieferort, Anschrift

69

Bindeanfrage

Objekt/Projektname
Buch, Broschur

Format
Breite × Höhe in Millimetern oder Zentimetern
geschlossenes Endformat oder offenes Format
Format des Druckbogens

Umfang
Innenteil: Seitenzahl
Umschlag: Seitenzahl
bei Klappen: Einschlagseite nach innen
oder nach außen
376 Eventuelle Spezialanforderungen angeben: *Ausklapper*
415 oder *Falttafeln*, Einzelblätter *vorkleben*

Auflage
Stückzahl gesamt
(eventuell Teilmenge, beispielsweise bei
verschiedenen Sprachen)

6 **Bindetechnik**
141 171 *Klebebindung, Fadenheftung* etc.

Materialien, Papier
Innenteil: Art oder bestimmte Sorte/Hersteller,
Gewicht in g/m^2, Volumen

Art des Einbands, Einbandmaterial
Umschlag: Art und Material,
Gewicht in g/m^2, Volumen
344 *Festeinband:* Halbleinen, Ganzleinen etc.
367 + Art des *Leinens, Papiers* etc.
256 *Broschur:* Standardbroschur, Freirücken etc.
374 + Art des *Umschlagmaterials*

Ausstattung
365 360 *Vorsatzpapier: Naturpapier* mind. 120 g/m^2
375 386 *Kapitalband, Zeichenband* (Farbe)
377 386 *Farbschnitt, Goldschnitt, Ecken abgerundet*

✓ Im Normalfall beauftragt die Druckerei die Buchbinderei – bei komplexeren Projekten bietet es sich jedoch an, direkt mit der Buchbinderei Kontakt aufzunehmen und Fragen vorab zu klären.

✓ Bei komplexeren Verarbeitungen (spezielle Falze, Umschläge oder ähnliches) sollte man am besten bereits bei der Anfrage eine Skizze oder ein Muster mitschicken.

Blindmuster
ja/nein

Verpackung
z. B. in Folie einschweißen, in Papier einschlagen
oder in Kartons/Stülpschachteln verpacken

Termine
Termin für das Angebot
Termin für das Blindmuster
Anlieferung der Rohbogen/Druckbogen
Liefertermin für Vorabexemplare und Anzahl
der Vorabexemplare
Auslieferung der Auflage

Lieferung
Lieferung auf Paletten, Packhöhe auf der Palette
und sonstige Anlieferungsvorschriften

Lieferort, Anschrift
eventuell mehrere Anschriften

Ablauf in der Buchbinderei

Umschlag zuschneiden/falzen/veredeln

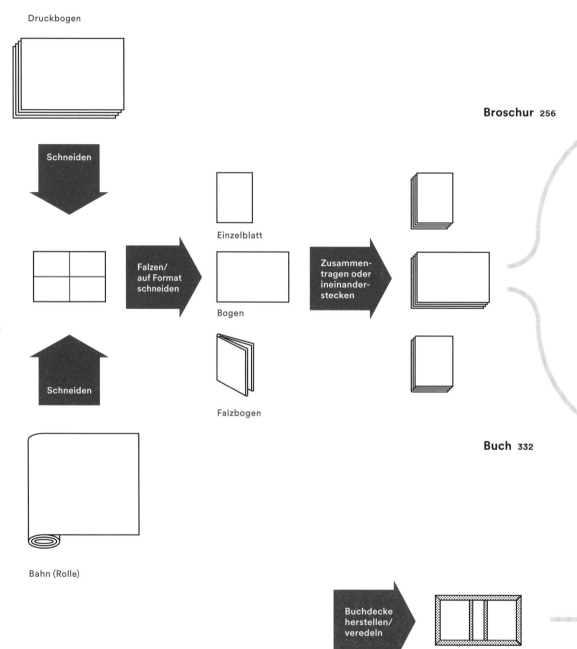

Druckbogen

Schneiden

Schneiden

Bahn (Rolle)

Falzen/ auf Format schneiden

Einzelblatt

Bogen

Falzbogen

Zusammentragen oder ineinanderstecken

Broschur 256

Buch 332

Buchdecke herstellen/veredeln

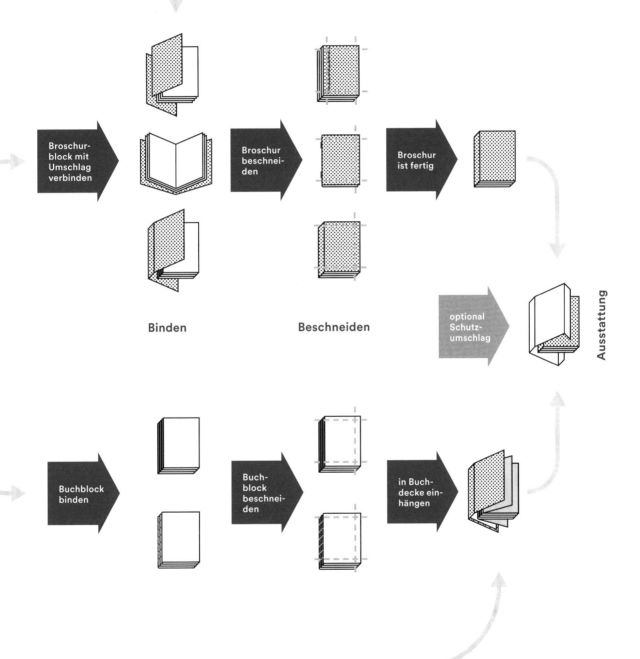

Broschur-block mit Umschlag verbinden

Broschur beschneiden

Broschur ist fertig

Binden

Beschneiden

optional Schutz-umschlag

Ausstattung

Buchblock binden

Buch-block beschneiden

in Buch-decke ein-hängen

73

Matthew Barney
Gestaltung: WIGEL
Herstellung: Sellier
Verlag: Kunstverlag Ingvild Goetz
Umfang: 240 Seiten
Format: 175 × 245 mm

171
346 Das Interessante an diesem *fadengehefte-ten Ganzband* ist sein Bezugsmaterial: ein besonders seidiges, faltiges Gewebe mit starker Maserung. Unterstrichen wird der Eindruck noch durch einen hellblauen
377 *Farbschnitt.*

Das Buch als besonderes Objekt

In der Beschäftigung mit Büchern finden wir immer wieder Beispiele, die spannende Interpretationen des Themas Buchbindung bieten. Einige davon haben wir hier zusammengestellt.

**Zeitloses und Zeitbewegtes –
Aufsätze, Vorträge, Gespräche
1900–1938**
Gestaltung: Bernd Kuchenbeiser
mit Christian Lange
Druck: Memminger MedienCentrum
Buchbindung: Buchbinderei Lachenmaier
Verlag: Dölling und Galitz
Umfang: 1.152 Seiten
Format: 145 × 232 mm

Der 1.152 Seiten starke Sammelband der Texte des
Gestalters Peter Behrens lässt sich trotz einer Rücken-
391 stärke von fast acht Zentimetern *sehr gut aufschlagen*.
Das liegt an der einfachen und äußerst wirkungsvollen
Idee von Bernd Kuchenbeiser: Der gerade Rücken des
Hardcovers wurde in der Mitte gerillt, was beim Auf-
schlagen die Zugwirkung auf die Gelenke vermindert
und ermöglicht, dass das Buch plan liegen kann.

Tragic Viewing
Gestaltung: Jenny Hasselbach
Druck: Buchfabrik Halle
Buchbindung:
Friederike von Hellermann
Umfang: 320 Seiten
Format: 140 × 210 mm

171 Das *fadengeheftete* Buch über die direkte Übertragung
des Tsunamis in Japan 2011 in den sozialen Medien
hat einen ansteigenden blauen Schnitt, der sowohl
durch einen Siebdruck auf den Innenseiten als
377 auch durch eine *Färbung des Buchschnitts* entsteht.

**A Well Respected Man,
Or The Book Of Echoes**
Gestaltung: Julia Born
Druck: Pöge Druck
Buchbindung: Buchbinderei Mönch
Verlag: Sternberg Press
Umfang: 140 Seiten
Format: 217 × 270 mm

121 Die Publikation ist mit einer einfachen *Klammerheftung*
in einen Kartonumschlag mit Rücken eingebunden.
Mehrere Formatwechsel innerhalb des Broschurblocks schaffen verschiedene Ebenen und machen
sie außergewöhnlich.

Een Eis van Helderheid
Gestaltung: Studio Wilfredtimo
Herstellung: Netzodruk Groningen
Umfang: 80 Seiten
Format: 130 × 160 mm

181 Das mit einer *Fadenrückstichheftung* gebundene
Buch hat einen besonderen Umschlag: Er besteht
aus massivem Blei, das mit Buckram bezogen ist.
Das Blei macht das Buch ungewöhnlich schwer; es ist
biegsam und bleibt in der Form, die man ihm gibt.

Kader Attia, Transformations
Gestaltung: Studio Quentin Walesch
Druck: Pöge Druck
Buchbindung: Buchbinderei Mönch
Verlag: Spector Books
Umfang: 224 Seiten
Format: 233 × 310 mm

121 Die Publikation ist *klammergeheftet* und in eine
332 *feste Buchdecke* mit festgeklammert. Die Innenseiten wurden vorne nicht beschnitten, wodurch
415 ein *treppenartiger Vorderschnitt* entsteht.

Love For The Real Thing
Gestaltung: Dagny Nowak und
Daniel Szwed
Herstellung: Moś & Łuczak Printing
House, Poznań
Umfang: 180 Seiten
Format: 150 × 225 mm

Der *fadengeheftete,* gefälzelte Buchblock
des Katalogs für die Arsenał Gallery
Poznań ist – ähnlich wie bei einer *Schweizer
Broschur* – in eine innen mit Leinen
bezogene Buchdecke mit *gerundetem
Rücken* eingeklebt.

Art of Change
Gestaltung: Hato
Druck: MM Artbook printing & repro
Buchbindung: Buchbinderei Schwind
Umfang: 152 Seiten
Format: 170 × 240 mm

141 Der *klebegebundene* Katalog der Ausstellung »Art of Change: New Directions from China« ist in der Mitte einmal gefaltet und hat zugeklappt trotzdem einen 415 geraden *Vorderschnitt*. Um das zu erreichen, hat jedes Blatt des Katalogs ein leicht unterschiedliches Format.

**Die Akademie, die Kunst,
die ProfessorInnen**
Gestaltung: PARAT.cc,
Jonas Beuchert, Tilman Schlevogt
Herstellung: Rösler Druck
Verlag: Modo Verlag
Umfang: 356 Seiten
Format: 160 × 210 mm

171 256

415

Der Inhalt der *fadengehefteten Broschur*
ist in drei Teile aufgeteilt, die sich durch
das Papier und einen verschieden schräg
beschnittenen *Vorderschnitt* voneinander
unterscheiden. Zusammengesetzt ergeben
diese Teile einen höchst ungewöhnlichen
Broschurblock.

Decoding + Recoding
Gestaltung: Rob van Hoesel
Herstellung: NPN printers
Umfang: 109 Seiten
Format: 150 × 230 mm

141
312
Die Publikation zum ersten Graphic Design
Festival in Breda ist eine *klebegebundene*
Freirückenbroschur. Das Cover ist schräg
gefalzt, was der Broschur eine objekthafte
Wirkung gibt.

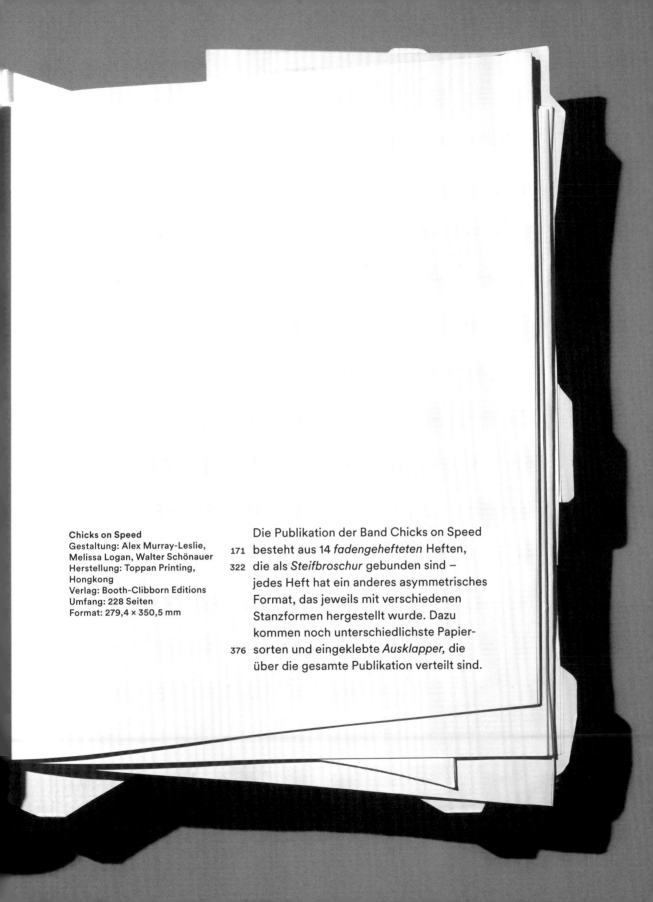

Chicks on Speed
Gestaltung: Alex Murray-Leslie,
Melissa Logan, Walter Schönauer
Herstellung: Toppan Printing,
Hongkong
Verlag: Booth-Clibborn Editions
Umfang: 228 Seiten
Format: 279,4 × 350,5 mm

Die Publikation der Band Chicks on Speed
besteht aus 14 *fadengehefteten* Heften,
die als *Steifbroschur* gebunden sind –
jedes Heft hat ein anderes asymmetrisches
Format, das jeweils mit verschiedenen
Stanzformen hergestellt wurde. Dazu
kommen noch unterschiedlichste Papiersorten und eingeklebte *Ausklapper,* die
über die gesamte Publikation verteilt sind.

Design Reaktor Berlin
Gestaltung: Onlab
Herstellung: Ruksaldruck
Verlag: Verlag der Universität
der Künste Berlin
Umfang: 172 Seiten
Format: 147 × 225 mm

121 Die fünf *geklammerten* Hefte, die ein Forschungs-
projekt der Universität der Künste Berlin
107 dokumentieren, sind in einen im *Zickzack gefalzten*
Umschlag eingebunden, der sie alle vereint.

Falzen

Das Falzen kann entweder ein Arbeitsschritt in der Buchbindung sein, bei dem die großen Druckbogen in kleinere Formate aufgeteilt werden.
Oder der Bogen lässt sich bereits zu Endprodukten falzen, etwa zu Flyern, Leporellos oder Zeitungen.

Beim Falzen biegt man Papier um und knickt es scharf entlang einer geraden Linie, dem Falzbruch. In einer Falzmaschine geschieht das üblicherweise zwischen Walzen, die das Papier so verformen, dass der Falzbruch nicht mehr rückgängig zu machen ist und das Papier sich nicht wieder öffnet. Auch wenn das Falzen fast immer maschinell abläuft, sind je nach **99 24** *Falzart* und *Format* zum Teil auch händische Produktionsschritte notwendig – insbesondere dann, wenn es nicht um standardmäßige, sondern individuelle Falzarten geht.

Mit bestimmten Falzarten lassen sich bereits Endprodukte falzen, ohne dass eine Bindung oder Weiterverarbeitung nötig wäre. Oft genügen wenige Schritte, um aus einem Bogen Flyer, Folder, Karten oder **107** *Leporellos* zu produzieren. Mehrere gefalzte Bogen kann man zum Beispiel zu einer Zeitung ineinanderstecken.

Das Falzen ist aber auch ein *Arbeitsschritt in der* **72** *Buchbindung:* In der Regel werden dafür die großen **46** *Druckbogen* nach einem bestimmten Falzschema in kleinere Falzbogen gefalzt, die man danach **393** in der richtigen Reihenfolge zu einem *Buchblock* zusammenträgt. Der letzte Falzbruch sollte dabei **38** immer in der *Laufrichtung* des Papiers verlaufen, damit der Falzbogen nicht von selbst wieder aufgeht bzw. feuchter Leim die Blätter nicht wellen lässt. Nach dem Binden bzw. Heften wird der Buchblock noch beschnitten – ansonsten könnte man die gefalzten Seiten ja gar nicht aufschlagen.

⚡ Die Falzgenauigkeit liegt bei +/-0,5 mm, Schwankungen lassen sich kaum verhindern.

Produktstärke, Umfang

In der Regel werden Papierzuschnitte und -bogen zum Falzen genutzt. Wie viele Seiten sich aus einem **26** Bogen ergeben, kommt auf das *Bogenformat* und die Falzart an: Im Bogenoffsetdruck sind 32 Seiten das Maximum, im Rotationsdruck sind bis zu 96 Seiten möglich.

⚡ Möchte man den gefalzten Bogen weiterverarbeiten, sollte das Falzschema immer so angelegt sein, dass die Laufrichtung parallel zur Bindung oder Heftung ist.

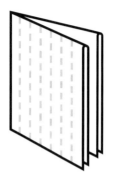

Materialien

<u>Papier</u>: Die Grammatur des Papiers und Zahl der Falze müssen aufeinander abgestimmt werden. Das Papier darf nicht zu stark sein oder zu oft gefalzt werden, 411 sonst entstehen beim Falzen unschöne *Quetschfalten*. Um das zu vermeiden, werden die Falzbogen zum Teil 410 an der Falzlinie *perforiert*, damit Luft entweichen kann.

401 <u>Druckfarbe</u>: Bei höheren *Grammaturen* kann es passieren, dass die Papierfasern – und damit auch die Druckfarben – am Falzbruch aufreißen. Die weißen Linien und Flecken entlang des Bruchs stören besonders auf durchlaufenden Bildern und Farbflächen. Deshalb rillt oder nutet man anfällige Papiere ab einer Grammatur von etwa 250 g/m² vor dem Falzen oder mit Rillenrädern in der Falzmaschine. Die Oberfläche von ungestrichenen und mattgestrichenen Papieren kann in der Falzmaschine scheuern. Das führt zu Glanzstellen, und Druckfarbe schmiert ab. Meist hilft dagegen eine 381 *Schutzlackierung* oder der Einsatz von UV-Druckfarben.

Zeitaufwand

Die meisten Standard-Falzungen laufen maschinell ab. 412 Bei großen *Rollendruckmaschinen* und modernen digitalen Drucksystemen sind die Falzmaschinen in die Druckmaschinen integriert, das heißt, es wird in einem Durchgang gedruckt und gefalzt. Bei individuellen Falzungen können noch händische Arbeitsschritte wie z. B. spezielle Sortierungen oder besondere Zuschnitte dazukommen, was den Herstellungsprozess verlängert.

Kosten, Auflage

Beim Falzen fällt kein zusätzliches Material an – die Kosten richten sich deshalb danach, wie aufwendig es ist, die Falzmaschine für die jeweilige Falzart einzurichten. So können insbesondere kleine Auflagen schnell teuer werden. Auch händische Schritte verteuern das Falzen.

Es gibt im Wesentlichen drei standardmäßige Falzarten:

101 Parallelfalz

Alle Falzbrüche verlaufen parallel; wird vor allem
zur Herstellung von Endprodukten wie Flyer, Folder
oder Leporellos verwendet.

109 Kreuzbruchfalz

Jeder Falzbruch verläuft senkrecht zum vorherigen;
wird vor allem zum Falzen von Druckbogen verwendet.

113 Kombinierter Falz

Parallel- und Kreuzbruchfalz lassen sich auch
kombinieren; wird vor allem zum Falzen von Druckbogen für 12 oder 24 Seiten verwendet.

Parallelfalz

Die einfachste Form des
Falzens ist der Parallelfalz,
bei dem alle Falze parallel
verlaufen. Eine Falzart,
die man überwiegend für
Endprodukte verwendet,
etwa für Landkarten, Folder
und Werbematerialien.

Einbruchfalz 103

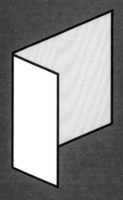

Asymmetrische Falzung 103

Lagenfalz 104

Wickelfalz 104

Parallelmittenfalz 105

Altarfalz 106

Trickfalz 106

Leporellofalz 107

Stufenfalz 107

Einbruchfalz

Eine symmetrische Falzung in der Mitte des Bogens ergibt vier Seiten, deshalb wird der Einbruchfalz oft **44** auch *Viertelbogen* genannt.

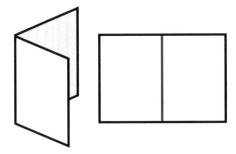

Variante: Asymmetrische Falzung

Wird der Bogen asymmetrisch, also außerhalb der Mitte gefalzt, kann das ästhetische oder auch produktionstechnische Gründe haben.

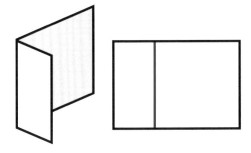

Beispielsweise falzt man die Falzbogen für die Weiterverarbeitung in Fadenheft- und Sammeldrahtheftmaschinen oft leicht asymmetrisch, damit der vordere oder hintere Bogenteil einige Millimeter überstehen. **401** An diesem *Greiffalz* (Überfalz) kann die Maschine die Blätter dann besser greifen und bewegen.

Vorfalz   Nachfalz

Normalerweise falzt man die Bogen einzeln und steckt sie danach ineinander. In Rollenrotationsdruckmaschinen lassen sich auch mehrere Bahnen oder Bogen übereinander falzen.

Lagenfalz

406 Falzmaschinen können auch mehrere übereinanderliegende Blätter, also ganze *Lagen* gleichzeitig falzen. Das beschleunigt den Prozess.

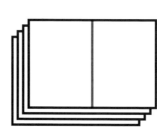

Die Bogenteile, die bei einem Wickelfalz nach innen geklappt werden, muss man kürzer anlegen als die übrigen Bogenteile, um Stauchungen beim Falzen zu vermeiden – standardmäßig sind es 3 mm weniger. Am besten legt man das Format schon vorher fest und stimmt sich mit dem Drucker oder Buchbinder darüber ab.

Wickelfalz

393 Bei dieser Form des Parallelfalzes falzt man jeden *Bruch* in der gleichen Richtung um einen inneren Bogenteil herum, er wird sozusagen »eingewickelt«.

Mit zwei parallelen Falzungen ergeben sich aus einem Bogen 3 Blatt bzw. 6 Seiten – das ist ein Zweibruch-Wickelfalz.

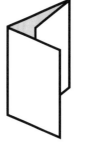

Zweibruch-Wickelfalz, 3 Blatt bzw. 6 Seiten

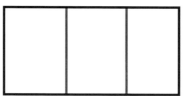

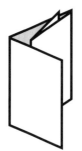

Dreibruch-Wickelfalz, 4 Blatt bzw. 8 Seiten

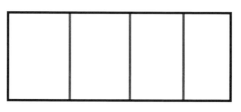

✓ Den Parallelmittenfalz
verwendet man auch
in der Buchherstellung,
um bei Abbildungen
über Doppelseiten
die Passgenauigkeit
zu verbessern.

Parallelmittenfalz
(Mittenfalz, V-Falz, Doppelparallelfalz)

Ein Parallelmittenfalz ergibt sich, wenn man den Bogen immer wieder in der Mitte und in der gleichen Richtung falzt, mit jedem Falzbruch verdoppelt sich die Seitenzahl. Für einen Parallelmittenfalz muss man mindestens zweimal falzen.

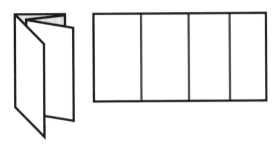

Varianten Parallelmittenfalz

Dreifach-Parallelfalz

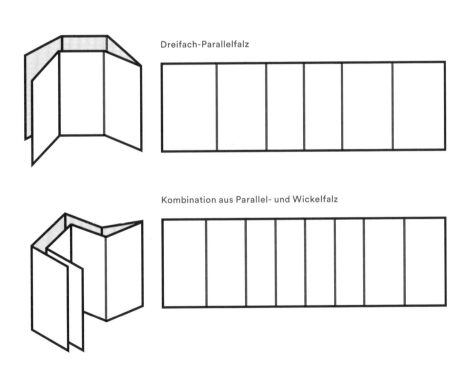

Kombination aus Parallel- und Wickelfalz

Altarfalz, Fensterfalz (Schrankfalz)

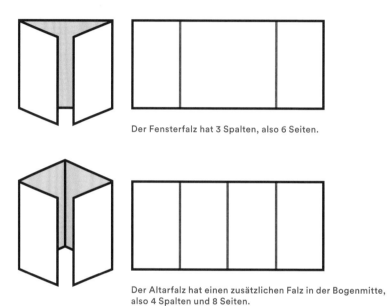

Die Bogenteile sollten in der Mitte jeweils mindestens 2–3 mm Abstand haben, weil sonst leicht Eselsohren entstehen können.

Der Altarfalz oder Fensterfalz verdankt seinen Namen der Ähnlichkeit zu dreiteiligen Flügelaltären und klappbaren Fensterläden. Die äußeren Bogenteile werden dabei jeweils wie Klappen nach innen in die Mitte gefalzt, ohne dass sich die Seiten überlappen oder aneinanderstoßen. Der Bogen lässt sich dann fensterartig nach links und rechts öffnen. Man nutzt ihn zum Beispiel für Folder.

Der Fensterfalz hat 3 Spalten, also 6 Seiten.

Der Altarfalz hat einen zusätzlichen Falz in der Bogenmitte, also 4 Spalten und 8 Seiten.

Trickfalz

Der Trickfalz ist eine erweiterte Form des Fensterfalzes, für den man vier statt zwei Falzbrüche benötigt. Die nach innen geklappten Bogenteile werden zur Hälfte wieder in die Gegenrichtung, also nach außen gefalzt. So ergeben sich insgesamt 10 Seiten.

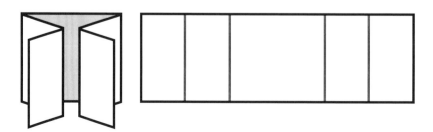

Leporellofalz (Zickzackfalz, Z-Falz)

Ein Leporello entsteht, wenn man den Bogen abwechselnd in entgegengesetzter Richtung falzt. Mit zwei oder drei Falzbrüchen lassen sich auf diese Weise Zickzack-Flyer falzen, mit aneinandergeklebten Bogen oder Rollendruckverfahren sind aber auch Produkte in Buchstärke möglich. Solche Faltbroschuren lassen sich von beiden Seiten öffnen und jederzeit flach aufschlagen, man kann sie auch mit einem Umschlag schützen.

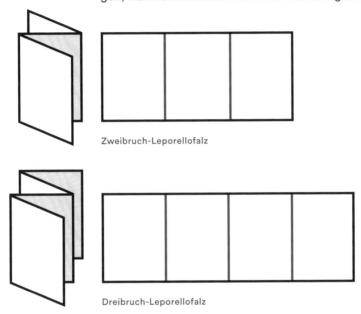

Zweibruch-Leporellofalz

Dreibruch-Leporellofalz

Stufenfalz (Pyramidenfalz, Treppenfalz)

Der Stufenfalz ist eine Sonderform des Zickzackfalzes, bei der man die gefalzten Seiten stufenförmig verkürzt. Wie steil sie dabei zulaufen und ob der Stufenfalz rechtsbündig, linksbündig oder zentriert sein soll, kann man individuell festlegen. Ein Stufenfalz lässt sich nur mit Spezialmaschinen herstellen.

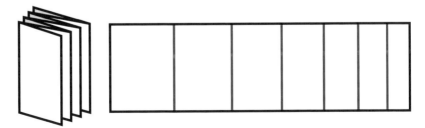

Kreuzbruchfalz

Den Kreuzbruchfalz verwendet
man fast ausschließlich für
die Buch- und Broschur-
produktion. Anders als beim
Parallelfalz verlaufen die
Falzbrüche hier nicht parallel,
sondern immer senkrecht
zum vorherigen. Die gefalzten
Seiten werden anschließend
je nach Bindetechnik weiterverarbeitet, etwa zu einem Buchblock zusammengetragen.

Klassischer Kreuzbruchfalz

✓ Bogen lassen sich formatunabhängig nach folgen-
dem Schema einteilen:

Halber Bogen (1/2 Bg.)
Zweibruch-Kreuzfalz
8 Seiten

Ganzer Bogen (1/1 Bg.)
Dreibruch-Kreuzfalz
16 Seiten

Doppelbogen (2/1 Bg.)
Vierbruch-Kreuzfalz
32 Seiten

Beim Kreuzbruchfalz falzt man den Bogen über
Kreuz, einmal längs, einmal quer. So entstehen zwei
Knickkanten in Form eines Kreuzes und vier Flächen,
was insgesamt 8 Seiten ergibt.

Für die Weiterverarbeitung ist es wichtig, dass die
38 *Laufrichtung* des Papiers parallel zum letzten Falz
332 256 verläuft. Wenn die Bogen für *Bücher* oder *Broschuren*
gefalzt und anschließend zusammengetragen werden,
47 müssen sie zum Schluss *beschnitten* werden –
ansonsten könnte man die Seiten nicht aufschlagen,
weil sie noch an entscheidenden Stellen zusammengehalten werden. Das Falzen ist also lediglich
ein Arbeitsschritt in der Herstellung eines Buches
oder einer Broschur.

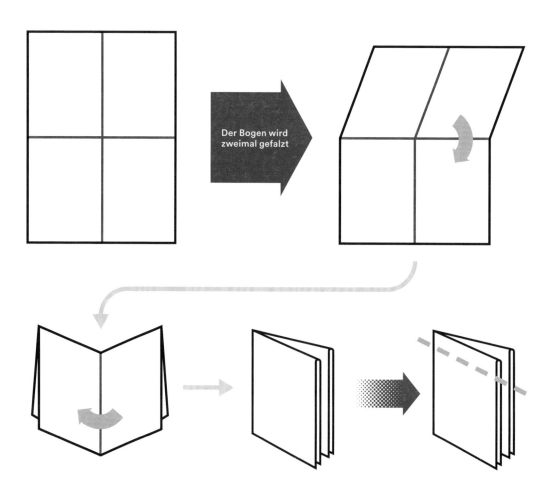

Der Bogen wird zweimal gefalzt

Das Prinzip des Kreuzbruchfalzes lässt sich fortsetzen: Der Bogen lässt sich mehrmals immer abwechselnd im rechten Winkel zum vorherigen Bruch auf die Hälfte des Formats falzen, zum Beispiel mit dem Drei- oder Vierbruchkreuzfalz.

Dreibruchkreuzfalz (Dreibruchbogen)

26 Den traditionellen *Buchbinderbogen* – auch ganzer Bogen genannt – erhält man, wenn man den Bogen dreimal falzt, erst quer, dann längs und noch einmal quer. Das Ergebnis ist ein 16-seitiger Falzbogen, der in der Buch- und Broschurproduktion am häufigsten verwendet wird.

⚡ Im Prinzip kann man jeden Bogen, der drei- bzw. viermal gefalzt ist, Drei- bzw. Vierbruch- bogen nennen. Entscheidend ist dann die spezifische Bezeichnung DreibruchKREUZ bzw. DreibruchPARALLEL.

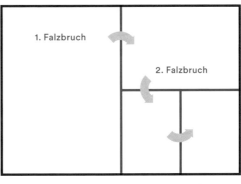

⚡ Mehr als vier Falzbrüche je Bogen sollte man für die Buch- und Broschur- produktion nicht ver- wenden, weil sonst die Heftlagen zu stark werden und zu viel Bund- zuwachs entsteht.

Vierbruchkreuzfalz (Vierbruchbogen)

Falzt man einen Bogen viermal abwechselnd quer und längs, ergeben sich 32 Seiten.

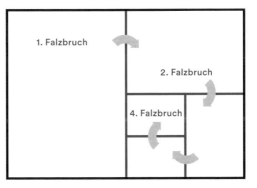

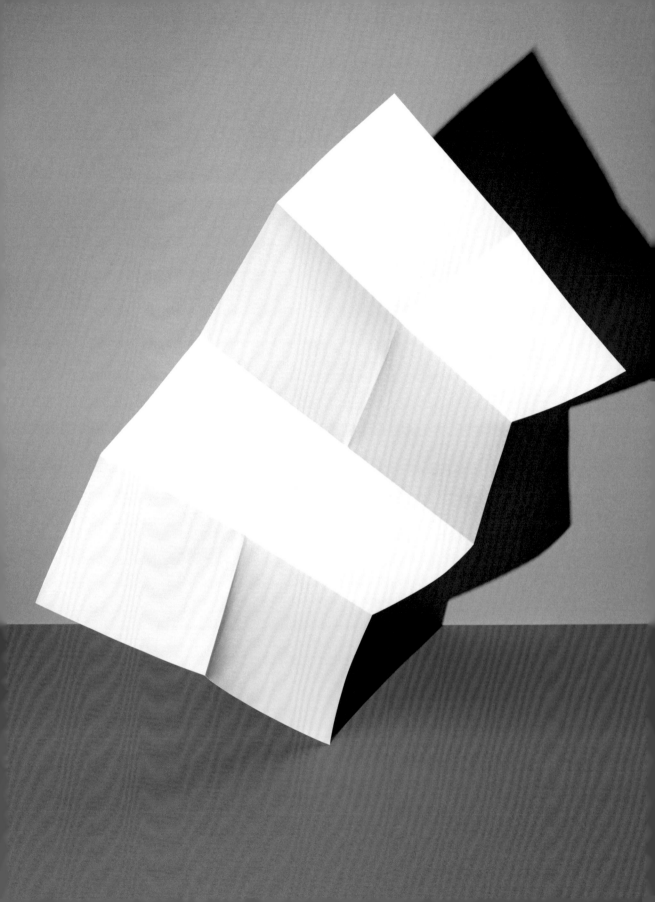

Kombifalz

Es gibt verschiedene Methoden und unendlich viele Möglichkeiten, unterschiedliche Falzarten miteinander zu kombinieren; entscheidend für das Endergebnis ist die Reihenfolge der Falzbrüche. Kombinationsfalze werden häufig in der Buch- und Broschurproduktion eingesetzt. Daneben lassen sich auch Endprodukte wie Landkarten oder Faltposter herstellen.

Ein Falz in der falschen Richtung bringt die Seitenabfolge durcheinander.

Als Hochformat sind solche Falzschemen nicht für Klammerheftung oder Fadenheftung geeignet.

Bei Kombifalzen aus Parallel- und Kreuzbrüchen sollte der letzte Falzbruch immer ein Kreuzbruch sein, also senkrecht zum vorherigen Falz verlaufen und in der Laufrichtung des Papiers. Das ist wichtig für die Weiterverarbeitung, denn so verhindert man, dass sich der Falzbogen von selbst wieder öffnet. Kommen unterschiedliche Falzarten beim Falzen eines Bogens zum Einsatz, darf man nicht vergessen, sie in der Reihenfolge ihrer Verwendung zu benennen, damit es keine Missverständnisse gibt. Kombifalzschemen werden häufig bei Querformaten oder quadratischen Formaten eingesetzt, damit alle Lagen im Bund mit Klammer oder Faden geheftet werden können.

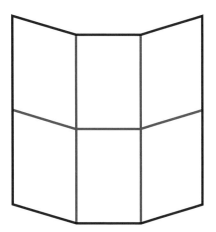

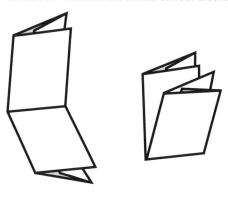

Zweibruch-Wickelfalz und Kreuzbruchfalz: 12 Seiten

Beispiel für zwei unterschiedliche Falzergebnisse bei gleichen Falzarten, aber umgekehrter Reihenfolge

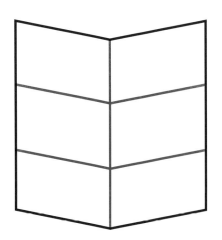

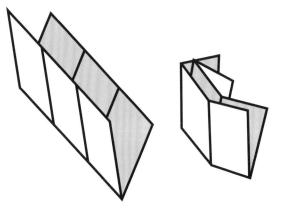

Einbruchfalz und Zweibruch-Wickelfalz: 12 Seiten

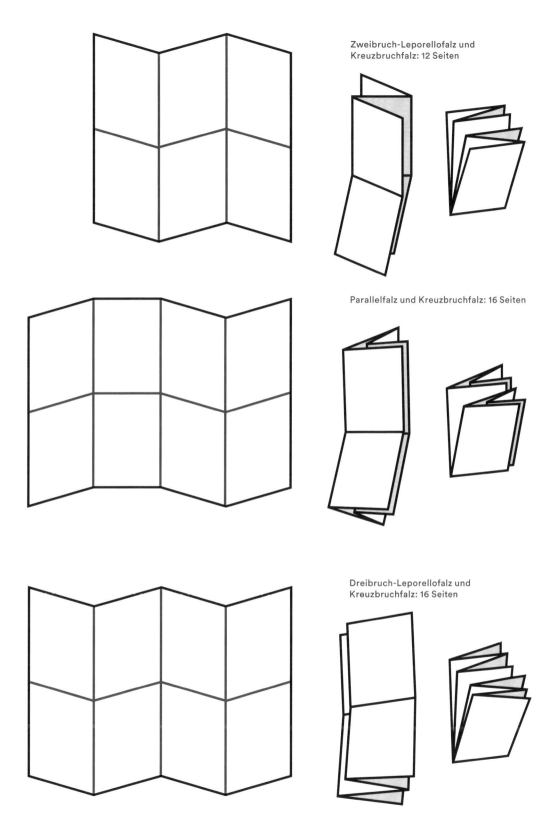

Zweibruch-Leporellofalz und
Kreuzbruchfalz: 12 Seiten

Parallelfalz und Kreuzbruchfalz: 16 Seiten

Dreibruch-Leporellofalz und
Kreuzbruchfalz: 16 Seiten

Sternfalz (Posterheft)

✓ Die Seitenzahl des Poster-
hefts lässt sich durch
eine längere Schlitzstanzung
und mehr Falze erweitern
– vorausgesetzt, der Bogen
ist groß genug für das
gewünschte Endformat.

Mit einem relativ einfachen Trick lässt sich ein Poster
zu einem achtseitigen Heft falzen, das man auch
blättern kann: Dazu wird es nach dem Drucken an den
Falzlinien gerillt und gleichzeitig in der Mitte des
Bogens mit einer Schlitzstanzung versehen. Danach
falzt man den Bogen zweimal parallel und einmal
kreuz. Faltet man ihn schließlich in der Mitte auf und
legt ihn um, ergibt sich ein Heft mit vier Doppelseiten,
das man jederzeit wieder komplett aufklappen und
in ein Poster zurückverwandeln kann.

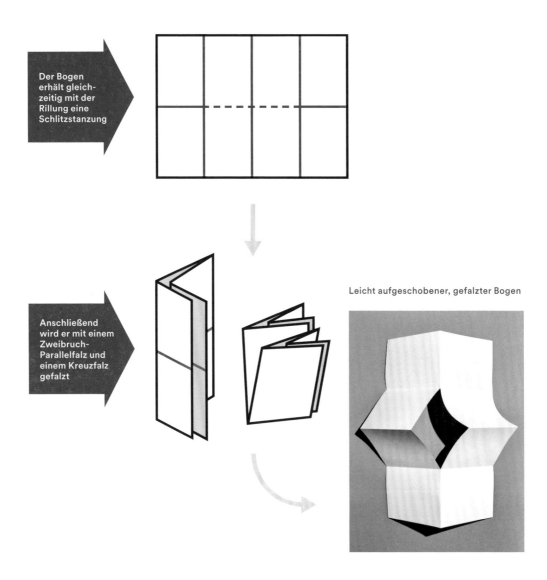

Der Bogen
erhält gleich-
zeitig mit der
Rillung eine
Schlitzstanzung

Anschließend
wird er mit einem
Zweibruch-
Parallelfalz und
einem Kreuzfalz
gefalzt

Leicht aufgeschobener, gefalzter Bogen

Sternfalz (von oben)

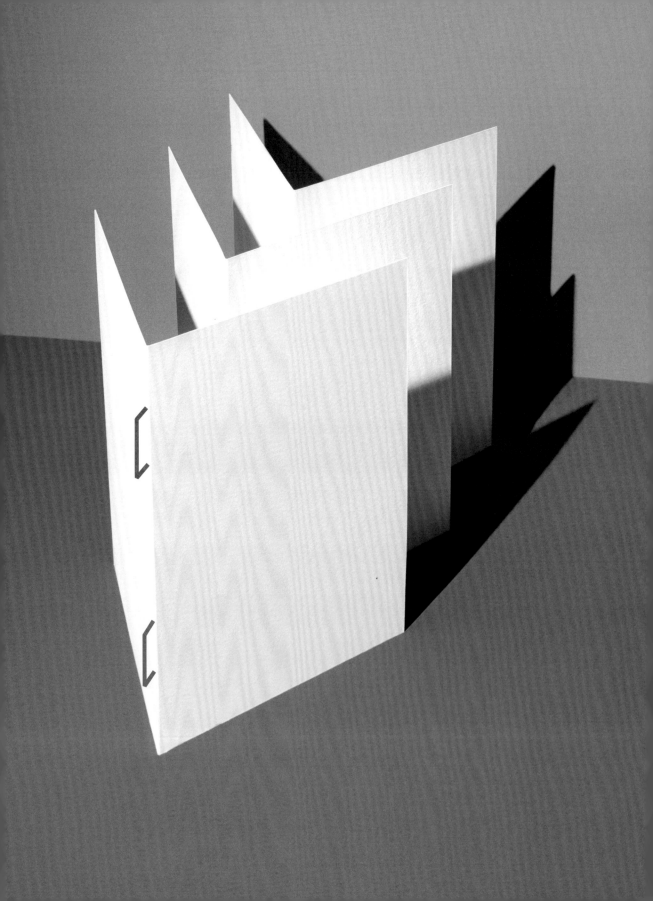

Klammerheftung

Drahtheften im Falz
Drahtklammerheftung
Klammerbindung
Rückendrahtheftung
Drahtrückstichheftung

Die Klammerheftung ist ein besonders schnelles und günstiges Bindeverfahren, für das außer Draht kein weiteres Material benötigt wird.
In der Regel kommt die Klammerheftung bei Zeitschriften, Katalogen, Werbedrucksachen und Broschüren zum Einsatz, sie eignet sich aber auch für andere weniger umfangreiche Produkte.

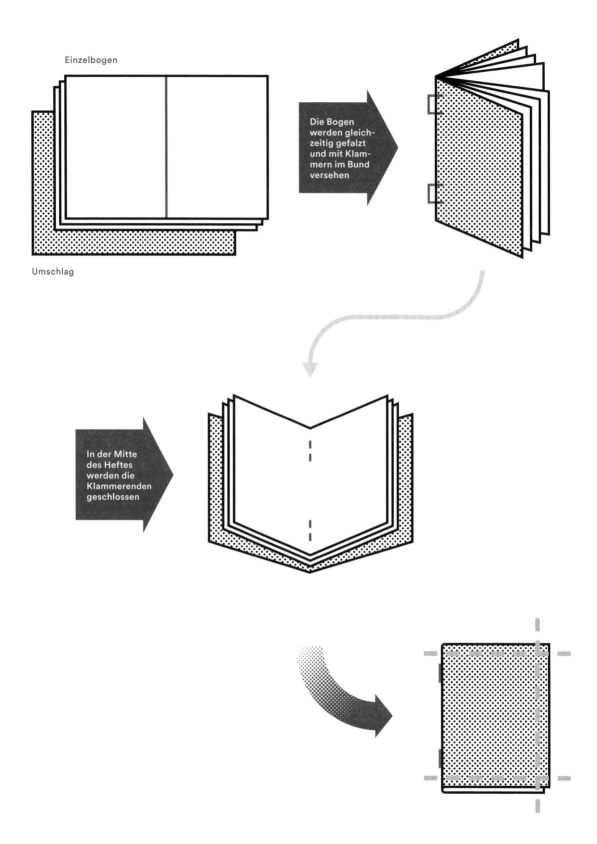

Einzelbogen

Umschlag

Die Bogen werden gleichzeitig gefalzt und mit Klammern im Bund versehen

In der Mitte des Heftes werden die Klammerenden geschlossen

122

Bei einer Klammerheftung heftet man mehrere ineinandergesteckte Bogen in einem Arbeitsgang mit einem Draht im Rückenfalz zusammen. Dazu werden mit einer Drahtheftmaschine Drahtklammern durch die zusammengetragenen Bogen gestoßen und durch Umbiegen der Klammerenden geschlossen. Die Bogen werden dabei so gefalzt, dass die Klammern im Bund sitzen, die Klammerenden im Inneren des Heftes. Es entsteht eine feste Verbindung, die nur durch das Entfernen der Klammern gelöst werden kann.

Die Länge der Klammern hängt von der Stärke des Produkts ab. Je nach Stärke, Rückenlänge und Verwendungszweck heftet man die Broschuren mit zwei, drei oder vier Klammern. Klammergeheftete Produkte werden üblicherweise an drei Seiten beschnitten.

Varianten der Klammerheftung

Ringösenheftungen (Omegadrahtheftung, Klammerösenheftung): Für das Abheften und Archivieren von Drucksachen in Mappen und Ordnern verwendet man oft eine Ringösenheftung. Geheftet wird hier mit Heftklammern mit nach außen gebogenen Ösen (Klammerösen), die im Normabstand von Lochungen und Heftvorrichtungen (80 mm) gesetzt werden. So geklammerte Broschuren kann man in Ordnern abheften, ohne sie zu lochen. Ringösenheftungen gibt es mit zwei oder vier Klammerösen. Im Unterschied zur klassischen flachen Klammerheftung benötigt man dafür Drahtheftmaschinen mit speziellen Heftköpfen.

Kombinationsheftung: Die Ringösenheftung lässt sich auch mit zwei flachen Heftklammern ergänzen, um sie noch stabiler zu machen. Eine solche Kombinationsheftung setzt sich aus je zwei Ringösen- und Heftklammern zusammen.

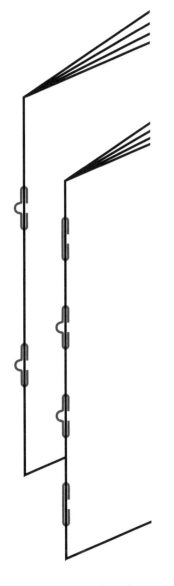

Ringösenheftung (hinten) und
Kombinationsheftung (vorne)

Blockstärke, Umfang

✔ Die maximale Blockstärke hängt auch von der maschinellen Ausrüstung des Buchbinders ab. Am besten immer vorher absprechen.

Für eine Klammerheftung eignen sich Grammaturen von etwa 80 bis 170 g/m^2, je nach Papiersorte, Volumen und Festigkeit des Papiers. Von der Grammatur hängt es ab, wie stark das Heft wird. Je höher die Grammatur ist, desto weniger Seiten lassen sich heften – und umgekehrt. In jedem Fall muss die Seitenzahl einer Klammerheftung durch vier teilbar sein. Möchte man Einzelblätter einfügen, müssen diese vorgeklebt werden.

412 Bei der Klammerheftung entsteht immer eine *Rücken-steigung*, das heißt, der Rücken ist höher als der Vorderschnitt. Rückensteigungen können die weitere
393 Verarbeitung erschweren, zum Beispiel den *Beschnitt* oder das Stapeln.

Der Bundzuwachs kann ein interessantes gestalterisches Mittel sein: Beschneidet man den treppenartigen Vorderschnitt nicht, kann man die entstandenen leicht überstehenden Flächen in die Gestaltung mit einbeziehen.

Aus ästhetischer und gestalterischer Sicht muss man bedenken, dass sich die Bogen durch das Ineinanderstecken gegenseitig verschieben. Am Vorderschnitt ragen die inneren Seiten weiter heraus, die äußeren weniger, typischerweise entsteht hier ein treppenartiger Verlauf. Man nennt dieses Phänomen *Bundzuwachs.* Üblicherweise macht der Buchbinder einen Endschnitt und bringt das Papier wieder auf eine optische Länge. Das bedeutet aber, dass die inneren Seiten schmäler und die äußeren Seiten Stück für Stück breiter werden – eine Abweichung im Satzspiegel, die man im Layout berücksichtigen muss.

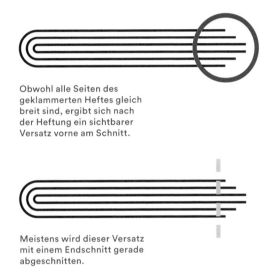

Obwohl alle Seiten des geklammerten Heftes gleich breit sind, ergibt sich nach der Heftung ein sichtbarer Versatz vorne am Schnitt.

Meistens wird dieser Versatz mit einem Endschnitt gerade abgeschnitten.

Materialien, Druckverfahren

Prinzipiell kann man jedes Papier (egal ob *offen* oder *gestrichen*) in einer geeigneten Grammatur klammerheften. Die *Laufrichtung* des Papiers sollte parallel zum Rücken sein, allerdings wirkt sich eine falsche Laufrichtung bei der Klammerheftung nicht so stark aus wie zum Beispiel bei der *Klebebindung,* deren feuchter Leim die Blätter wellen kann.
Die Klammerheftung funktioniert problemlos bei allen Druckverfahren, sie beeinträchtigt die Druckfarben nicht – und umgekehrt.

50
360
360
38
141

Aufschlagverhalten

Klammergeheftete Broschuren haben ein gutes
405 Aufschlagverhalten, weil im Bund keine *Klammer-wirkung* auftritt. Bedruckungen bleiben bis weit
in den Bund sichtbar.

Haltbarkeit

Die Klammerheftung ist sehr stabil und lässt sich erst
wieder auftrennen, wenn man die Klammern entfernt.
Wie lange sie hält, hängt aber auch von der Art des
Papiers ab. Je dünner das Papier, desto empfindlicher
ist es an den durchstoßenen Stellen — was man an
häufig benutzten, alten und auf dünnem Material
gedruckten Magazinen gut sehen kann.
Besonders empfindlich sind die erste und die letzte
Seite und der äußerste Bogen eines Heftes. Zum einen,
weil dort die Klammern das Papier deformieren, zum
anderen, weil bei starker Belastung Papier und Draht
aneinander reiben. Beides führt dazu, dass sich die
Seiten leichter herauslösen. Um das zu verhindern,
398 kann man mit einem *Fälzel* oder Karton die Schwach-stellen zusätzlich stärken.
Ein anderes, eher langfristiges Problem ist, dass die
Drahtklammern zu rosten anfangen können, wenn sie
nicht ausreichend geschützt sind. Der Draht oxidiert
allmählich unter Einwirkung von Sauerstoff, wogegen
selbst eine Antioxidschicht wenig ausrichten kann.

⚡ Produktionsfehler
können entstehen, wenn
die Klammern falsch
eingestellt sind oder der
Draht zu dünn oder zu
dick ist.

Fehler bei der Verarbeitung der Klammern

| Klammerschenkel zu kurz | Klammerrücken gestaucht | Schenkel drücken ins Papier | Klammerschenkel gestaucht |

Zeitaufwand

Die Klammerheftung gehört zu den schnellsten Bindeverfahren, weil keine Trocknungszeiten anfallen,
weil sie überwiegend maschinell und vollautomatisch
abläuft – und alle Bogen gleichzeitig mitsamt dem
Umschlag geheftet werden. Oft wird sie direkt in den
412 Prozess des *Rollenrotationsdrucks* integriert, um hohe
Auflagen mit geringem Zeitaufwand zu produzieren.

Kosten, Auflage

Weil außer den Klammern kein weiteres Material
benötigt wird, ist die Klammerheftung ein sehr
günstiges Bindeverfahren. Deshalb und wegen des
geringen Zeitaufwands ist sie prädestiniert für
die Produktion von Massenauflagen, zum Beispiel
von Zeitschriften.

Besonderheiten bei der Gestaltung

Auch wenn die Bindetechnik simpel und der Heft-
umfang begrenzt ist, bietet die Klammerheftung einige
gestalterische Besonderheiten.

Klammern: Es gibt Klammern in unterschiedlichen
Farben (lackiert oder ummantelt) und Stärken.

Abstände und Zahl der Klammern: Die Abstände und
die Zahl der Klammern lassen sich variieren.

Verschiedene Papiere: Bei der Klammerheftung lassen
sich nahezu alle Papiersorten und -stärken mischen,
auch Papiere und Materialien mit sehr unterschiedlichen Grammaturen, Volumina und Oberflächen
können direkt aufeinanderfolgen. Man sollte aber daran
denken, dass jede Papiersorte zweimal auftaucht.

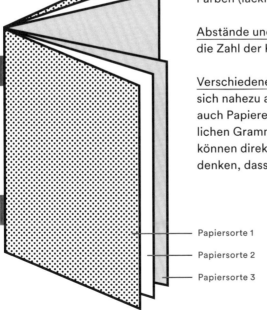

Papiersorte 1

Papiersorte 2

Papiersorte 3

Formate: Innerhalb der Klammerheftung sind Formatwechsel möglich. Verkleinerte Seiten lassen sich maschinell verarbeiten, wenn sie oben oder unten bündig mit dem Rest des Heftes sind. Andere Positionierungen lassen sich schwieriger umsetzen, man sollte das deshalb unbedingt vorher mit dem Buchbinder klären.

Weitere Verarbeitung

256 Umschlag: Die Klammerheftung ist möglich ohne Umschlag und mit allen gängigen *Broschurarten.*

44 Verstärkung: Durch ein stärkeres Material (etwa Karton) als äußersten *Viertelbogen* lässt sich die Bindung verstärken.

378 Schnittveredelung: Klammergeheftete Broschuren kann man an bis zu drei Seiten *schnittveredeln.*

Umweltverträglichkeit

Die Klammerheftung ist sehr umweltschonend, weil wenig Material verbraucht wird.

+	−
• schnell	• begrenzte Blockstärke
• günstig	• Bundzuwachs
• geringer Materialeinsatz	• Rückensteigung
• viele Gestaltungs-möglichkeiten	• geringe Wertigkeit
• Bindung von verschie-denen Materialien und Formaten möglich	• kein klassischer Rücken

129

Seitliche Klammerheftung

Seitliche Drahtheftung
Seitliche Klammerbindung
Seitliche Blockheftung

Die seitliche Klammerheftung nutzt man üblicherweise für einfache und günstige Produkte wie Schreib- und Quittungsblöcke oder Kalender. Sie lässt sich mit dem seitlichen Fadenheften vergleichen.

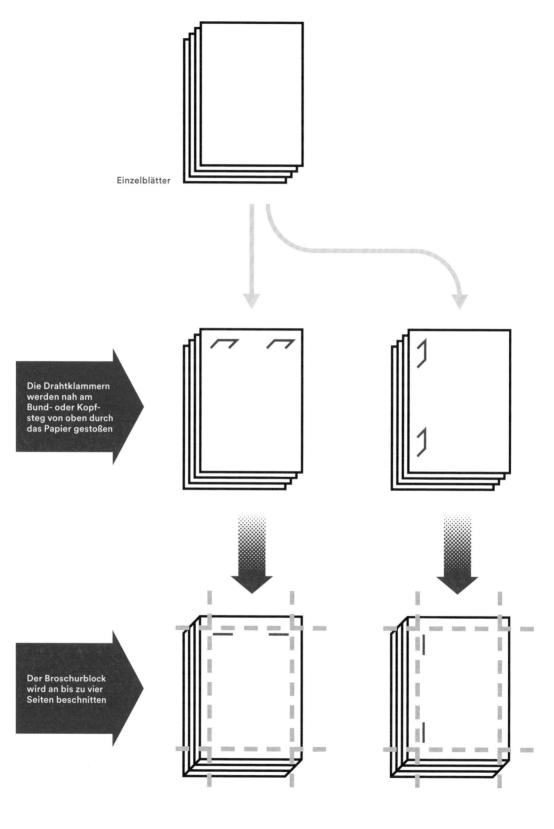

Einzelblätter

Die Drahtklammern werden nah am Bund- oder Kopf- steg von oben durch das Papier gestoßen

Der Broschurblock wird an bis zu vier Seiten beschnitten

Bei der seitlichen Klammerheftung werden die zusammengetragenen Blöcke oder Bogen möglichst nahe am Bund oder am Kopfende mit Draht quer durchstoßen; die Drahtenden biegt man um, um sie zu einer festen Klammer zu schließen. Die mit der seitlichen Drahtheftung gebundenen Blöcke kann man an drei, aber auch an vier Seiten beschneiden. Oft verwendet man sie für Produkte, aus denen sich perforierte Seiten einzeln heraustrennen lassen, zum Beispiel für Quittungsblöcke.

Blockstärke, Umfang

Die Blockstärke ist bei einer seitlichen Klammerheftung begrenzt: von zwei Blättern (also vier Seiten) bis maximal etwa 15 mm. Die maximale Seitenzahl ergibt 401 sich durch die *Grammatur* und das Volumen: Je höher die Papiergrammatur, desto weniger Seiten lassen sich klammern – und umgekehrt.
Papiere mit zu hohen Grammaturen erschweren das Aufschlagen des Heftes und können im Extremfall sogar die Klammerheftung aufhebeln. Papiere mit besonders niedrigen Grammaturen wiederum reißen an den Klammern leicht ein. Am besten, man testet die Verarbeitung vorher an einem Blindmuster.

Welche Heftstärke möglich ist, hängt entscheidend von der sorgfältigen Verarbeitung, der Papierqualität und dem Verwendungszweck bzw. Nutzungsgrad des späteren Produkts ab, denn gerade bei der Klammerheftung ist das Papier starken mechanischen Beanspruchungen ausgesetzt.

Bei einer Blockstärke von unter 2,5 mm schließt man die Klammerenden rückseitig; sind es mehr, werden die Klammern versetzt eingestochen, jeweils eine durch die Vorderseite und eine durch die Rückseite. Wenn nötig, kann man die Bindung mit einem Karton 398 oder *Fälzelband* verstärken.

Materialien, Druckverfahren

Für die seitliche Klammerheftung eignet sich jedes
360 Papier (egal ob *offen* oder *gestrichen*), sofern die
38 Grammatur nicht zu hoch oder zu niedrig ist. Die *Lauf-*
richtung des Papiers sollte parallel zum Rücken sein,
auch wenn eine falsche Laufrichtung sich nicht so
141 stark auswirkt wie zum Beispiel bei der *Klebebindung*.
Die seitliche Klammerheftung lässt sich ohne
Einschränkungen bei allen Druckverfahren einsetzen,
sie beeinträchtigt die Druckfarben nicht.

Aufschlagverhalten

Der erforderliche Randabstand der Drahtklammern
von etwa 5 mm macht es unmöglich, ein mit seitlicher
Klammerheftung gebundenes Produkt flach auf-
412 zuschlagen. Durch eine *Rille* rechts neben der Drahtheftung kann man das schlechte Aufschlagverhalten
zumindest noch verbessern, doch das Heft ist auch
dann noch schwierig zu handhaben: Wenn man es
öffnet, bleibt es nicht aufgeschlagen liegen, sondern
klappt von selbst wieder zu. Je stärker der Block,
405 desto schlechter ist das Aufschlagverhalten. Die *Klam-*
merwirkung ist so groß, dass man nicht in den Bund
sehen kann.

⚡ Weil sich das Heft nicht
komplett aufschlagen lässt,
muss man im Layout einen
größeren Abstand zum
Bund anlegen.

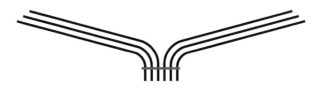

Eine Rillung rechts neben der seitlichen Klammerheftung erleichtert das Aufschlagen.

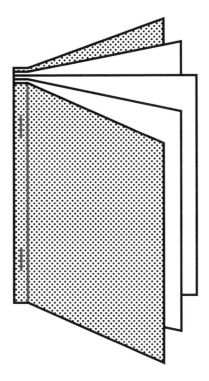

Haltbarkeit

Die seitliche Klammerheftung ist sehr stabil, einzelne Blätter lassen sich nur mit einigem Kraftaufwand aus der Bindung reißen. Auch die Art des Papiers trägt zur Haltbarkeit der Bindung bei: Je dünner das Papier, desto empfindlicher ist es an den durchstoßenen Stellen – eine Eigenschaft, die man aber auch gezielt nutzen kann, etwa für einen Ausreißblock. Zusätzlich kann man das Papier nahe am Bund 410 *perforieren,* um das Herausreißen zu erleichtern.

Am empfindlichsten sind die erste und die letzte Seite des gehefteten Blocks. Weil die Klammern dort das Papier an den Einstichstellen verformen und Papier und Draht bei starker Belastung aneinander reiben, können sich die Seiten mit der Zeit aus der Bindung lösen. Man kann dem aber durch ein zusätzliches Fälzel oder einen Karton entgegenwirken.

Die Drahtklammern können nach längerer Zeit anfangen zu rosten, wenn sie nicht dagegen geschützt sind. Oft hilft auch eine Antioxidschicht nicht.

Zeitaufwand

Die seitliche Klammerheftung ist ein sehr schnelles Bindeverfahren, das ohne Trocknungszeiten auskommt und hauptsächlich maschinell und vollautomatisch abläuft. Auch der Umschlag wird normalerweise gleich mitgebunden.

Kosten, Auflage

Die Kosten sind relativ niedrig, weil man wenig Material benötigt und die einfache Verarbeitung Zeit spart. Deshalb eignet sich die seitliche Klammerheftung auch gut für hohe Auflagen.

Besonderheiten bei der Gestaltung

Die Bindetechnik ist simpel und der Umfang begrenzt, es gibt aber einige besondere Gestaltungsmöglichkeiten.

Klammern: Die Klammern werden in unterschiedlichen Farben angeboten.

Abstände und Zahl der Klammern: Die Abstände und die Zahl der Klammern lassen sich variieren.

Verschiedene Papiere: Mit einer seitlichen Klammerheftung kann man so gut wie jede Papiersorte und -stärke binden und mischen, auch Papiere und Materialien mit sehr unterschiedlichen Grammaturen und Beschaffenheiten können direkt aufeinanderfolgen.

Formate: Formatwechsel innerhalb des Inhalts sind möglich, die maschinelle Verarbeitung kann jedoch aufwendig sein. Das sollte man deshalb vorher mit dem Buchbinder klären.

Weitere Verarbeitung

Umschlag: Die seitliche Klammerheftung lässt sich komplett ohne Umschlag und mit allen gängigen 256 *Broschurarten* fertigen.

Verstärkung: Mit einem umgeschlagenen Material (zum Beispiel Karton) am Rücken des Blocks lässt sich die Bindung verstärken. Damit man sich an den Klammerenden nicht verletzt, kann man über Bund 398 und Klammern ein *Fälzel* auftragen.

Schnittveredelung: Produkte, die mit einer seitlichen Klammerheftung gebunden sind, lassen sich an 377 allen vier Seiten *schnittveredeln* – anders als bei den meisten anderen Bindeverfahren.

Perforation: Eine Perforation nahe am Bund erleichtert das Heraustrennen von einzelnen Seiten und bietet sich bei Gebrauchsprodukten wie Quittungsblöcken an.

Umweltverträglichkeit

Die seitliche Klammerheftung ist umweltschonend, außer Draht wird kein weiteres Material verbraucht.

+	**−**
• schnell • günstig • geringer Materialeinsatz • Bindung von verschiedenen Materialien und Formaten möglich	• Umfang begrenzt • geringe Wertigkeit • kein klassischer Rücken • schlechtes Aufschlagverhalten

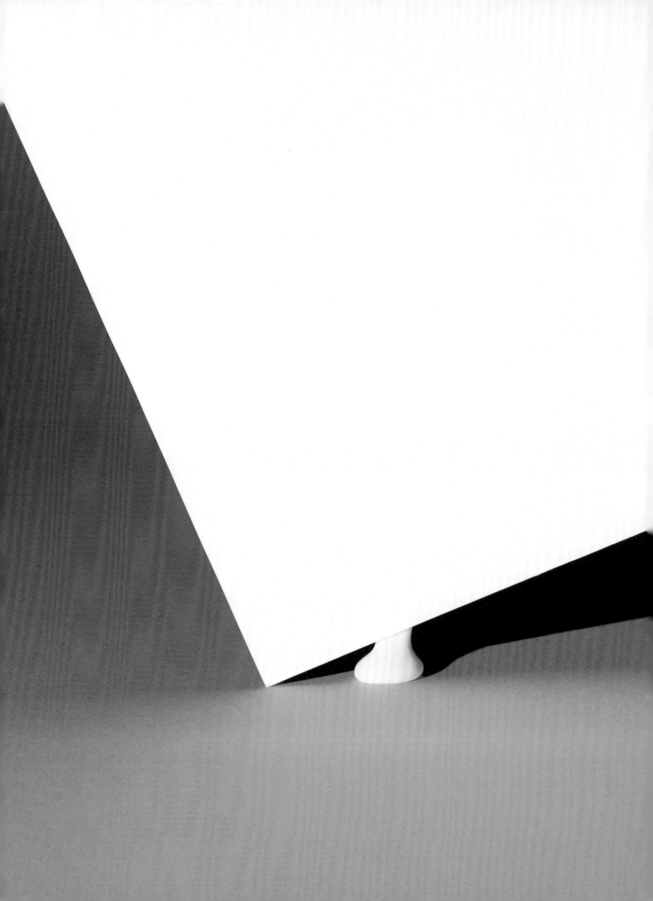

Klebebindung

Lumbecken
PUR-Klebebindung
Hotmelt

Die Klebebindung ist ein günstiges, zeitsparendes Bindeverfahren, das vor allem für Taschenbücher, Zeitschriften und Werbebroschüren verwendet wird – Produkte, die eher kurzlebig sind. Im Gegensatz zur Fadenheftung lassen sich mit der Klebebindung auch Einzelseiten binden, unterschiedliche Papierstärken und -sorten können also direkt aufeinanderfolgen.

Bei einer Klebebindung trägt der Buchbinder einzelne Blätter oder gefalzte Bogen zusammen und verbindet sie mit Klebstoff. Die offene Klebefläche hinterklebt er üblicherweise mit einem Umschlag 256 398 332 (bei *Broschuren*) oder einem *Fälzelstreifen* (bei *Büchern* 300 oder *Fälzelbroschuren*). Abgesehen davon werden auch Umschläge mit bereits integriertem Hotmelt-Streifen angeboten, wie sie zum Beispiel für Seminararbeiten zum Einsatz kommen. Es gibt verschiedene 143 Arten der Klebebindung: das *Fräsklebebinden,* das 144 146 *Lumbecken* und die *Blockleimung*.

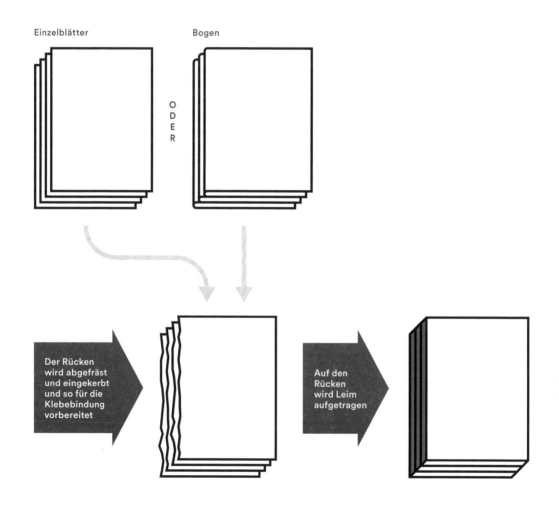

Einzelblätter

Bogen

ODER

Der Rücken wird abgefräst und eingekerbt und so für die Klebebindung vorbereitet

Auf den Rücken wird Leim aufgetragen

Fräsklebebindung (Rückenfräsprinzp)

Die meistverbreitete Technik ist das Fräsklebebinden, das heute fast ausschließlich maschinell ausgeführt wird. Dafür werden die zusammengetragenen Bogen am Rücken leicht abgefräst und aufgeraut – so lassen sich die Papierfasern freilegen, und der Klebstoff zieht besser ein. Bürsten entfernen vor dem Leimauftrag den Papierstaub vom Buchblock, damit der Kleber gut haften kann. Den Klebstoff trägt man mit Walzen oder Düsen auf, dann wird ein Broschurumschlag oder der Fälzelstreifen angepresst. Zum Schluss muss der Block noch trocknen und – wenn man beispielsweise einen *Heißkleber* verwendet hat – abkühlen. Denn Buchblöcke, die noch feucht oder heiß sind, können nicht gleich beschnitten werden.

149

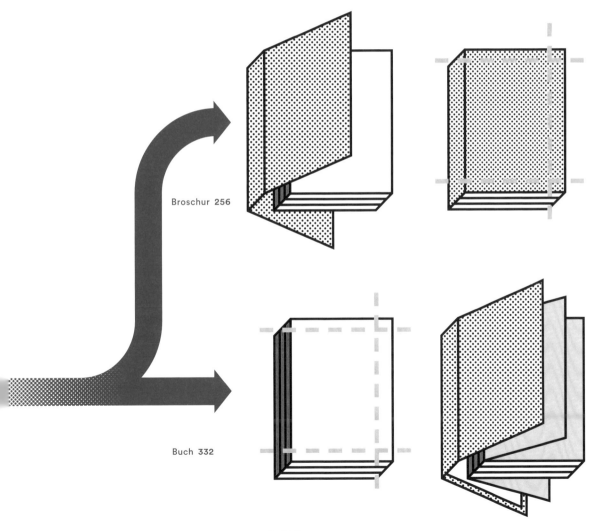

Broschur 256

Buch 332

143

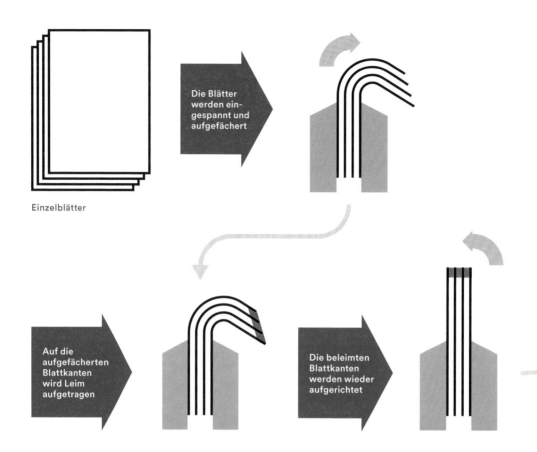

Einzelblätter

Die Blätter werden eingespannt und aufgefächert

Auf die aufgefächerten Blattkanten wird Leim aufgetragen

Die beleimten Blattkanten werden wieder aufgerichtet

Lumbecken (Fächerprinzip)

Das Fächerklebebinden (»Lumbecken«) geht auf Emil Lumbeck zurück, der in den 1930er-Jahren eine erste Technik der Klebebindung entwickelte – als günstige Alternative zum *Fadenheften.* Beim Lumbecken presst man den aus Einzelblättern bestehenden Buchblock am Vorderschnitt zusammen, fächert den Rücken auf und benetzt ihn dabei mit Klebstoff; den wieder aufgerichteten Buchblock hinterklebt man dann mit *Gaze* oder *Krepp.* Diese Art der Klebebindung ist verhältnismäßig stabil, weil der Kleber durch das Auffächern nicht nur an den Blattkanten haften bleibt, sondern auch etwas zwischen den Blättern. Das hat allerdings den Nachteil, dass das *Aufschlagverhalten* schlechter ausfällt. Weil die Fächerklebebindung nicht für die maschinelle Massenfertigung geeignet ist, wird sie heute in erster Linie in der handwerklichen Buchbinderei eingesetzt.

171
401
406
391

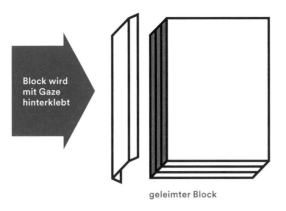

Block wird mit Gaze hinterklebt

geleimter Block

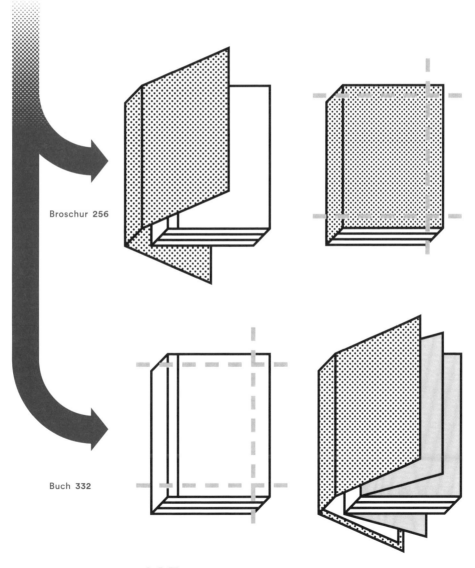

Broschur 256

Buch 332

145

Blockleimen

Beim Blockleimen geht es darum, dass sich später einzelne Blätter aus dem Block heraustrennen lassen – man kennt diese Bindetechnik etwa von Schreib- oder Notizblöcken. Dafür wird ein Leim mit geringerer Haftkraft verwendet, mit dem man zusammen-getragene Einzelblätter an einem Schnitt bestreicht. Nach dem Trocknen kann der Block an bis zu drei Seiten beschnitten werden.

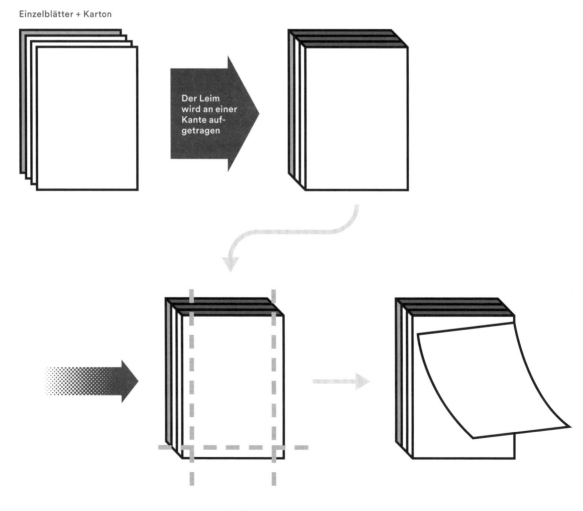

Einzelblätter + Karton

Der Leim wird an einer Kante auf-getragen

Blockstärke, Umfang

Klebebindemaschinen, die es für viele verschiedene Formate und Stärken von Druckprodukten gibt, können in Extremfällen Buchblöcke bis zu einer Stärke von 80 mm verarbeiten.

✔ Bei besonders umfang-
reichen Werken sollte
man den Buchbinder vor-
her nach der maximalen
Blockstärke fragen und
notfalls die Papierstärke
darauf abstimmen.

Materialien, Druckverfahren

Druckfarben: Die Druckfarben müssen trocken und scheuerfest sein, um die Bogen weiterverarbeiten zu können, denn das Papier ist beim Zusammentragen und beim Einlegen in die Klebebindeanlage starken mechanischen Belastungen ausgesetzt. Noch nicht ganz trockene oder nicht ausreichend scheuerfeste Farben können Abdrücke hinterlassen oder sich wieder lösen. Oft verschmutzt zu frische Farbe die Transportbänder und scheuert auf unbedruckte Stellen, wo sich dann Streifen oder Flecken zeigen. Im Offsetdruck gedruckte Papiere lassen sich in den meisten Fällen problemlos klebebinden. Beim Digitaldruck kann es durch die große Vielfalt an unterschiedlichen Verfahren zu Problemen beim Verkleben kommen.

Umschlag: Die Umschlagmaterialien, aber auch der Druck und Veredelungen wie *Folienkaschierungen* und Siebdruck sollten kratz- und scheuerfest sein, weil sie sonst durch die mechanischen Belastungen in der Klebebindeanlage beschädigt werden könnten. Wer Umschlaginnenseiten vollflächig bedrucken will, muss die Druckfarben am Rücken aussparen, weil es zu Wechselwirkungen zwischen Farbe und Klebstoff kommen kann. Im schlimmsten Fall löst sich die Klebebindung sogar wieder komplett. Nur mit einer Aussparung kann man sicher sein, dass der Klebstoff dort auf dem Papier hält.

Verhältnis Umschlagkarton zu Blockstärke: Das Gewicht des Umschlags und die Stärke des Buchblocks sollte man aufeinander abstimmen: Je dünner der Buchblock, desto kleiner ist die Klebefläche. Je stärker der Umschlag, desto schlechter lässt er sich aufklappen.

378

⚡ Klebebindungen mit
vollflächig lackierten
Seiten können sich schon
nach einigen Monaten
wieder lösen.

Aussparung des Rückens
bei vollflächig bedruckten
Umschlaginnenseiten

Wechselwirkung Papiergewicht und Bindequalität:
Eine Klebebindung hält umso besser, je stärker das
Papier ist, weil die Klebefläche an der Papierkante dann
größer ist. Allerdings gilt das nur bis zu Grammaturen
von etwa 170 g/m², je nachdem, wie steif das Papier
ist, denn sperrigere Papiere haben eine größere Hebelwirkung. Die Klebebindung wird dadurch mehr beansprucht, und es kann passieren, dass sich die steifen
Blätter gegenseitig aus der Bindung hebeln. Außerdem
410 kleben *Volumenpapiere* besser als normale Papiere.

Klebebindung
mit flexiblem Papier

Klebebindung
mit steifem Papier
(Hebelwirkung)

Ungestrichene und gestrichene Papiere: Ungestrichene
360 *Naturpapiere* sind für die Klebebindung wegen ihres
hohen Papierfaseranteils besonders gut geeignet.
Gestrichene Papiere dagegen sind schwieriger zu
verkleben: Je mehr Strichanteil ein Papier hat, desto
schlechter lässt es sich mit einer Klebebindung binden,
weil sich nur die Fasern des Rohpapiers gut mit dem
Kleber verbinden. So kommt es, dass man bei einigen
gestrichenen Papiersorten auf eine andere Bindetechnik ausweichen muss.

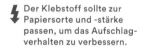 Der Klebstoff sollte zur
Papiersorte und -stärke
passen, um das Aufschlag-
verhalten zu verbessern.

Klebstoffe

Es gibt eine Vielzahl unterschiedlicher Papiersorten
und anderer Materialien wie Folien, die klebegebunden
werden können. Welche Papiersorte und welches
Material sich für welches Klebebindeverfahren am
besten eignet, lässt sich deshalb nicht generell
sagen. Am häufigsten werden für die Klebebindung
Dispersionsklebstoff (Kaltleim auf Wasserbasis),

148

Hotmelt (Schmelzklebstoff) und PUR-Klebstoff
(Polyurethanklebstoff) eingesetzt:

Dispersionsklebstoff (Kaltleim): Dispersionskleber
besteht aus Wasser, dem Dispergiermittel und Leimpartikeln, die einen Klebefilm bilden. Wegen seines
hohen Wasseranteils kann er in die Zwischenräume
der Papierfasern eindringen und herausstehende
Fasern in den Film einbetten.
Nach dem Trocknen bleiben die Dispersionsklebstoffe
elastisch, und das dauerhaft. Sie haften nicht nur
gut und haben eine lange Lebensdauer, wegen ihrer
geringen *Klammerwirkung* lässt sich auch ein gutes
Aufschlagverhalten erreichen. Dispersionsklebstoffe
eignen sich für die meisten Papierarten wie Naturpapiere und gestrichene Papiere (Bilderdruck und
Kunstdruck), im Einzelfall muss man das jedoch
mit dem Buchbinder klären. Sie trocknen langsamer
als Hotmelt, deswegen sind industrielle Klebebindeanlagen für die Verarbeitung von Dispersionsleimen
in der Regel mit einer Hochfrequenztrocknung und
langen Trockenstraßen ausgestattet – was die Bindung
teurer macht. Weil das Papier durch den Dispersionskleber angefeuchtet wird, muss die Laufrichtung immer
parallel zum Buchrücken sein, sonst wellt es sich.

Hotmelt (Schmelzklebstoff): Hotmelt-Kleber besteht
aus einer mehrkomponentigen thermoplastischen
Masse, die heiß aufgetragen wird und beim Abkühlen
abbindet. Er dringt nicht so gut in Faserzwischenräume ein, sondern liegt vor allem auf der Blattkante
auf. Schmelzklebstoff ist weniger elastisch als andere
Kleber und wird auch schneller spröde. Es kann
also sein, dass irgendwann einzelne Seiten aus der
Bindung herausbrechen. Vorsichtshalber sollte man Abbildungen nicht bis in den Bund drucken, weil es sonst
zu Wechselwirkungen mit Mineralölen in den Druckfarben kommen kann, die die Bindung beeinträchtigen.
Doch auch unter normalen Bedingungen altert Hotmelt
schneller als Dispersions- und PUR-Klebstoffe, er hält
nur etwa fünf bis zehn Jahre. Außerdem ist er tempera-
turempfindlich: Bei über 60 Grad verliert er an Stabilität.
Hotmelt-Kleber wird normalerweise dick aufgetragen
und klammert den Buchblock stark zusammen – weil er
kaum elastisch ist, leidet das Aufschlagverhalten.

405

⚡ Gerade eben fertig-
gestellte Bindungen mit
Dispersionsklebstoff
sind frostempfindlich.

149

Am besten eignet sich Hotmelt für höhere Auflagen, denn er trocknet von allen Klebern am schnellsten, und die hohen Laufleistungen in den industriellen Klebebindeanlagen sorgen für niedrige Kosten.

PUR-Klebstoff (Polyurethanklebstoff): Der sogenannte reaktive Schmelzklebstoff hat zwei Wirkungskomponenten. Die erste sorgt dafür, dass – ähnlich wie beim Hotmelt – die heiß aufgetragene Masse beim Abkühlen abbindet. Danach setzt eine chemische Reaktion der Klebstoffbestandteile mit der Feuchtigkeit aus der umgebenden Luft und den Papierfasern ein, die mehrere Stunden und Tage andauert. Diese zweite Komponente gibt der Bindung eine äußerst hohe und dauerhafte Stabilität, wie sie nur mit der Fadenheftung zu vergleichen ist. Sie hat eine hohe Lebensdauer und ist kälte- und hitzebeständig.

PUR-Klebstoff wird sehr dünn aufgetragen, weshalb die bei Klebebindungen übliche hohe Klammerwirkung deutlich weniger zu merken ist: Broschuren und Bücher können bis in den Bund aufgeschlagen werden. Das Papier quillt nicht auf und ist weitgehend frei von Klebstoffeinläufen. Mit PUR-Klebstoff lassen sich auch Papiere binden, an denen konventionelle Klebstoffe nicht gut genug haften, zum Beispiel unterschiedliche Papiersorten, Papiere in falscher Laufrichtung oder schwere Kunstdruckpapiere. Wegen der hohen Material- und Herstellungskosten kann PUR-Kleber allerdings vier- bis fünfmal so viel kosten wie Hotmelt.

Aufschlagverhalten

405 Tendenziell neigen Klebebindungen zur *Klammerwirkung* im Bund, weil der Kleber nicht nur an den Blattkanten, sondern auch auf den Blättern haften bleibt. Das mag dazu beitragen, dass die Bindung länger hält, schließlich wird sie weniger beansprucht, wenn man die Seiten nicht so weit aufschlägt. Doch flach aufschlagen lassen sich Bücher und Broschuren dann nicht.

✓ Durch die Klammerwirkung verschwinden Abbildungen teilweise im Bund. Deshalb sollte man die Motive im Bund leicht doppeln (Bunddopplung).

Auch die Papierart und -stärke können schuld daran sein, dass das Aufschlagverhalten schlecht ausfällt. Voraussetzung für ein gutes Aufschlagverhalten ist in jedem Fall ein starker Kleber, denn wenn der Kleber nicht ausreichend haftet, bricht die Klebestelle, und die Blätter fallen heraus.

Dispersionsklebstoff bildet eine elastische Schicht aus, die beim Blättern der Seiten nachgibt, ihre Klammerwirkung ist gering. Bei Hotmelt-Bindungen liegt ein starrer Klebstofffilm auf dem Blockrücken auf, was eine deutliche Klammerwirkung ergibt. Hohe Schichtdicken von einem Millimeter wirken sich besonders negativ aus – unter Umständen kann der gesamte Blockrücken brechen, wenn man ein Buch unsanft öffnet.

Mit PUR-Klebstoff ist wegen des dünnen Leimauftrags ein besseres Aufschlagverhalten möglich, so gut wie mit Dispersionsklebstoff wird es aber nicht.

Auch die Art der Broschur kann ausschlaggebend sein: 312 Eine *Freirückenbroschur* zum Beispiel ist so konstruiert, dass man sie trotz Klebebindung gut aufschlagen kann.

Die Laufrichtung des Papiers sollte immer parallel zum Rücken sein, sonst wellt es sich, und das Buch lässt sich nicht gut aufschlagen.

Haltbarkeit

Die Stabilität und hohe Lebensdauer eines fadengehefteten Buches kann man mit einer Klebebindung kaum erreichen. Für Produkte, die länger halten sollen, die besondere Papiere enthalten und bei denen ein gutes Aufschlagverhalten wichtig ist, sollte man mit PUR- bzw. Dispersionsklebstoffen arbeiten. Kurzlebige Produkte wie Taschenbücher, Zeitschriften oder Kataloge dagegen werden meistens mit Hotmelt gebunden.

Zeitaufwand

Weil es bei der Klebebindung nahtlose Übergänge zwischen den Produktionsschritten gibt und im Vergleich zur Fadenheftung auch ein Produktionsschritt weniger benötigt wird – nämlich das Heften –, lässt sich mit einer Klebebindung viel Zeit sparen.

Kosten, Auflage

Die Klebebindung ist wegen der hohen Maschinen-
geschwindigkeit und automatisierten Fertigung ziemlich
günstig, hohe Auflagen lassen sich schnell herstellen.
Bis zu 20.000 Exemplare pro Stunde sind möglich.
Höhere Kosten entstehen, wenn man mit Dispersionsklebstoff arbeitet. Der Klebstoff selbst ist zwar relativ
preiswert, aber das Trocknen mit Hochfrequenz-
trocknern und die niedrigeren Maschinengeschwindig-
keiten verteuern die Produktion.

Besonderheiten bei der Gestaltung

Verschiedene Papiere: Mit einer Klebebindung lassen
sich unterschiedliche Papiersorten und -stärken
und auch Einzelblätter binden. Allerdings muss man
bedenken, dass die Stärke und die Oberflächenbeschaffenheit des Papiers Auswirkungen auf die
Klebebindung haben, etwa auf ihre Haltbarkeit oder
das Aufschlagverhalten.

Fälzel: Klebebindungen sind mit oder ohne
398 *Fälzel* möglich.

Farbige Leimbindung: Die offene Klebefläche
am Rücken lässt sich einfärben. Sie wirkt dadurch
besonders hochwertig und ungewöhnlich.

⚡ Farbige Klebebindungen sind
teurer, weil die Maschinen
hinterher aufwendig gereinigt
werden müssen. In einer
handwerklichen Buchbinderei
fällt das allerdings weniger
ins Gewicht.

Weitere Verarbeitung

Umschlag: Die Klebebindung ist möglich ohne
256 Umschlag, mit allen gängigen *Broschurarten* oder
332 als *Buch mit fester Buchdecke*.

Schnittveredelung: Klebegebundene Broschuren kann
377 man an bis zu drei Seiten *schnittveredeln* – bei Büchern
mit überstehender Decke nur den Buchblock,
Broschuren auch im Ganzen (Buchblock und Umschlag).

Umweltverträglichkeit

Die Klebebindung ist dann umweltfreundlich, wenn lösungsmittel- und schadstofffreie Klebstoffe verwendet werden. Ungefährlich und umweltneutral sind zum Beispiel ausgehärtete PUR-Klebstoffreste, die als normaler Industriemüll entsorgt werden können: Wegen der hohen Festigkeit des Films lässt sich der Klebstoff bei der Altpapieraufbereitung mechanisch von den Faserbestandteilen trennen.

+	−
• schnell • günstig • automatisierte Produktion • für hohe Auflagen geeignet • Bindung von Einzelblättern und verschiedenen Materialien möglich	• kürzere Lebensdauer • Bindung kann spröde werden und aufbrechen • Klammerwirkung, dadurch schlechtes Aufschlagverhalten • Wechselwirkungen Kleber und Papier/Druckfarbe • temperaturempfindlich

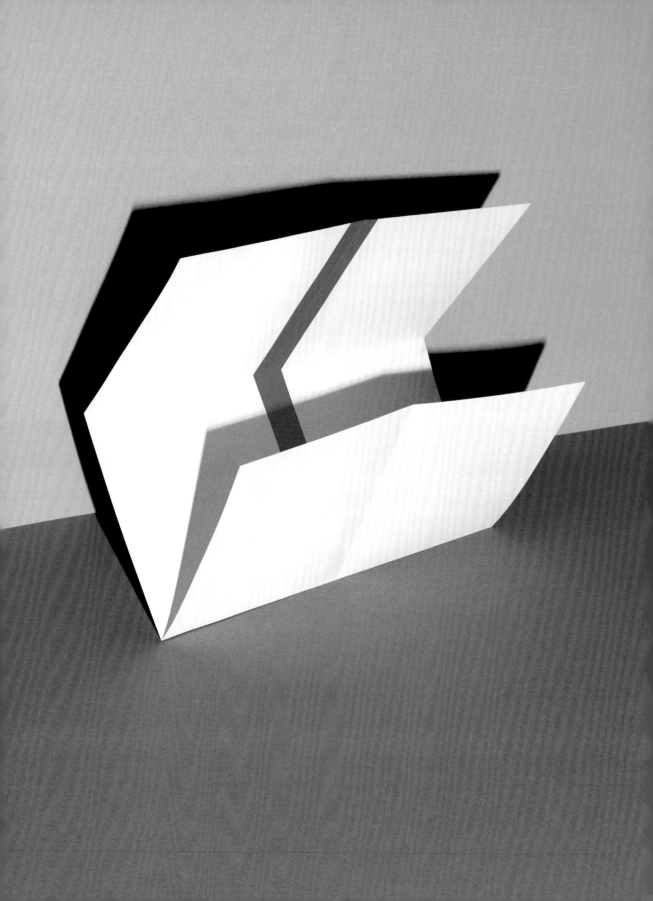

Falzkleben

Klebefalz
Falzleimung
Bundleimung

Das Falzkleben ist eine Sonderform der Klebebindung, die hauptsächlich bei weniger umfangreichen Produkten zum Einsatz kommt. Sie eignet sich für hohe Auflagen, ist aber nicht besonders lange haltbar. Mit relativ wenig Aufwand lassen sich so zum Beispiel interessante Mailings herstellen. Bei dünnen Prospekten ohne Umschlag ist das Falzkleben eine günstige Alternative zur Klammerheftung.

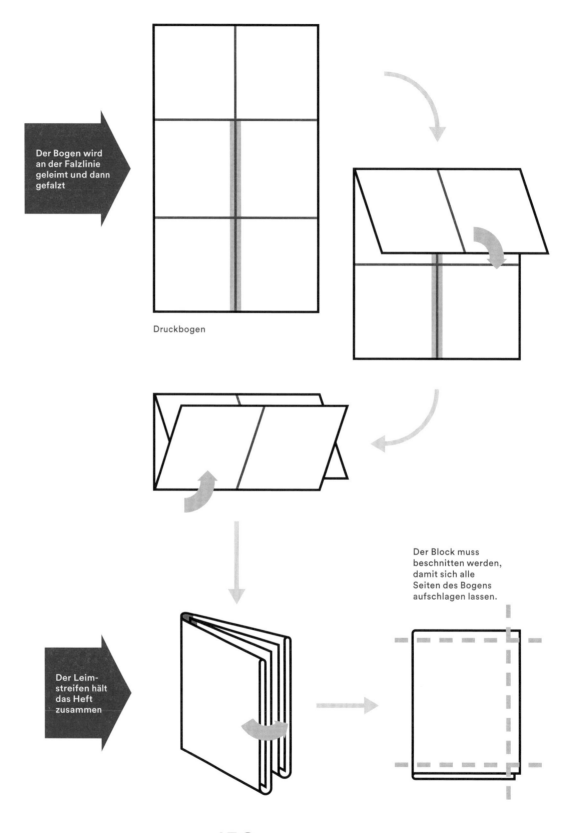

Der Bogen wird an der Falzlinie geleimt und dann gefalzt

Druckbogen

Der Leimstreifen hält das Heft zusammen

Der Block muss beschnitten werden, damit sich alle Seiten des Bogens aufschlagen lassen.

Beim Falzkleben werden die einzelnen Teile eines Falzbogens bereits während des Falzens miteinander verklebt. Dafür trägt man auf den späteren Falzlinien des Bogens eine Leimspur auf und falzt den Bogen dann im *Kreuzbruch, Wickelfalz* oder *Leporellofalz* – welche Falzart die richtige ist, hängt von der geplanten Seitenzahl ab. So lassen sich die einzelnen Blätter eines Bogens im Bund miteinander verbinden, ohne dass man den Bund selbst durchstechen oder abfräsen müsste.

Der Block wird üblicherweise am *Kopf-* und *Fußschnitt,* eventuell auch am *Vorderschnitt* beschnitten.

Falzkleben kann man in Rotationsdruckmaschinen oder in Bogenfalzmaschinen mit integrierten Düsen für den Kleber. In erster Linie werden damit Prospekte mit wenigen Seiten und hohen Auflagen produziert, ebenso Mailings und Werbesendungen, Zeitungsbeilagen, Hüllen, Einsteck- und Umschlagtaschen, Lose, Klebe- sendungen mit Aufreißperforation und Briefkuverts.

96

406 400
16 415

⚡ Die Blätter müssen exakt gefalzt sein, weil sich der Kleber hinterher nicht mehr ablösen und neu justieren lässt.

Blockstärke, Umfang

Mit einem Kreuzbruchfalz lassen sich 8-seitige, mit
einem Wickelfalz 12- und 16-seitige Produkte in einem
Arbeitsgang herstellen; mit einem Leporellofalz sind
auch höhere Seitenzahlen möglich.

Materialien, Druckverfahren

149 Für das Falzkleben wird meistens *Kaltleim* verwendet,
der mit Hilfe von Düsen aufgebracht wird. Kaltleim
trocknet sehr schnell und ermöglicht eine rasche
Weiterverarbeitung. Saugende Papiere brauchen mehr
Leim, glatte oder gestrichene weniger. Am besten
eignen sich fürs Falzkleben Papiere mit Grammaturen
von 80 bis 135 g/m².
Manche Papiere lassen sich nur schwer verarbeiten:
360 Auf *Volumen-* und *Naturpapieren* zieht der Leim
stark ein und klebt dann nicht mehr richtig. Trägt man
zu viel Leim auf, kann die Leimspur zu breit werden –
sie wird sichtbar, und die Seiten lassen sich nicht mehr
so gut aufschlagen. Das Gleiche kann bei lackierten
360 *Bilderdruckpapieren* passieren, wenn der Leim nicht
in die Oberfläche eindringt, sondern darauf stehen
362 bleibt. *Dünndruckpapiere* können sich durch die Feuchtigkeit des Klebers wellen.
Die Druckfarbe muss trocken und scheuerfest sein,
um die Bogen weiterverarbeiten zu können, denn das
Papier ist beim Falzen starken mechanischen Belastungen ausgesetzt – die Farben könnten sich sonst
abdrücken. Im Offset gedruckte Papiere lassen sich
normalerweise problemlos falzkleben, beim Digitaldruck kann es durch die große Vielfalt an unterschiedlichen Verfahren zu Problemen beim Verkleben kommen.

Aufschlagverhalten

Mit einem Klebefalz gebundene Produkte lassen
sich vergleichsweise gut, wenn auch nicht ganz
flach aufschlagen.

Haltbarkeit

Eine Bindung mit Klebefalz hält nicht lange und wird deswegen vor allem für kurzlebige Produkte eingesetzt.

Zeitaufwand

Das Falzkleben geht schnell, weil es maschinell und vollautomatisch abläuft und der Prozess in die Druck- bzw. Falzmaschine integriert ist; nur das Rüsten der Maschine kostet zusätzlich Zeit.

Kosten, Auflage

Wegen der automatisierten Abläufe sind die Kosten niedrig. Allerdings lohnt sich das Falzkleben erst bei einer höheren Auflage von wenigstens mehreren Tausend, weil das Rüsten und Reinigen der Maschine sehr zeitaufwendig und damit teuer ist.

Weitere Verarbeitung

Die Falzklebebindung ist nur ohne Umschlag möglich.

Umweltverträglichkeit

Wenn man lösungsmittel- und schadstofffreie Klebstoffe verwendet, kann man die Umwelt schonen.

+	−
• automatisierte Produktion • schnell • günstig	• wirkt minderwertig • geringe Haltbarkeit • kein Umschlag möglich

Lay-Flat-Bindung

Flatbook
Kinderbuchbindung
Panoramabindung

Die Lay-Flat-Bindung kennt man von Kinderbüchern, deren Seiten vollflächig miteinander verklebt sind und so den Buchblock zusammenhalten. Sie hat den Vorteil, dass sich die Seiten plan aufschlagen lassen und keinerlei Bildinformation im Bund verloren geht.

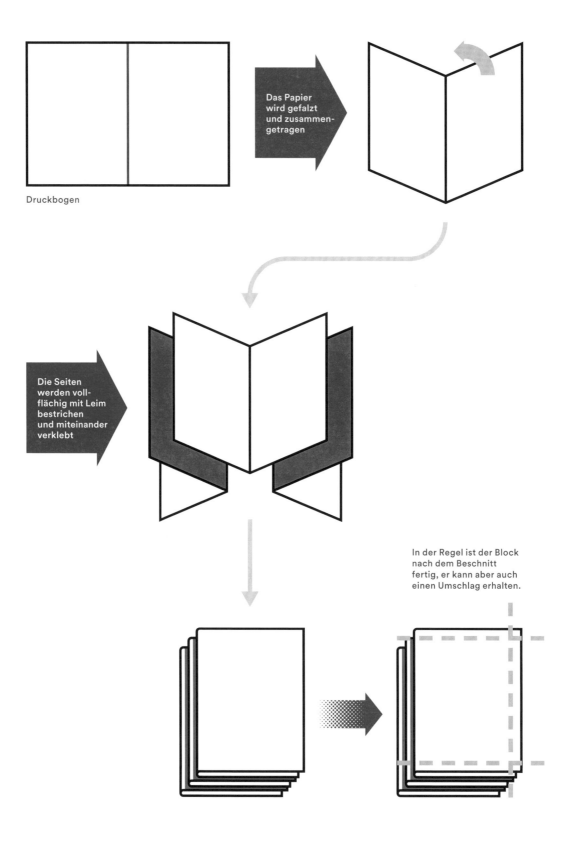

Druckbogen

Das Papier wird gefalzt und zusammengetragen

Die Seiten werden vollflächig mit Leim bestrichen und miteinander verklebt

In der Regel ist der Block nach dem Beschnitt fertig, er kann aber auch einen Umschlag erhalten.

Bei der Lay-Flat-Bindung falzt man die Blätter zu
44 *Viertelbogen*, trägt sie zusammen und verklebt immer jeweils eine Seite vollflächig mit einer Seite des nächsten Viertelbogens; der Buchblock kommt anschließend noch in die Presse. So entsteht eine feste Bindung mit einem ausgesprochen guten Aufschlagverhalten. Im Gegensatz zu allen anderen Bindetechniken haben Lay-Flat-Bücher durchgehende,
50 bis in den Bund einsehbare Seiten und keinen *Bundversatz*. Nach dem Binden wird der Buchblock an bis zu drei Seiten beschnitten.

Bei Kinderbüchern mit Lay-Flat-Bindung klebt man die bedruckten Blätter normalerweise auf einen harten Kartonkern, es lassen sich aber auch andere Materialien auf diese Weise binden. Inzwischen gibt es zum Beispiel Papiere, die bereits ab Werk mit einer Klebeschicht versehen sind und von Druckereien in kleineren Auflagen als Lay-Flat-Bindung verarbeitet werden können.

Blockstärke, Umfang

Lay-Flat-Bücher können bis zu 6 cm stark sein, sie werden dann allerdings recht schwer. Höhere Blockstärken lassen sich nicht mehr maschinell verarbeiten.

Materialien, Druckverfahren

360 Papiere: *Ungestrichene Naturpapiere* eignen sich für die Lay-Flat-Bindung wegen ihres hohen Papierfaseranteils besonders gut. Die Grammatur sollte bei mindestens 170 g/m² liegen, weil sich dünnere Papiere beim vollflächigen Verkleben wellen können.

360 *Gestrichene Papiere* hingegen sind weniger zu empfehlen. Es kann passieren, dass nach dem Verkleben der

414 Bogen nur der *Strich* der Papieroberflächen aneinanderklebt und sich das Papier darunter irgendwann löst. Außerdem kann es bei der Lay-Flat-Bindung zu einem Strichbruch kommen – die gestrichene Oberfläche bricht, und im Falz wird eine feine Linie im Druckbild sichtbar.

⚡ Unbedingt sollte man darauf achten, dass die Laufrichtung des Papiers parallel zum Rücken ist, weil sich das Papier bei einer Lay-Flat-Bindung leicht wellen kann.

Wechselwirkung Papiergewicht, Bindequalität:
Je stärker das Papier ist, desto besser hält eine
Lay-Flat-Bindung – was man an Kinderbüchern aus
Karton sehen kann. Die Seiten von Kinderbüchern
378 werden oft noch zusätzlich *folienkaschiert,* was die
411 Stabilität erhöht und *Quetschfalten* im Bund verhindert.

Druckfarben: Die Druckfarbe muss für die Weiterverarbeitung trocken und scheuerfest sein. Weil die
Bogen beim Zusammentragen und Binden starken
mechanischen Belastungen ausgesetzt sind, können
noch nicht ganz trockene oder nicht ausreichend
scheuerfeste Farben verschmieren.

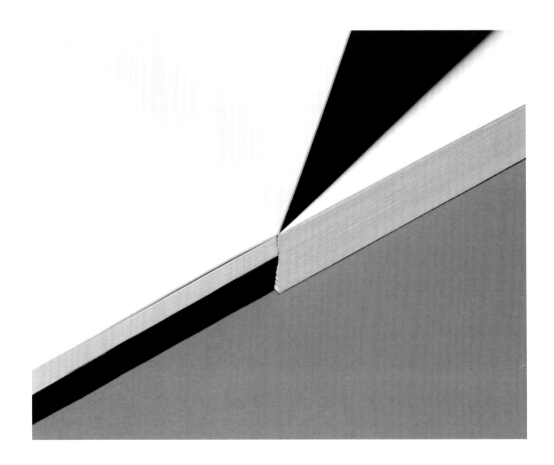

Aufschlagverhalten

Im Gegensatz zu den meisten anderen Bindetechniken lassen sich Lay-Flat-Bücher plan aufschlagen – ohne jede Klammerwirkung und ohne dass die Seiten im Bund getrennt sind. Die Lay-Flat-Bindung bietet deshalb ganz andere Möglichkeiten für das Layout, so lässt sich etwa auch Text in kleinen Schriftgrößen über den *Bund* drucken.

394

Haltbarkeit

Die Haltbarkeit von Lay-Flat-Bindungen hängt entscheidend von der Papierwahl ab. Kinderbücher aus Karton sind zum Beispiel sehr robust und langlebig.

Zeitaufwand

Die Lay-Flat-Bindung ist verhältnismäßig zeitaufwendig, weil man lange Trocknungszeiten einrechnen muss.

Kosten, Auflage

Wegen der aufwendigen Verarbeitung und entsprechend längeren Maschinenlaufzeiten sind die Kosten relativ hoch. Außerdem muss man bei der Lay-Flat-Bindung einen höheren *Zuschuss* (das heißt, eine höhere Auflage) einrechnen als bei anderen Bindeverfahren, weil sich bei Produktionsproblemen bereits produzierte Buchblöcke meistens nicht mehr gebrauchen lassen. Mit einer Lay-Flat-Bindung kann man niedrige und hohe Auflagen produzieren, allerdings wird der Stückpreis bei einer höheren Auflage nicht günstiger.

415

Ein höherer Zuschuss bedeutet, dass eine höhere Auflage produziert werden muss. Damit steigen die Material- und Produktionskosten.

Besonderheiten bei der Gestaltung

Gestaltung: Die Planlage der Lay-Flat-Bindung ermöglicht es, Fotos und feine Details wie Schriften und Illustrationen über den Bund zu setzen.

44 <u>Verschiedene Papiere:</u> Man kann *viertelbogenweise* unterschiedliche Papiersorten verwenden, etwa mit unterschiedlichen Farben und Volumina. Entscheidend ist, dass sich die jeweiligen Papierqualitäten für die Lay-Flat-Bindung eignen.

Weitere Verarbeitung

✓ Ein Umschlag kann das Aufschlagverhalten von Lay-Flat-Bindungen verschlechtern, wenn er eine Klammerwirkung hat.

<u>Umschlag:</u> Die Bindung lässt sich ohne Umschlag, 304 256 332 als *Schweizer Broschur*, *Broschur* oder *Buch mit fester Buchdecke* fertigen.

<u>Schnittveredelung:</u> Lay-Flat-gebundene Broschuren kann man an bis zu drei Seiten schnittveredeln. Auch der Rücken lässt sich gestalten, indem man ihn 178 bedruckt – ähnlich wie beim *offenen Rücken* einer 171 *Fadenheftung*. Teile des Motivs druckt man jeweils auf die Rückseite der Viertelbogen auf einen etwa 6 mm breiten Streifen über den Falz, das Gesamtmotiv ergibt sich dann durch die Stapelung.

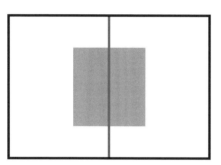

Druckbogen, Vorderseite mit Motiv

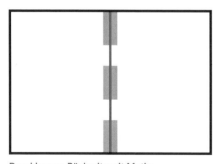

Druckbogen, Rückseite mit Motiv, das auf dem Rücken sichtbar sein soll

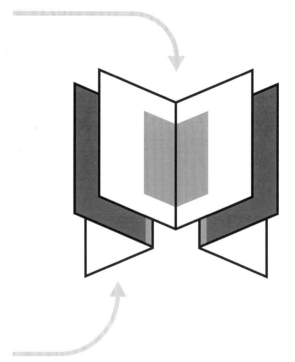

Umweltverträglichkeit

Wenn lösungsmittel- und schadstofffreie Klebstoffe verwendet werden, ist die Lay-Flat-Bindung umweltfreundlich. Der etwas höhere Papierzuschuss für die Produktion hingegen fällt negativ ins Gewicht.

+	**–**
<ul><li>Seiten lassen sich plan aufschlagen</li><li>Layout über den Bund möglich</li><li>hochwertig</li><li>lange Lebensdauer</li></ul>	<ul><li>relativ teuer</li><li>zeitaufwendig</li><li>mögliche Wechsel-wirkungen zwischen Papier und Kleber</li></ul>

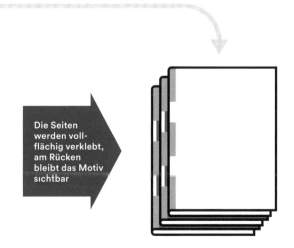

Die Seiten werden voll-flächig verklebt, am Rücken bleibt das Motiv sichtbar

Fadenheftung

Buchfadenheften
Einzelbogenfadenheften
Fadenbindung

Die Fadenheftung ist eine langlebige Bindetechnik mit der vorzugsweise Bücher und hochwertige Broschuren gebunden werden. Sie bietet viele Gestaltungsmöglichkeiten wie den offenen Rücken oder den Einsatz unterschiedlicher Papiere und farbiger Fäden.

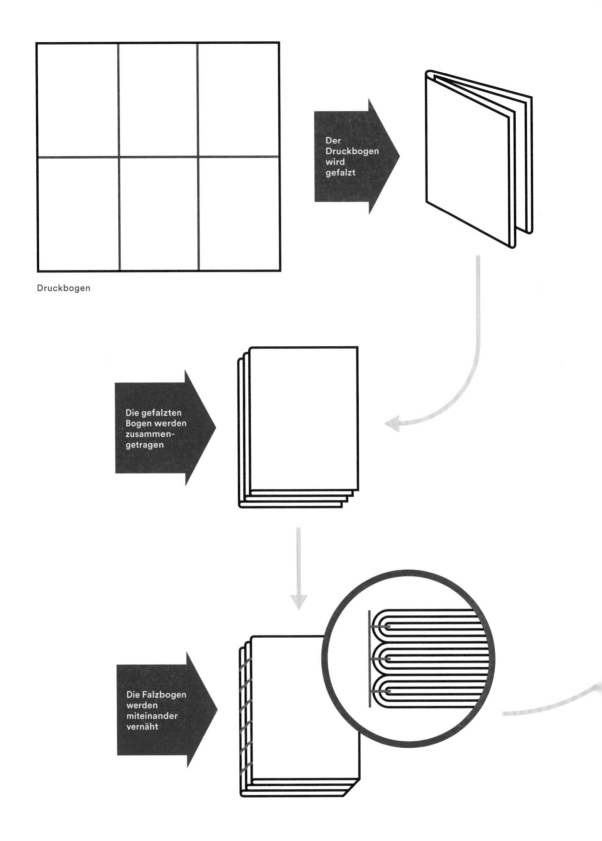

Bindetechniken — Faden

Druckbogen

Der
Druckbogen
wird
gefalzt

Die gefalzten
Bogen werden
zusammen-
getragen

Die Falzbogen
werden
miteinander
vernäht

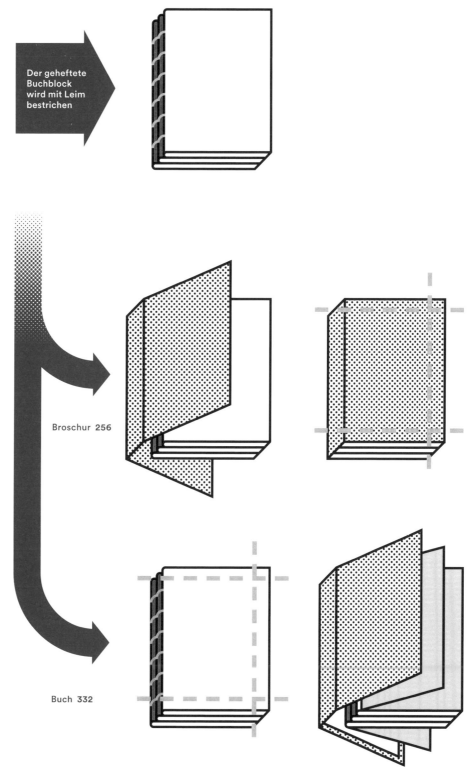

Der geheftete
Buchblock
wird mit Leim
bestrichen

Broschur 256

Buch 332

173

Bei einer Fadenheftung vernäht man die zusammengetragenen Falzbogen (Lagen) jeweils einzeln und
untereinander mit einem durchgehenden Nylonfaden
im Rückenfalz. Ein Falzbogen besteht dabei zum
44 Beispiel aus einem *ganzen Bogen,* also 16 Seiten,
möglich sind aber auch *halbe Bogen* (acht Seiten) und
44 *Viertelbogen* (vier Seiten).

Heute wird üblicherweise maschinell fadengeheftet,
einzelne Bücher binden Handbuchbindereien jedoch
auch von Hand: Der Buchbinder näht die einzelnen
Bogen mit einem Faden zu einem Heft zusammen und
verbindet die Hefte durch quer über den Buchrücken
402 laufende *Heftbünde* miteinander, die sich am offenen
Rücken als Querwülste abzeichnen. Die Schnüre stehen
365 auch seitlich über, sie werden unter dem *Vorsatzpapier*
332 mit der *Buchdecke* verklebt.

Bei der maschinellen Fadenheftung werden die zusammengetragenen Bogen in der Mitte geöffnet und im
Abstand von etwa 1,5 bis 2 cm mit einer Vorstechnadel,
einer Hakennadel und einer fadenführenden Nadel
zusammengenäht. So lässt sich jeder Bogen zu einem
Heft und alle Hefte zusammen zu einem Buchblock
verbinden. Der fadengeheftete, noch eher locker ver-
bundene Buchblock erhält seine Stabilität und Festigkeit erst, wenn man den Rücken auch noch verleimt.
Die gehefteten Blöcke beschneidet man auf drei
Seiten. Sie lassen sich in eine feste Buchdecke oder
einen flexiblen Umschlag einbinden, man sagt, sie
werden »verheiratet«.

Heftsticharten

Je nach Papiersorte und Anforderung verwendet man unterschiedliche Heftsticharten: den einfachen unversetzten Stich, den versetzten Stich oder den kombiniert versetzten Stich.

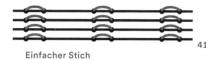
Einfacher Stich

Einfacher Stich: Die Heftfäden liegen hier in jedem Heft auf der gleichen Höhe – was zu einer hohen *Rückensteigung* und damit zu Schwierigkeiten bei der Weiterverarbeitung führen kann. Der einfache Stich ist die gebräuchlichste Heftstichart und eignet sich vor allem für *Offset*- und *Naturpapiere*.

412

360

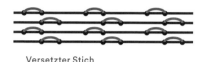
Versetzter Stich

Versetzter Stich: Versetzt man die Heftfäden abwechselnd um eine Stichlänge, lässt sich die Rückensteigung vermindern. Das macht sich insbesondere bei dünnem Papier, Bilderdruckpapier und einer hohen Zahl von Falzbogen bemerkbar.

Blockstärke, Umfang

Auch Bücher mit hohen Blockstärken kann man fadenheften. Welche Seitenzahl maximal möglich ist, hängt von der jeweiligen Fadenheftmaschine ab. In jedem Fall muss man darauf achten, dass die Zahl der Seiten durch 16, 8 oder 4 teilbar ist, entsprechend den Seitenzahlen eines ganzen, halben oder Viertelbogens.

⚡ Bei überlaufenden Bildern muss man berücksichtigen, dass je nach Verarbeitung ein Teil davon im Bund verschwindet.

✔ Der Versatz bei überlaufenden Bildern lässt sich minimieren, wenn man bereits beim Ausschießen statt der üblichen Kreuzbruchfalzung eine Parallelbruchfalzung einplant.

⚡ Beim Vorkleben von Einzelblättern sollte man daran denken, dass an der Klebestelle 1–5 mm des Druckbilds verloren gehen.

Materialien, Druckverfahren

Für die Fadenheftung eignen sich fast alle Papiere mit einer Grammatur von etwa 50 bis 170 g/m² (egal ob *offen* oder *gestrichen*). Zu starke und steife Papiere lassen sich hingegen kaum mehr verarbeiten. Man kann verschiedene Papiere und Materialien mischen, sollte aber daran denken, dass mindestens eine Heftlage, also vier Seiten, aus einem Material sein muss; einzelne Blätter lassen sich einstecken oder vorkleben.

360

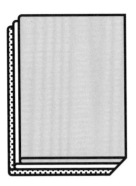

Eine Lage mit mindestens vier Seiten muss aus einem Material bestehen.

38 Die *Laufrichtung* des Papiers muss immer parallel zum Rücken sein, ansonsten kann sich das Papier wellen und lässt sich nicht mehr so gut aufschlagen. Die Fadenheftung funktioniert problemlos bei allen Druckverfahren.

Aufschlagverhalten

Fadengeheftete Bücher und Broschuren haben ein vergleichsweise gutes Aufschlagverhalten, es kommt dabei aber sehr auf die Art der Weiterverarbeitung an: So hat eine Fadenheftung mit offenem Rücken 405 fast keine *Klammerwirkung* und deshalb ein sehr gutes Aufschlagverhalten. Sie ist aber andererseits nicht ganz so stabil wie eine Fadenheftung mit geschlossenem Rücken.

Auch mit bestimmten Umschlägen lässt sich ein sehr gutes Aufschlagverhalten erreichen, etwa mit einer Freirückenbroschur. In jedem Fall kommt es bei einer Fadenheftung darauf an, nicht zu viel Leim auf den Rücken aufzutragen, denn damit erhöht man nur die Klammerwirkung.

Haltbarkeit

Die Fadenheftung ist sehr stabil und wird deswegen für hochwertige und viel benutzte Bücher wie Schulbücher und Lexika eingesetzt, die lange halten sollen. Einzelne Blätter lassen sich aus der Fadenheftung gar nicht herausreißen, ohne dabei die Bindung zu zerstören.

Zeitaufwand

Weil der Buchblock erst geheftet und dann geleimt werden muss, dauert die Fadenheftung länger als

⚡ Wie lange die Buchherstellung dauert, hängt nicht nur von der Bindetechnik ab, sondern auch von der Anzahl weiterer Verarbeitungsschritte.

andere Bindeverfahren, die nur einen Arbeitsgang benötigen. Noch mehr Zeit kostet es, wenn man eine feste Buchdecke einplant, die gesondert hergestellt werden muss – mit einem flexiblen Umschlag geht es schneller.

Kosten, Auflage

Die Fadenheftung ist wegen des zusätzlichen Arbeitsgangs (Vernähen und Leimen) teurer als andere Bindetechniken. Sie eignet sich auch für hohe Auflagen.

Besonderheiten bei der Gestaltung

Verkürzte Seiten, Einzelseiten: Bei der Fadenheftung ist es möglich, verkürzte oder verkleinerte Seiten einzubinden. Dazu gibt es maschinelle und händische Techniken:

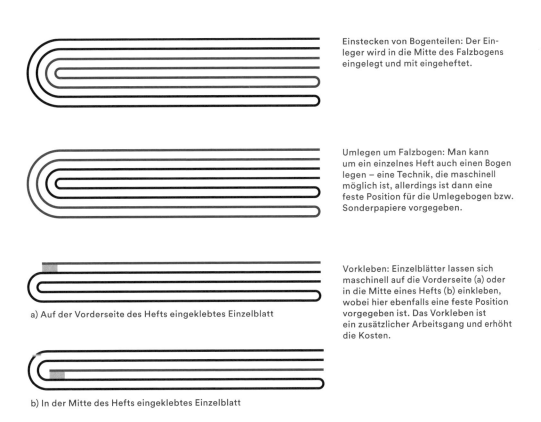

Einstecken von Bogenteilen: Der Einleger wird in die Mitte des Falzbogens eingelegt und mit eingeheftet.

Umlegen um Falzbogen: Man kann um ein einzelnes Heft auch einen Bogen legen – eine Technik, die maschinell möglich ist, allerdings ist dann eine feste Position für die Umlegebogen bzw. Sonderpapiere vorgegeben.

Vorkleben: Einzelblätter lassen sich maschinell auf die Vorderseite (a) oder in die Mitte eines Hefts (b) einkleben, wobei hier ebenfalls eine feste Position vorgegeben ist. Das Vorkleben ist ein zusätzlicher Arbeitsgang und erhöht die Kosten.

a) Auf der Vorderseite des Hefts eingeklebtes Einzelblatt

b) In der Mitte des Hefts eingeklebtes Einzelblatt

Farbiger Faden: Mit einem farbigen Faden kann man zum Beispiel Bezug auf den Inhalt des Buches nehmen. Innerhalb eines Buches ist allerdings nur eine Farbe möglich. Zu sehen ist der farbige Faden am offenen Buchrücken und im Bund jedes Heftes.

Verschiedene Papiere: Man kann fast alle Papiersorten mischen, sollte aber daran denken, dass jede Sorte dann zweimal auftaucht, wenn sie nicht einzeln eingeklebt ist.

Besonderheiten in der Verarbeitung

Offener Rücken: Lässt man nach dem Vernähen und Verleimen das Fälzel weg, bleibt der Buchrücken mit seinen charakteristischen Nähten und Fadenenden offen. Der Buchblock muss dann nicht in eine *Buchdecke* oder eine *Broschur* eingehängt werden, sondern kann so als Endprodukt genutzt werden.

332
256

Durchlaufender farbiger Bogen

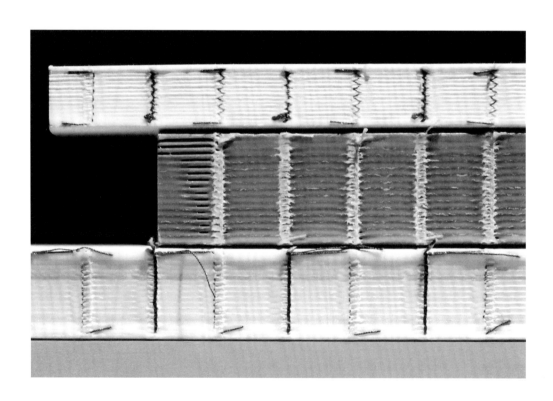

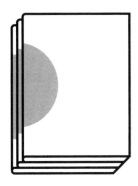

Die offene Fadenheftung hat keinen klassischen Rücken, er lässt sich aber dennoch gestalten: Die entsprechenden Motive kann man auf den Rückseiten 406 der äußersten *Lagen* eines Heftes mitdrucken. Bücher mit offenem Rücken lassen sich sehr gut aufschlagen, auch die im Bund liegende Bedruckung bleibt sichtbar – zum Teil sind im Bund sogar noch Motivschnipsel von vorherigen Seiten oder die Beleimung des Rückens zu sehen. Der offene Rücken 332 ist sowohl bei *Büchern mit fester Buchdecke* (zum 304 Beispiel als *Schweizer Broschur*) als auch bei *Broschuren* 23 (zum Beispiel als *Steifbroschur*) möglich.

Weitere Verarbeitung

Umschlag: Die Fadenheftung lässt sich mit allen 256 gängigen *Broschurarten,* als *Buch mit fester* 332 *Buchdecke* oder ganz ohne Umschlag fertigen.

Umweltverträglichkeit

Die Fadenheftung schont die Umwelt insofern, als sie besonders langlebig ist. Auch der Materialeinsatz von Faden und Leim ist gering. Wenn man umweltschonende und recycelbare Materialien für den Umschlag wählt, lässt sich die Umweltbilanz verbessern.

+	−
• hochwertig • langlebig • gutes Aufschlagverhalten • farbiger Faden möglich • verschiedene Papiere lassen sich mischen	• mehrere Arbeitsschritte • zeitaufwendig • teurer als eine Klebebindung

Fadenrückstich-
heftung

Sattelstich
Fadenrückstich
Fadenknotenheftung
Rückensteppheftung
Singerbuchnaht
Singerstichheftung
Passheftung

Die Fadenrückstichheftung
findet heute nur noch selten
Verwendung, weil sie wegen
ihrer aufwendigen Verarbeitung mehr kostet und länger
dauert als die vergleichbare
Klammerheftung.
Dafür ist sie stabiler und wirkt
hochwertiger – was auch der
Grund dafür ist, dass Reisepässe nach wie vor so geheftet
werden.

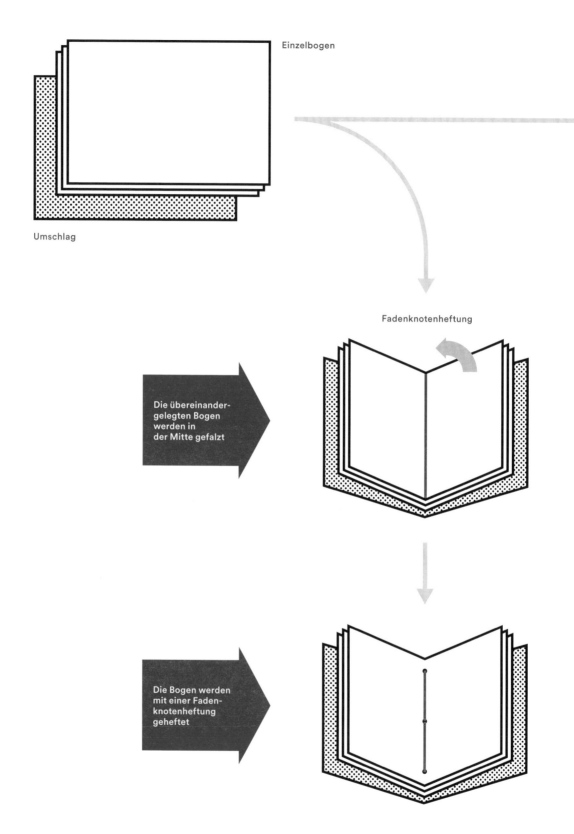

Einzelbogen

Umschlag

Fadenknotenheftung

Die übereinander-
gelegten Bogen
werden in
der Mitte gefalzt

Die Bogen werden
mit einer Faden-
knotenheftung
geheftet

182

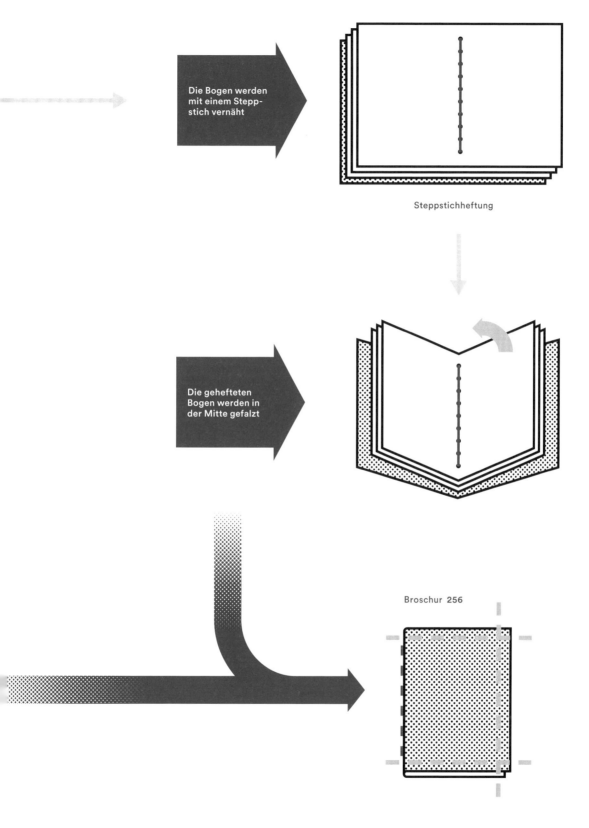

Die Bogen werden mit einem Steppstich vernäht

Steppstichheftung

Die gehefteten Bogen werden in der Mitte gefalzt

Broschur 256

Beim Fadenrückstichheften vernäht man die zusammengetragenen Bogen mit einem Faden und falzt sie anschließend zu einem Heft. Mit einer speziellen Heftmaschine oder von Hand werden Löcher in den Bogenstapel gestochen und die Fäden durchgezogen. So entsteht eine feste Verbindung, die sich erst dann wieder löst, wenn man den Faden oder das geheftete Material zerreißt. Mit Fadenrückstich geheftete Produkte werden an drei Seiten beschnitten. Die wichtigsten Techniken sind die Fadenknotenheftung und die Steppheftung.

Fadenknotenheftung (Knotenfadenheftung)

Mit einer Fadenknotenheftmaschine sticht man drei oder fünf Löcher in den gefalzten Bogenstapel, führt den Faden hindurch und verknotet die Fadenenden. Die Abstände der Stiche sind dabei relativ groß, können aber variieren. Der Faden und der Knoten liegen nach dem Falzen im innersten Bund frei.

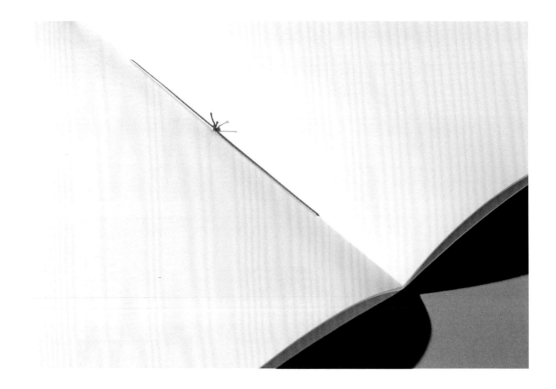

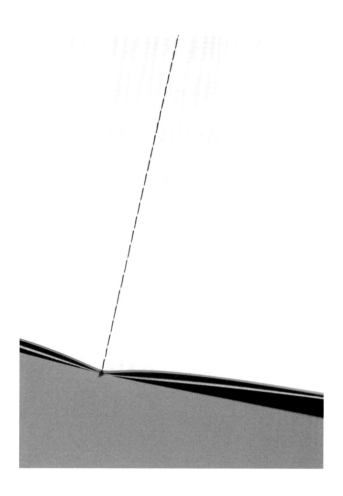

Steppheftung (Stepprückstichbroschur, Rückensteppheftung, Singerbuchnaht)

Für die Steppheftung wird eine spezielle Industrienähmaschine verwendet, die den Bogenstapel in
regelmäßigen Stichweiten von 5 bis 20 mm vernäht.
Durch die eng gesetzte Naht ist sie eines der stabilsten
Bindeverfahren und wird unter anderem genutzt,
um Reisepässe zu binden. Man nennt sie deshalb
auch Passheftung.
Die Steppheftung ist mit ein oder zwei Fäden möglich,
das heißt, es lassen sich auch zwei unterschiedlich
farbige Fäden vernähen. Das Nähgarn gibt es in unterschiedlichen Stärken und Farben. Was das Format
betrifft, ist die maximale Bogenbreite auf die Maße
der Nähmaschine begrenzt, in der Höhe gibt es
keine Beschränkung.

Blockstärke, Umfang

Für eine Fadenrückstichheftung eignen sich nur weniger umfangreiche Produkte: von zwei Bogen (acht Seiten) bis zu einer Blockstärke von etwa 5 mm.
Wie viele Seiten insgesamt möglich sind, hängt von der Papiergrammatur, Papierbeschaffenheit, vom Volumen und Nutzungsgrad des gebundenen Produkts ab – je höher die Grammatur, desto weniger Seiten lassen sich heften und umgekehrt. Ist die Grammatur zu hoch, lässt sich das Heft schwer aufschlagen, Hefte mit sehr niedrigen Grammaturen reißen schneller ein. Empfehlenswert ist es, die Verarbeitung anhand eines Blindmusters zu testen.
Heftet man viele Bogen mit hohen Grammaturen 412 zusammen, kann eine *Rückensteigung* entstehen. Der Rücken ist dann höher als der Vorderschnitt, was die weitere Verarbeitung, etwa den Beschnitt, er- 50 schwert und auch einen *Bundzuwachs* zur Folge hat.

Materialien, Druckverfahren

Der Heftfaden kann aus Chemie-, Naturfasern oder Mischzwirn bestehen, wobei Fäden aus Chemiefasern fester sind als die aus Naturfasern. Welcher Faden der richtige ist, hängt von der Art des Papiers, der Zahl und Stärke der Falzbogen und den Anforderungen an die Festigkeit des Fadens ab.
Um eine feste Bindung zu bekommen, muss man stabi- 360 les Papier verwenden, am besten voluminöses *Werkdruckpapier.* Grammaturen von etwa 70 bis 135 g/m^2 eignen sich dafür. Dünnere Papiere sollte man zumindest für die inneren Bogen besser nicht nehmen, weil sie beim Spannen und Knoten des Fadens einrei- 38 ßen könnten. Die *Laufrichtung* des Papiers sollte immer parallel zum Rücken sein, allerdings hat eine falsche Laufrichtung nicht so große Auswirkungen auf das Endprodukt, weil kein Leim zum Einsatz kommt, der die Papierfasern aufquellen lässt. Die Fadenrückstichheftung ist mit allen Druckverfahren möglich. Sie beeinträchtigt die Druckfarben nicht – und umgekehrt.

Aufschlagverhalten

405 Broschuren mit Fadenrückstichheftung haben ein gutes Aufschlagverhalten, es entsteht keine *Klammerwirkung* im Bund. So bleiben Bedruckungen bis in den Bund sichtbar.

Haltbarkeit

Fadenknotenheftung und Steppheftung halten unterschiedlich lange.

Die Steppheftung ist ein äußerst stabiles und langlebiges Bindeverfahren. Die durchgehende, eng gesetzte Naht verbindet die Blätter fest miteinander, und der Faden ist widerstandsfähig – auch über lange Zeit.

Die Fadenknotenheftung ist hingegen nicht ganz so stabil. Ihre Schwachstelle ist der nicht vernähte, offen liegende Knoten, der sich öffnen kann und so die Bindung auflöst. Außerdem werden bei der Fadenknotenheftung viel weniger Heftstiche gesetzt als bei der Steppheftung, die jedoch der gleichen Belastung standhalten müssen.

Der offen liegende Knoten einer Fadenknotenheftung kann sich bei häufigem Gebrauch irgendwann lösen.

Zeitaufwand

Für die Fadenrückstichheftung muss man wegen der komplizierten Bedienung und Funktionsweise der Heftmaschinen mehr Zeit einplanen. Man kann auch von Hand heften, dann dauert es aber normalerweise noch länger.

Kosten, Auflage

Die Kosten sind relativ hoch, weil die Bedienung der Heftmaschinen zeit- und arbeitsaufwendig ist und der Prozess nicht vollautomatisch abläuft. Bei hohen Auflagen steigen die Kosten deswegen auch proportional.

Besonderheiten bei der Gestaltung

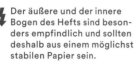 Der äußere und der innere Bogen des Hefts sind besonders empfindlich und sollten deshalb aus einem möglichst stabilen Papier sein.

Verschiedene Papiere: Bei der Fadenrückstichheftung kann man fast alle Papiersorten mischen, auch Papiere und Materialien mit sehr unterschiedlichen Grammaturen und Beschaffenheiten können direkt aufeinanderfolgen. Man darf allerdings nicht vergessen, dass jede verwendete Papiersorte im Heft doppelt vorkommt.

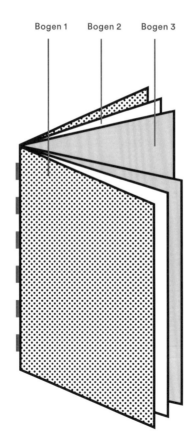

Bogen 1   Bogen 2   Bogen 3

✓ Besonderheiten wie ein Papier- oder Formatwechsel machen die Produktion meistens aufwendiger und teurer. Um Zeit und Kosten besser einschätzen zu können, sollte man deshalb frühzeitig mit dem Buchbinder darüber sprechen.

Verschiedene Formate: Formatwechsel und verkürzte Seiten innerhalb der Bindung sind möglich. Wie beim Papierwechsel taucht auch hier jedes Format im Heft doppelt auf.

Faden: Es gibt farbige oder metallische Fäden, die sich verwenden lassen, sie müssen aber immer auf das eingesetzte Papier abgestimmt sein.

Abstände und Zahl der Stiche: Die Abstände und die Zahl der Stiche sind variabel.

Umweltverträglichkeit

Zumindest bei der Steppheftung steht die Langlebigkeit der Bindung in einem guten Verhältnis zum geringen Materialeinsatz.

+	−
• hochwertig • langlebig (Steppheftung) • farbiger Faden möglich • verschiedene Papiere und Formate lassen sich mischen	• begrenzte Blockstärke • kein klassischer Rücken • nicht für hohe Auflagen geeignet • relativ teuer • zeitaufwendig

189

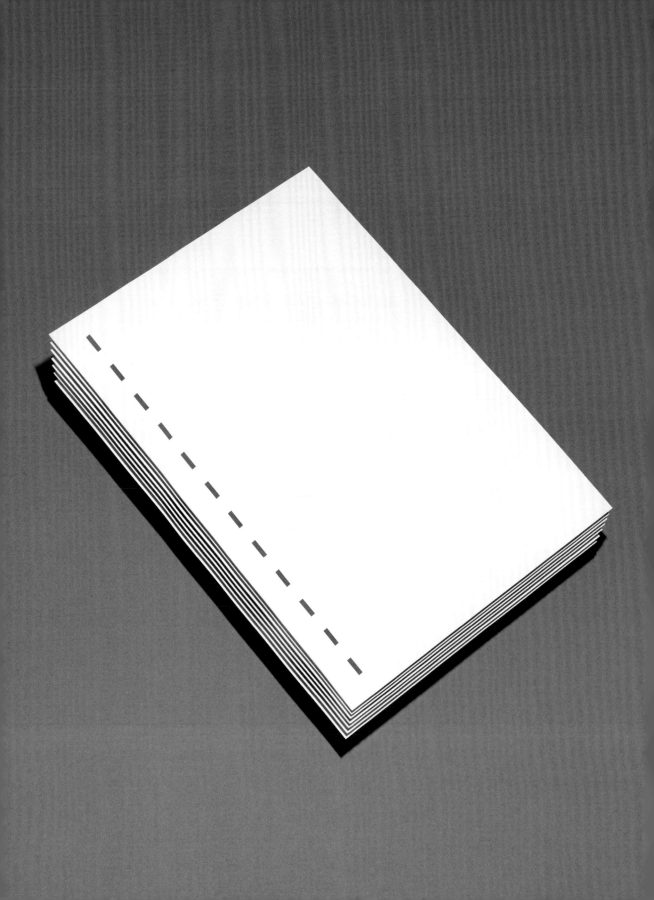

Seitliche Fadenheftung

Seitliche Fadenbindung
Fadenknotenheftung
Seitliche Steppheftung

Die seitliche Fadenheftung
ist mit der günstigen seitlichen
Klammerheftung vergleichbar,
wirkt aber hochwertiger
und bietet mehr Gestaltungsmöglichkeiten: Neben der
Steppheftung gibt es auch
die Variante der japanischen
Blockheftung.

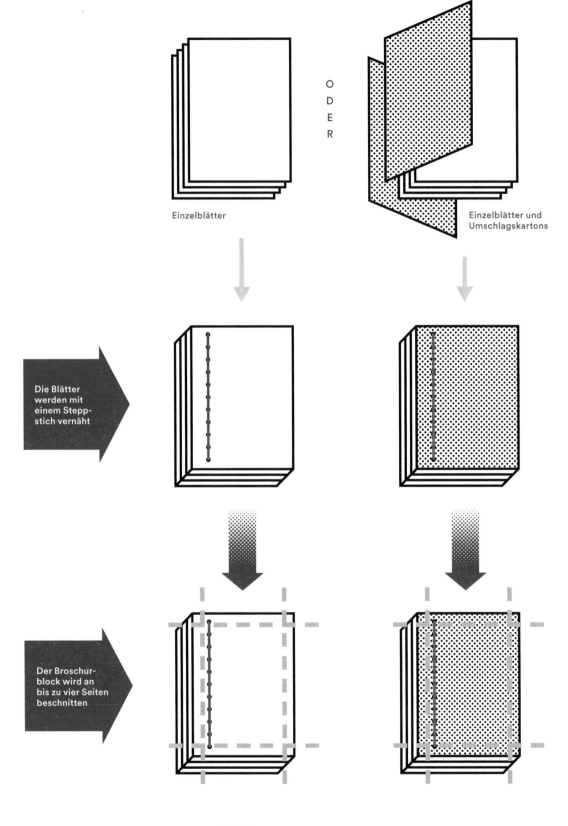

O
D
E
R

Einzelblätter

Einzelblätter und
Umschlagskartons

Die Blätter
werden mit
einem Stepp-
stich vernäht

Der Broschur-
block wird an
bis zu vier Seiten
beschnitten

192

Bei der seitlichen Fadenheftung vernäht man die
415 *zusammengetragenen* Falzbogen oder Einzelblätter
durch vorgebohrte Löcher etwa 5 mm vor dem
Bund mit einem Faden – dafür gibt es spezielle Heftmaschinen, man kann aber auch von Hand heften.
Die seitlich vernähten Blöcke werden an drei oder vier
Seiten beschnitten.

Am gebräuchlichsten sind zwei Techniken der seitlichen Fadenheftung: die Steppheftung (die auch
bei der Fadenrückstichheftung zum Einsatz kommt)
195 und die *japanische Blockheftung*.

Seitliche Steppheftung

Eine Industrienähmaschine verbindet den Block mit
einer eng gesetzten Naht über die gesamte Rückenlänge. Der Faden wird als Schlaufe durch das Papier
gestochen, dann von einem Haken aufgenommen und
das Papier weitertransportiert. Jede neue Schlaufe
wird durch die vorherige gezogen, sodass sich der
Faden verkettet. Die Steppheftung kann man mit einem
oder mit zwei Fäden machen, die Stichweite ist variabel.

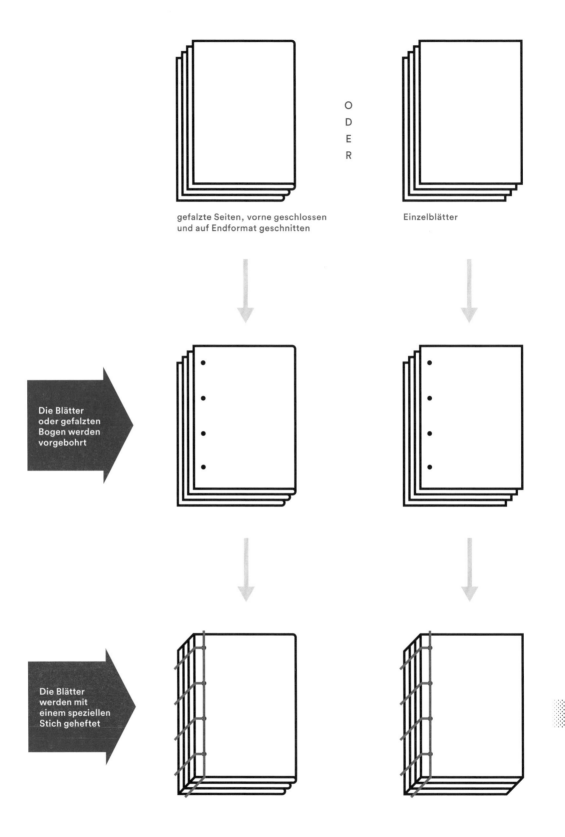

O D E R

gefalzte Seiten, vorne geschlossen
und auf Endformat geschnitten

Einzelblätter

Die Blätter
oder gefalzten
Bogen werden
vorgebohrt

Die Blätter
werden mit
einem speziellen
Stich geheftet

194

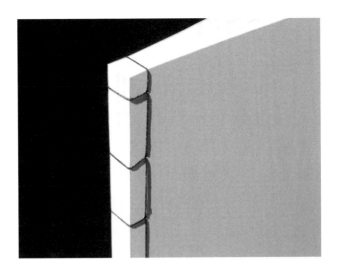

Japanische Blockheftung
(Japanische Bindung, Chinesische Bindung)

Eine besondere Form der seitlichen Fadenheftung ist
die japanische Blockheftung. Dafür falzt man die Bogen
vorher einmal, heftet sie dann allerdings nicht am
Falz, sondern an den offenen Blattkanten. So erhält
man doppelte Blätter, das heißt, von den ursprünglich
vier Seiten je Bogen bleiben nur zwei sichtbar, die
anderen zwei verborgen. Der Block wird so vernäht,
dass der Faden auch um den Rücken und den oberen
und unteren Schnitt herumführt – beschneiden kann
man ihn dann nicht mehr.

Die japanische Blockheftung mit Heftfaden lässt
sich nicht vollautomatisch verarbeiten, sie benötigt
immer noch einige händische Arbeitsschritte. Nur
141 mit einer *Klebebindung* kann man eine Japanbindung
auch industriell produzieren.

Ursprünglich wurde diese traditionelle Bindetechnik
dazu genutzt, um Blätter mit Tuschzeichnungen
zu binden. Weil sich die Tusche auf dem dünnen
Japanpapier leicht auf die Rückseite durchdrückte,
band man die Blätter gefalzt zusammen.

Die japanische Blockheftung bietet einige interessante
Gestaltungsmöglichkeiten: Zum Beispiel kann man
auf den verborgenen »Innenseiten«, die normalerweise
nicht bedruckt werden, Bilder und Texte verstecken –
410 dann sollte man die Falzlinien allerdings *perforieren,*
damit sich die gefalzten Blätter leichter öffnen lassen.

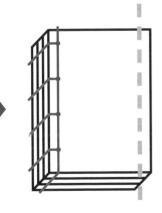

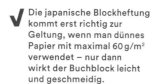

✓ Die japanische Blockheftung kommt erst richtig zur Geltung, wenn man dünnes Papier mit maximal 60 g/m² verwendet – nur dann wirkt der Buchblock leicht und geschmeidig.

Blockstärke, Umfang

Mit einer seitlichen Fadenheftung lassen sich nur dünnere Hefte binden, von acht Seiten bis maximal etwa 5 mm Stärke. Die genaue Seitenzahl hängt von der Papiergrammatur, der Papierbeschaffenheit, dem Volumen und dem Nutzungsgrad des gebundenen Produkts ab. Je höher die Grammatur, desto weniger Seiten sind möglich, je niedriger die Grammatur, desto mehr. Papiere mit zu hohen Grammaturen erschweren das Aufschlagen des Heftes, Hefte mit besonders niedrigen Grammaturen reißen schneller ein. Am besten testet man die Verarbeitung an einem Blindmuster.

Mit einer japanischen Blockheftung kann man dagegen auch mehrere Zentimeter starke Buchblöcke verarbeiten. Weil die Seiten aus gefalztem Papier bestehen, können hier sogar sehr dünne Papiere verwendet werden, ohne dass sie einreißen.

Materialien, Druckverfahren

Heftfäden aus Chemiefasern haben die höchste Biege- und Reißfestigkeit, es werden aber auch Fäden aus Natur- und Mischfasern benutzt – je nach Art des Papiers, der Zahl und Stärke der Falzbogen und den Anforderungen an die Haltbarkeit der Bindung. 360 Voluminöses *Werkdruckpapier* in Grammaturen von etwa 70 bis 135 g/m² eignet sich für die seitliche Fadenheftung am besten, es geht aber auch mit anderen Papieren. Für die japanische Blockheftung sind Grammaturen von etwa 60 g/m² zu empfehlen, damit man die für die Bindung typische Anmutung erhält. 38 Die *Laufrichtung* des Papiers sollte parallel zum Rücken sein, auch wenn eine falsche Laufrichtung sich nicht 141 so stark auswirkt wie zum Beispiel bei einer *Klebebindung*. Die seitliche Fadenheftung lässt sich bei allen Drucktechniken einsetzen, sie beeinträchtigt die Druckfarben nicht und umgekehrt.

196

Aufschlagverhalten

Der erforderliche Randabstand des Fadens von etwa 5 mm verhindert, dass man das Heft flach aufschlagen kann – was man bereits bei der Gestaltung berücksichtigen sollte.
Auch ansonsten ist das Heft schwierig zu handhaben: Öffnet man es, bleibt es nicht aufgeschlagen liegen, sondern klappt von selbst wieder zu. Je stärker der Buchblock, desto schlechter ist das Aufschlagverhalten.
405 Die *Klammerwirkung* ist so groß, dass man nicht in den Bund sehen kann. Zumindest ist das Aufschlagver-
131 halten besser als bei der *seitlichen Klammerheftung,* weil der Faden im Gegensatz zu den starren Klammern leicht nachgibt, und man kann auch elastische Fäden nehmen.

Verbessern lässt sich das Aufschlagverhalten durch eine Rille neben der seitlichen Fadenheftung.

Haltbarkeit

Die Steppheftung ist äußerst stabil und langlebig. Die durchgehende, eng gesetzte Naht verbindet die Blätter fest miteinander, und der Faden ist widerstandsfähig – auch über lange Zeit.

Zeitaufwand

Weil die Bedienung und die Funktionsweise der Heftmaschinen kompliziert sind, dauert die seitliche Fadenheftung länger als andere Bindeverfahren. Man kann auch von Hand heften, was aber noch länger dauert.

Kosten, Auflage

Die Kosten sind wegen der zeit- und arbeitsaufwendigen Verarbeitung relativ hoch. Für hohe Auflagen ist die seitliche Fadenheftung deshalb weniger zu empfehlen.

Besonderheiten bei der Gestaltung

Faden: Mit farbigen oder metallischen Fäden kann man Akzente setzen. Der Faden sollte aber immer auf das verwendete Papier abgestimmt sein.

Abstände und Zahl der Stiche: Die Abstände und die Zahl der Stiche lassen sich variieren.

Formate: Formatwechsel sind innerhalb einer seitlichen Fadenheftung möglich, eine maschinelle Verarbeitung ist aber womöglich sehr aufwendig. Am besten, man bespricht das vorher mit dem Buchbinder.

Verschiedene Papiere: Man kann bei der seitlichen Fadenheftung fast alle Papiersorten mischen, auch Papiere und Materialien mit sehr unterschiedlichen Grammaturen und Beschaffenheiten können direkt aufeinanderfolgen.

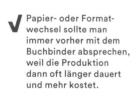
Papier- oder Formatwechsel sollte man immer vorher mit dem Buchbinder absprechen, weil die Produktion dann oft länger dauert und mehr kostet.

Weitere Verarbeitung

Umschlag: Die seitliche Fadenheftung lässt sich komplett ohne Umschlag oder mit vielen gängigen 256 *Broschurarten* fertigen.

Schnittveredelung: Seitlich geheftete Blöcke kann man an bis zu vier Seiten schnittveredeln, seitlich geheftete Bogen nur an drei Seiten.

Umweltverträglichkeit

Zumindest die Steppheftung ist umweltschonend, weil wenig Material verbraucht wird und sie lange hält. Mit umweltfreundlichen Materialien lässt sich die Bilanz noch verbessern.

+	**–**
• hochwertig • langlebig • farbiger Faden möglich • verschiedene Papiere und Formate lassen sich mischen	• Umfang begrenzt • kein klassischer Rücken • schlechtes Aufschlagverhalten, Layout deshalb eingeschränkt

Fadensiegeln

Das Fadensiegeln ist eine Technik, die sich zwischen Fadenheftung und Klebebindung einordnen lässt. Sie ist günstiger und schneller als die Fadenheftung, denn sie wird in der Falzmaschine in einem Durchgang gemacht. Heute wird das Fadensiegeln aber immer seltener eingesetzt, weil die Buchbinder dafür eine spezielle Ausrüstung benötigen und man viele Bücher und Broschuren ebenso stabil und schnell mit PUR-Kleber binden kann.

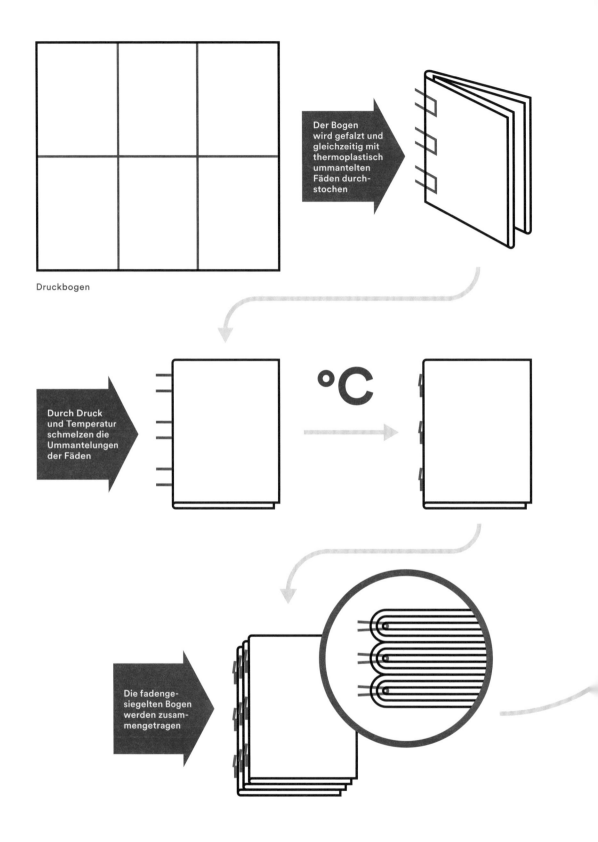

Druckbogen

Der Bogen wird gefalzt und gleichzeitig mit thermoplastisch ummantelten Fäden durchstochen

Durch Druck und Temperatur schmelzen die Ummantelungen der Fäden

°C

Die fadengesiegelten Bogen werden zusammengetragen

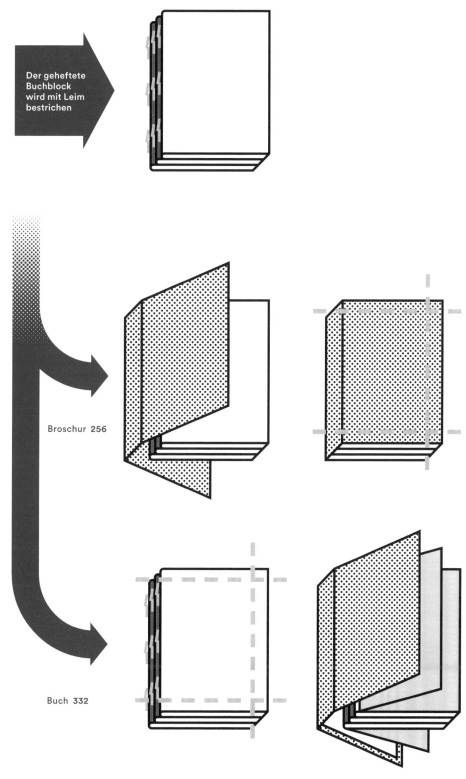

Der geheftete
Buchblock
wird mit Leim
bestrichen

Broschur 256

Buch 332

203

Für das Fadensiegeln verwendet man keinen durchgehenden Faden, sondern kurze, thermoplastisch
ummantelte Fadenstücke, die beim Falzen jeweils mit
ihren Enden durch die zusammengetragenen Bogen
gestochen werden. Eine heiße Metallschiene legt
die Fadenenden auf dem Rücken um, dabei schmilzt
die Fadenummantelung und wird mit dem Papier
versiegelt. Danach trägt man die fadengesiegelten
Hefte zu einem Block zusammen und hinterklebt sie
148 mit *PUR-Kleber, Hotmelt* oder *Dispersionskleber.*

⚡ Die Bogen müssen zum Fadensiegeln mindestens acht Seiten haben. Man kann aber auch einfach Einzelblätter und Vierseiter mitbinden, wenn man sie beim Zusammentragen an der entsprechenden Stelle einsortiert. Sie haften dann über die Leimspur am Rücken.

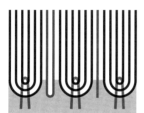

171 Anders als bei der *Fadenheftung* halten die Fäden also nur die einzelnen Hefte zusammen, nicht die Hefte untereinander – dazu dient der Leim auf dem Rücken.

404 Weil das Fadensiegeln in der Falzmaschine *inline* in einem Durchgang abläuft, spart man Zeit. Genau dafür, als schnelle und günstige Alternative zur Fadenheftung, hat man es ursprünglich entwickelt. Mittlerweile ist die Technik, für die man spezielle Siegelwerkzeuge benötigt, in der industriellen Buchbindung allerdings kaum mehr verbreitet. Das liegt einerseits daran, dass die Fadenheftung mit modernen Heftmaschinen günstiger geworden ist, andererseits daran, dass

141 *Klebebindungen* mit PUR-Kleber deutlich stabiler sind als früher.

Blockstärke, Umfang

Das Fadensiegeln eignet sich nicht für Blockstärken von mehr als 20 mm, weil wegen der relativ dicken Siegel-

412 fäden eine zu starke *Rückensteigung* entstehen würde.

Materialien, Druckverfahren

Empfehlenswert sind stärkere Papiere ab 100 g/m². Dünnere Papiere können beim Verarbeiten leicht einreißen, außerdem wirkt sich die Rückensteigung

36 deutlicher aus. Bei stärkeren Papieren bzw. *Volumenpapieren* sollte man darauf achten, dass sie nicht so oft gefalzt werden, eventuell muss man ein anderes

38 Falzschema verwenden. Die *Laufrichtung* sollte immer parallel zum Rücken sein, damit sich das Papier nicht wellt und das Aufschlagverhalten nicht beeinträchtigt wird.

Werden die Seiten bis in den Bund bedruckt oder

381 *lackiert*, kann es durch die erhöhte Temperatur und den Druck beim Fadensiegeln zu Wechselwirkungen mit der Druckfarbe bzw. dem Lack kommen – der Leim haftet dann nicht so gut, Farbe kann sich lösen.

205

Aufschlagverhalten

Das Aufschlagverhalten ist gut, allerdings nicht so gut wie bei fadengehefteten Büchern. Grund dafür ist die Verleimung am Rücken, die die einzelnen Hefte zusammenhält und – je nach Art des Leims – eine *Klammerwirkung* hat.

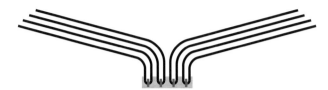

Haltbarkeit

Fadengesiegelte Bücher halten länger als solche mit Klebebindung, aber auch deutlich weniger lange als fadengeheftete. Nach längerem Gebrauch können sich einzelne Hefte aus dem Buch herauslösen, weil sie untereinander nur verklebt sind und nicht – wie bei der Fadenheftung – mit Fäden zusammengehalten werden.

Zeitaufwand

Fadensiegeln geht schneller als zum Beispiel die Fadenheftung, weil der ganze Bindeprozess in einem Durchgang in der Falzmaschine abläuft.

Kosten, Auflage

Die Kosten liegen zwischen der Fadenheftung und der Klebebindung. Auch hohe Auflagen lassen sich damit binden.

Besonderheiten bei der Gestaltung

Verschiedene Papiere: Beim Fadensiegeln lassen sich unterschiedliche Papiere mischen. Man sollte aber daran denken, dass unterschiedliche Papiere auch unterschiedlich lange halten, und dies deshalb vorher mit dem Buchbinder besprechen.

Weitere Verarbeitung

<u>Umschlag</u>: Das Fadensiegeln ist möglich ohne
256 Umschlag, mit allen gängigen *Broschurarten* oder
332 als *Buch mit fester Buchdecke*.

Umweltverträglichkeit

Die einzelnen Komponenten lassen sich nicht gut
voneinander trennen. Deswegen ist das Fadensiegeln
nur dann umweltschonend, wenn für die Ummantelung
der Fäden lösungsmittel- und schadstofffreie Klebstoffe verwendet werden.

+	−
● schnell ● günstig ● gutes Aufschlagverhalten	● bietet nicht jede Buchbinderei an ● starke Rückensteigung durch Siegelfäden

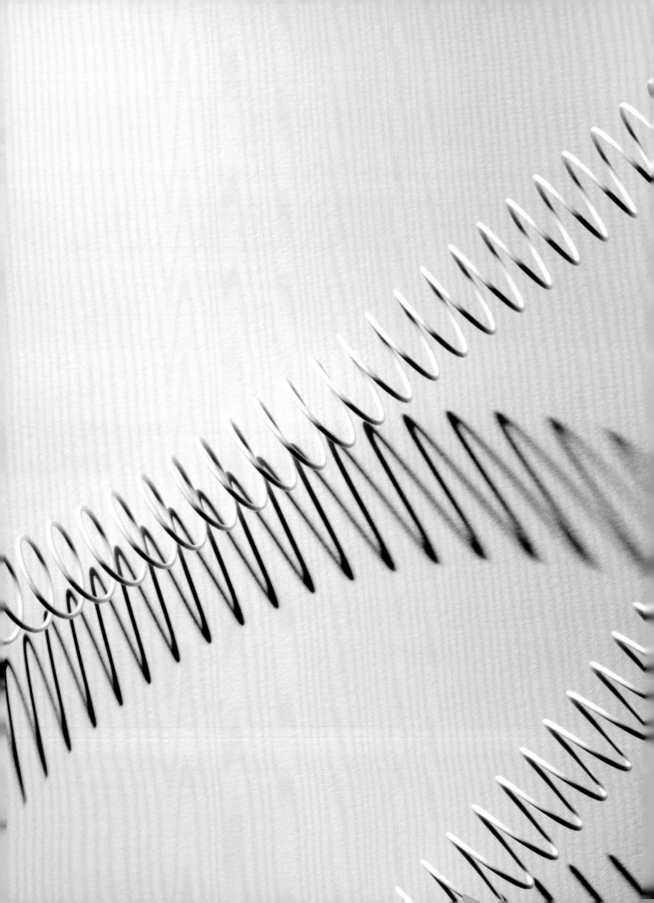

Bindesysteme

Bindesysteme sind verschiedene Techniken, mit denen man Einzelblätter zum Beispiel mit Spiralen, Drahtkämmen, Schrauben oder Ringen verbinden kann. Die Blätter werden von diesen mechanischen Bindeelementen lose am Rücken zusammengehalten.
Teilweise kann man die Bindeelemente nach dem Heften wieder öffnen und Blätter austauschen. Mit Bindesystemen lassen sich schnell und günstig Produkte in kleinen Auflagen produzieren.

Bindesysteme halten die einzelnen Blätter eines Blocks nur lose zusammen und sind deshalb flexibler als andere Bindeverfahren: Weil die Blätter nicht fest miteinander verbunden sind, können sie zum Beispiel beim Blättern besser mit der Bewegung mitgehen. Sie lassen sich auch herauslösen, ohne dabei die Haltbarkeit der gesamten Bindung zu beeinträchtigen. Es gibt zahlreiche Bindeelemente, die dazu verwendet werden, Blöcke aus Einzelblättern zu heften: *Spiralen, Kämme, Schrauben, Nieten, Ösen, Ringe, Klemmschienen, Gummibänder.* Zuerst stanzt oder bohrt man möglichst nah am Bund Lochreihen oder Einzellöcher in den Block, dann führt man das entsprechende Bindeelement hindurch und verschließt es – nur mit Klemmschienen und Gummibändern funktioniert es anders.

214
215 241
247

Bindesysteme bieten außergewöhnlich viele Gestaltungsmöglichkeiten. Man kann damit verschiedenste Materialien und Formate verarbeiten und untereinander mischen, etwa Papiere mit extrem unterschiedlichen Stärken, wie sie mit anderen Techniken gar nicht mehr zu binden wären.
Bei einigen Verschlüssen wie Plastikkämmen, Schrauben, Ringen und Klemmschienen kann man nachträglich sogar Blätter austauschen – was bei der Spiral- und Drahtkammbindung allerdings nicht möglich ist. Copyshops nutzen Bindesysteme oft, um Einzelexemplare und Kleinstauflagen zu binden. Zum Einsatz kommen hier formatunabhängige Kleingeräte, mit denen man kleine Auflagen schnell und günstig produzieren kann, insbesondere im Digitaldruck. Spiral- und Drahtkammbindungen hingegen lassen sich industriell auch in sehr hohen Auflagen herstellen.

Drei Kriterien spielen bei den Lochreihen und Einzellöchern eine Rolle: Die maximale Stanzbreite gibt an, wie lang bzw. hoch der Block höchstens sein darf, der gestanzt werden soll. Die maximale Stanzstärke legt fest, welche Blockstärke die Stanzmaschine höchstens in einem Arbeitsgang stanzen kann. Der Randabstand ist der Abstand der Stanzlöcher zur abschließenden Blattkante an der Bindeseite. Je größer der Randabstand, desto stabiler ist die Bindung. Wie viel Randabstand nötig ist, hängt aber vom Bindeelement, der Bindetechnik und der Stanzmaschine ab.

Lochstanzung
für Spiralen

Ovale Lochstanzung
für Spiralen und Drahtkämme

Quadratische Stanzung
für Drahtkämme

Rechteckige Stanzung
für Draht- und Plastikkämme

Langlochstanzung
für Drahtkämme oder zum Abheften

Lochstanzung
für Schrauben, Nieten, Ösen, Ringe

Spiral- und Kammbindung

Spiralbindung
Drahtkammbindung (Wire-O-Bindung)
Plastikkammbindung (Perlbindung, Plastik-Effekt-Bindung, Rollierbindung)

Spiral- und Kammbindungen gehören zu den populärsten Bindesystemen. In Copyshops werden damit schnell und günstig Einzelexemplare und kleine Auflagen hergestellt, sie eignen sich aber auch für die industrielle Produktion von Kalendern, Collegeblöcken oder Lehrmaterialien. In einer Spiral- und Kammbindung haben die einzelnen Blätter große Bewegungsfreiheit, sie lassen sich komplett um 360 Grad umklappen.

Spiralbindung

385 Für eine Spiralbindung *stanzt* man eine Lochreihe mit runden Löchern in den Block, die parallel zur Blattkante sein sollte. Dann dreht man eine Spirale aus Kunststoff bzw. Draht durch die Löcher und biegt die Enden ein, damit sich die Blätter beim Benutzen nicht wieder herausdrehen. Am häufigsten wird die Spiralbindung für Schreibblöcke, Kalender, Handbücher, Unterrichtsmaterialien und Stadtpläne verwendet.

√ Häufig spricht man auch von Spiralisieren, wenn es um die Spiralbindung geht.

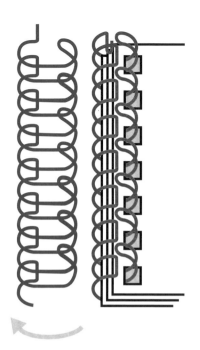

Drahtkammbindung

Irrtümlicherweise wird die Drahtkammbindung oft »Spiralbindung« genannt, obwohl sie ein wenig anders funktioniert. Das Bindeelement ist hier ein in Doppelschlaufen gelegter Draht, der an die Anordnung von Kammzähnen erinnert. Ähnlich wie bei der Spiralbindung stanzt man eine Lochreihe mit runden oder quadratischen Löchern in die Blätter, dann hängt man die Blätter in den offenen Drahtkamm ein. Sobald man den Drahtkamm zusammengedrückt hat, sind die Blätter fest verschlossen. Das Verfahren stammt aus England und ist auch mit kleinen Tischgeräten möglich, die sich einfach handhaben lassen.

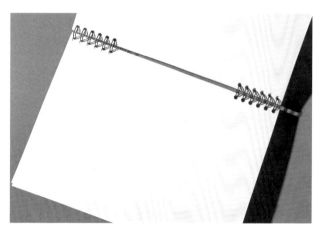

Eine Variante der Drahtkammbindung ist die Skip-Bindung, für die man keinen durchgehenden Drahtkamm verwendet, sondern kürzere Elemente mit Abständen dazwischen. So lässt sich Material einsparen, in erster Linie dient die Skip-Bindung aber zur Herstellung von Wandkalendern mit Aufhänger. Damit man Kalender mit eingebundenem Aufhänger umblättern kann, benötigt man ein sogenanntes Daumenloch: eine halbkreisförmig gestanzte Einbuchtung in der Mitte des Rückens.

Blockstärke, Umfang

Es gibt Spiralen und Drahtkämme mit Durchmessern von 15 bis 40 mm, und davon hängt die mögliche Blockstärke ab. Denn der Innendurchmesser der Spirale (bzw. des Drahtkamms) sollte mindestens 3 bis 4 mm größer sein als die Blockstärke.

Materialien, Druckverfahren

Drahtkamm und Metallspirale: Drahtkämme und Metallspiralen werden aus besonders reiß- und biege-festem Spezialdraht aus verzinntem oder nylonummanteltem Stahl hergestellt. Den ummantelten Draht gibt es in mehreren Standardfarben, auf Wunsch ist die Farbauswahl aber nahezu unbegrenzt. Obwohl der Draht äußerst stabil ist, kann es passieren, dass er sich unter Druck verformt – dann lässt er sich nur schwer wieder in die Ausgangsform zurückbiegen.

Kunststoffspirale: Spiralen aus Kunststoff sind flexibel und nehmen, wenn sie verformt werden, von selbst wieder die ursprüngliche Form an. Anders als Metall-spiralen können solche aus Kunststoff bei zu hoher Belastung brechen.

Papier: Mit Spiralen und Drahtkämmen kann man ver-schiedenste Papiere und andere Materialien mischen und binden, zum Beispiel auch Folien, Kunststoffe, Pappen oder Leder. Selbst Papiere quer zur *Laufrichtung* lassen sich damit problemlos binden, allerdings können die Blätter dann leichter ausreißen, insbesondere bei rechteckigen Stanzlöchern.

Druckverfahren: Die Bindung eignet sich für alle Druckverfahren.

Aufschlagverhalten

Die mit Spiralen oder Drahtkämmen gebundenen Broschuren lassen sich sehr gut aufschlagen, besser als bei jeder anderen Bindung. Sie bleiben nicht nur flach liegen, man kann sie auch komplett umschlagen.

216

Ein umgeklappter Block spart Platz, und man kann die aufgeschlagene Seite auch bei starken Blöcken immer gut lesen oder zum Beispiel kopieren.

Allerdings sollte die Spirale bzw. der Drahtkamm groß genug sein, um das Aufschlagverhalten nicht zu beeinträchtigen. Ist der Durchmesser zu klein oder der Abstand zwischen Blattkante und Lochreihe falsch justiert, ist die Beweglichkeit eingeschränkt, und die Rückenkanten blockieren sich beim Aufschlagen gegenseitig.

Aufgeschlagene Spiralbindung

⚡ Bei der Spiralbindung sollte man daran denken, dass ein Versatz entsteht, das heißt, dass sich die Seiten beim Aufschlagen um eine Spiralwindung verschieben. Über den Bund laufende Bilder lassen sich deshalb nicht optimal darstellen.

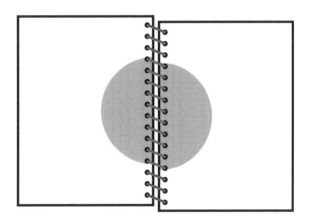

Aufgeschlagene Drahtkammbindung

✔ Der Vorteil der Drahtkammbindung ist, dass es beim Aufschlagen der Seiten keinen Versatz gibt.

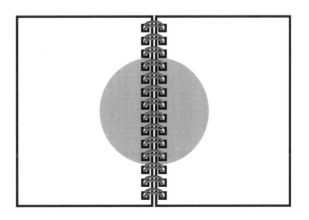

Haltbarkeit

Eigentlich sind Spiral- und Drahtkammbindungen sehr stabil, doch weil die ausgestanzten Lochreihen wie eine Perforation funktionieren, können sich einzelne Blätter leicht herauslösen – eine Eigenschaft, die oft auch erwünscht ist, damit man Blätter wieder ausreißen kann. Anders als bei anderen Bindesystemen lassen sich einzelne Blätter nach dem Binden nicht mehr austauschen, ohne dabei die Bindung zu zerstören. Kunststoffspiralen können nach einiger Zeit verspröden und brechen.

Zeitaufwand

Die Bindetechniken lassen sich schnell produzieren, weil nur zwei Arbeitsschritte nötig sind: Stanzen und Binden.

Kosten, Auflage

Die Bindeelemente selbst, Spiralen und Drahtkämme, sind vergleichsweise teuer, dennoch sind die Kosten dieser Bindetechnik niedrig. Copyshops und Handbuchbindereien binden mit Kleingeräten schnell und günstig Einzelexemplare und Kleinstauflagen. Industriell sind auch hohe Auflagen möglich: Bis zu 1.000 Stück pro Stunde können vollautomatisch 393 produziert werden, je nach Format und *Blockstärke* dauert es aber länger und kostet mehr.

Besonderheiten bei der Gestaltung

<u>Farbige Drahtkämme und Spiralen</u>: Drahtkämme und Spiralen gibt es in verschiedenen Farben; die kunststoffummantelten sind meistens matt, die ohne Ummantelung silberfarben, aber auch eingefärbt erhältlich.

<u>Verschiedene Formate</u>: Es lassen sich unterschiedliche Formate zusammenbinden, etwa auch verkürzte Seiten.

218

Verschiedene Papiere: Bei der Spiral- und Drahtkammbindung kann man alle Papiersorten und -stärken
mischen, auch Papiere und Materialien mit sehr unter-

401 410 33 schiedlichen *Grammaturen, Volumina* und *Oberflächen*
können direkt aufeinanderfolgen.

Weitere Verarbeitung

Umschlag: Die Spiral- und Drahtkammbindung kann man
266 ohne Umschlag oder mit verschiedenen *Umschlagvarian-*
260 *ten* produzieren – mehr dazu unter *Broschuren 360 Grad.*

386 Abgerundete Ecken: Die Ecken lassen sich *abrunden.*

Umweltverträglichkeit

Das Papier und die Bindeelemente lassen sich gut
voneinander trennen und entsprechend recyceln.

+	−
• schnell und unkompliziert herzustellen (Copyshop) • günstig • langlebig • sehr gutes Aufschlag-verhalten (360 Grad) • Material- und Format-mischung möglich	• kein klassischer Rücken • Lücke zwischen den aufgeschlagenen Seiten • erhöhte Bindeelemente erschweren das Stapeln • deutlich sichtbare Spiralen und Kämme wirken eventuell störend • Kunststoffspiralen können mit der Zeit ausbleichen und brüchig werden

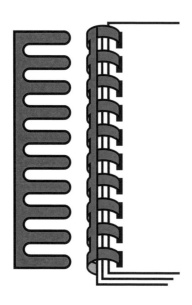

Plastikkammbindung
(Plastik-Effekt-Bindung, Binderücken)

Für die Plastikkammbindung verwendet man einen flexiblen, zu einer Rolle geformten Kunststoffkamm, der durch die gestanzten Langlöcher des Blocks geführt und verschlossen wird. Broschuren mit Plastikkammbindung lassen sich nicht ganz so gut aufschlagen wie solche mit Spiral- und Drahtkammbindung und auch nicht komplett umklappen. Außerdem fällt das Bindeelement – der Plastikkamm – hier viel stärker ins Auge.
Weil sie sehr einfach und schnell zu produzieren ist, werden mit der Plastikkammbindung häufig Büro-Dokumente, Taschenkalender, Adressbücher, Telefon-verzeichnisse, Nachschlagewerke und Betriebsan-leitungen gebunden. Die entsprechenden Tischgeräte sind günstig und sogar im Bürofachhandel erhältlich; auch die meisten Copyshops bieten diese Bindung an. Anders als bei Drahtkämmen und Spiralen kann man die Bindung mit dem Gerät wieder öffnen und nachträg-lich Blätter austauschen.

Blockstärke, Umfang

Es lassen sich Blockstärken von mehreren Zentimetern verarbeiten. Entscheidend ist, dass der Durchmesser des Drahtkamms mindestens 3 bis 4 mm größer als die Blockstärke ist, damit man die Broschur auch gut aufschlagen kann.

Materialien, Druckverfahren

Plastikkamm: Die Kämme werden aus einer Kunststoff-platte gestanzt und unter Wärmeeinwirkung verformt, sie sind in verschiedenen Kunststoffen und Farben erhältlich. Es gibt rund und oval gerollte Plastikkämme – die ovale Variante nutzt man in der Regel für Block-stärken ab 30 mm, damit sich der Block am Vorder-schnitt nicht zu sehr nach außen wölbt. Plastikkämme mit breitem Rückensteg lassen sich auch als Gestaltungs-fläche nutzen, sofern sich das Material bedrucken lässt.

Runder Plastikkamm und
ovaler Plastikkamm

Papier: Mit Plastikkämmen kann man verschiedenste
Papiere und Materialien mischen und binden, etwa auch
Folien, Kunststoffe, Pappen und Leder. Selbst Papiere
quer zur Laufrichtung lassen sich damit problemlos
binden, die Blätter können dann aber leichter ausreißen.

Druckverfahren: Die Bindung eignet sich für
alle Druckverfahren.

Aufschlagverhalten

Blöcke mit Plastikkammbindung lassen sich sehr gut
aufschlagen, wenn auch nicht so gut wie solche mit
Drahtkamm- oder Spiralbindung – sie wirken etwas
sperrig. Weil die Plastikkämme einen Rückensteg haben,
kann man den Block auch nicht komplett umschlagen.

Um das Aufschlagverhalten nicht zu beeinträchtigen,
sollte der Durchmesser des Plastikkamms groß genug
sein und der Abstand zwischen Blattkante und Lochreihe stimmen.

221

Haltbarkeit

Die Stabilität der Bindung ist gut, sie eignet sich allerdings weniger für schwere Produkte, da die Plastikkämme ausleiern können; nach einiger Zeit können sie auch verspröden und brechen. Einzelne Blätter reißen leicht aus, wenn der Abstand zwischen Blattkante und Lochreihe zu groß ist oder der Durchmesser des Plastikkamms zu klein ist. Dadurch dass man Blätter nachträglich auswechseln kann, verlängert sich die Lebensdauer.

Zeitaufwand

Für die Plastikkammbindung benötigt man nur zwei Arbeitsschritte (Stanzen und Binden), sie ist deshalb sehr schnell.

Kosten, Auflage

Obwohl das Bindeelement selbst vergleichsweise teuer ist, sind die Kosten der Bindetechnik niedrig. Die Plastikkammbindung wird ausschließlich in Copyshops und Handbuchbindereien angeboten, die Einzelexemplare und Kleinstauflagen schnell und günstig herstellen.

Besonderheiten bei der Gestaltung

Farbige Plastikkämme: Es gibt Plastikkämme in verschiedenen Farben.

Verschiedene Papiere: Bei der Plastikkammbindung lassen sich nahezu alle Papiersorten und -stärken mischen, auch Papiere und Materialien mit sehr unterschiedlichen *Grammaturen*, *Volumina* und *Oberflächen* können direkt aufeinanderfolgen.

401 410 33

Verschiedene Formate: Es lassen sich unterschiedliche Formate zusammenbinden, etwa auch verkürzte Seiten.

Bedruckter Rücken: Man kann den Steg des Plastikkamms bedrucken, der allerdings unterschiedlich breit ausfallen kann.

Weitere Verarbeitung

<u>Umschlag</u>: Plastikkammbindungen kann man komplett
266 ohne Umschlag und mit verschiedenen *Umschlagvarianten* produzieren.

386 <u>Abgerundete Ecken</u>: Die Ecken lassen sich *abrunden*.

Umweltverträglichkeit

Der Plastikkamm und das Papier lassen sich gut voneinander trennen und entsprechend recyceln. Es gibt
auch Kämme aus recyceltem Kunststoff.

+	**–**
• schnell und unkompliziert herzustellen (Copyshop) • günstig • langlebig • sehr gutes Aufschlag-verhalten • Material- und Format-mischung möglich • Austauschen von Blättern möglich	• kein klassischer Rücken • Lücke zwischen den aufgeschlagenen Seiten • erhöhte Bindeelemente erschweren das Stapeln • deutlich sichtbare Kämme wirken eventuell störend • Kunststoffkämme können mit der Zeit ausbleichen und brüchig werden

Binderinge, Verbinder

Buchbinderinge (Heftringe)
Kugelketten
Drahtseilverbinder

Mit Buchbinderingen, Kugelketten und Drahtseilverbindern kann man Einzelblätter auf eine ganz einfache Art binden. Die Blätter werden dabei sehr locker zusammengehalten. Die Bindetechnik eignet sich besonders für spezielle Zwecke wie Papier-, Stoff- und Materialmuster, für Labels, Anhänger, Speisekarten oder Fotoalben.

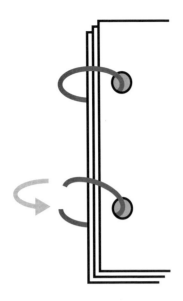

Für das Binden mit Binderingen oder Verbindern benötigt man außer einem Locher keine weiteren Werkzeuge. Man stanzt ein, zwei oder mehr runde Löcher in den Block, führt die Buchbinderinge, Drahtseilverbinder oder Kugelketten hindurch und verschließt sie. Die Verbindung lässt sich durch den Schließmechanismus leicht wieder öffnen, man kann Blätter austauschen und die Bindeelemente wiederverwenden. Weil sie händisch gemacht wird, eignet sich diese Bindung nur für Einzelexemplare und kleine Auflagen.

Blockstärke, Umfang

Der mögliche Umfang richtet sich nach der Größe der Bindeelemente: Buchbinderinge findet man überwiegend mit Durchmessern von 13 bis 76 mm, die Drahtseilverbinder und Kugelketten werden in verschiedenen Stärken und Längen angeboten. Man kann sie sich auch individuell zuschneiden lassen.

Materialien, Druckverfahren

Buchbinderinge sind meistens aus vernickeltem Metall (gold- oder silberfarben) und haben einen Schnappverschluss, den man öffnet, indem man die Ringe zusammendrückt.

Drahtseilverbinder aus gedrehtem Stahlseil sind sehr robust und halten auch größeren Belastungen stand. Sie haben einen sicheren Schraubverschluss, der sich jederzeit öffnen lässt.

Kugelketten bestehen aus kleinen Kügelchen, die untereinander mit dünnen Stiften verbunden sind, und sind sehr flexibel und beweglich. Man kann sie mit Einpressverschlüssen verschließen und wieder öffnen. Die Ketten gibt es aus vernickeltem oder vermessingtem Metall, auch Spezialanfertigungen in anderen Farben sind erhältlich.

Bindering, Kugelkette,
Drahtseilverbinder

Papier: Man sollte ein möglichst starkes und reiß-
festes Papier – etwa Vliespapier – verwenden, weil
dünnere Papiere an den Stanzlöchern leicht reißen
können. Abgesehen davon lassen sich mit Ringen,
Ketten und Seilen die verschiedensten Papiere und
andere Materialien mischen und binden, zum
Beispiel auch Folien, Kunststoffe, Pappen oder Leder.

Druckverfahren: Die Bindung eignet sich für
alle Druckverfahren.

227

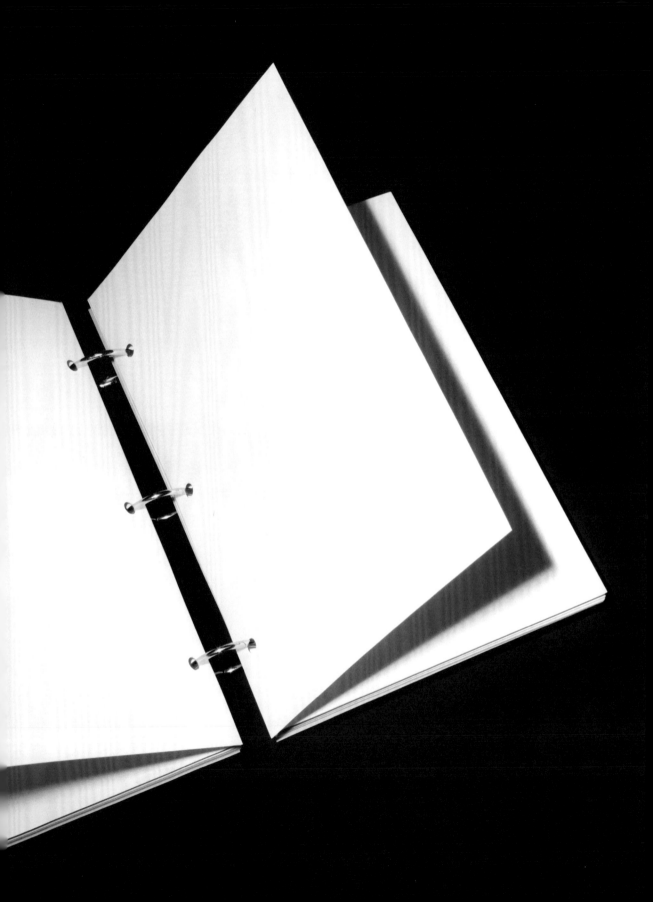

Aufschlagverhalten

Die mit Ringen, Seilen oder Ketten gebundenen Produkte lassen sich sehr gut aufschlagen und auch um 360 Grad umklappen. Allerdings ist die Bindung alles andere als fest: Die Blätter werden nur locker zusammengehalten, auch dann noch, wenn man zwei oder mehr Bindeelemente verwendet. So können sich aufgeschlagene Seiten leicht gegeneinander verschieben, was bei über den Bund laufenden Bildern nicht vorteilhaft ist.

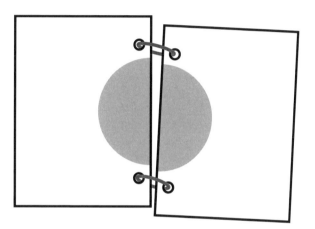

Aufgeschlagene
Bindung mit
Buchbinderingen

Bei einer Bindung mit Buchbinderingen können die aufgeschlagenen Seiten nicht plan aufliegen, weil die Ringe über die Blockstärke hinausragen und starr sind – Seile und Ketten sind zwar flexibler, beeinträchtigen das flache Aufschlagen aber dennoch.

Der Abstand von der Blattkante zu den Stanzlöchern muss richtig justiert sein. Ist er zu groß, können sich die Rückenkanten beim Aufschlagen gegenseitig blockieren.

Problematisches Aufschlagverhalten

Haltbarkeit

Wie lange ein mit Binderingen oder Verbindern gebundenes Produkt hält, hängt von der Strapazierfähigkeit der Blätter ab, die – wie beschrieben – nur locker zusammengehalten werden. Die Bindeelemente selbst haben eine hohe Lebensdauer, und einzelne Blätter lassen sich problemlos austauschen, ohne dabei die Bindung zu beeinträchtigen. Deshalb verwendet man diese Bindungen bevorzugt für Produkte, bei denen regelmäßig Blätter ausgetauscht werden – etwa für Musterkollektionen und Speisekarten.

Zeitaufwand

Es sind nur zwei Arbeitsschritte nötig, Stanzen und Binden, was sehr schnell geht.

Kosten, Auflage

Eine Bindung mit Binderingen und Verbindern lässt sich nur von Hand machen und eignet sich deshalb nur für Einzelstücke und kleine Auflagen. Die relativ hohen Kosten der Bindeelemente fallen kaum ins Gewicht.

Besonderheiten bei der Gestaltung

Farbige Bindeelemente: Die Ringe, Seile und Ketten gibt es in unterschiedlichen Farben.

Verschiedene Papiere: Man kann verschiedene Papiersorten und -stärken mischen, auch Papiere und Materialien mit sehr unterschiedlichen *Grammaturen,* *Volumina* und *Oberflächen* können direkt aufeinanderfolgen.

401
410 33

Verschiedene Formate: Es lassen sich auch verkürzte Seiten einbinden.

Weitere Verarbeitung

Umschlag: Ein klassischer Umschlag lässt sich nicht umbinden, aber man kann einen Kartondeckel mit einbinden.

Ausstattung: Ausstattungsvarianten wie ein Farbschnitt sind nicht möglich, weil der Block nicht homogen ist, sondern nur eine Loseblattsammlung.

386 Abgerundete Ecken: Die Ecken lassen sich *abrunden*.

Umweltverträglichkeit

Die Bindeelemente kann man leicht vom Papier trennen und wiederverwenden.

+	−
• günstig • Austauschen von Blättern möglich • verschiedene Materialien und Formate lassen sich mischen	• keine großen Auflagen möglich • kein klassischer Rücken • große Lücke zwischen den aufgeschlagenen Seiten • erhöhte Bindeelemente erschweren das Stapeln

Schrauben, Nieten, Ösen

Buchschrauben (Buchbinderschrauben)
Nieten (Hohlnieten)
Ösen (Lochösen)

Anders als die meisten anderen Bindesysteme hält eine Bindung mit Schrauben, Nieten und Ösen die Einzelblätter nicht lose, sondern fest zusammen.
Es ist ein simples Bindeverfahren, das für Einzelstücke und kleine Auflagen verwendet wird, zum Beispiel für Speisekarten, Alben, Musterfächer und Etiketten.

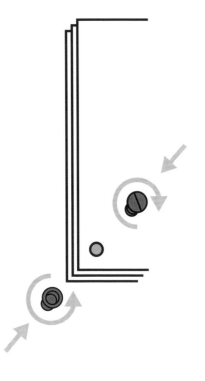

Für eine Bindung mit Schrauben, Nieten und Ösen bohrt man möglichst nah an der Blattkante zwei, vier oder mehr runde Löcher in den Block. Dann führt man die Bindeelemente hindurch und verschließt sie, sie halten den Block fest zusammen. Die Buchschrauben kann man immer wieder aufschrauben und einzelne Blätter austauschen, was mit Ösen und Nieten nicht funktioniert. Das Bindeverfahren eignet sich nicht für die industrielle Produktion. Es wird vorwiegend von Handbuchbindereien angeboten, die dafür Kleingeräte verwenden.

⚡ Wegen des Randabstands der Bindeelemente gehen Bildinformationen verloren. Im Layout muss man deshalb einen größeren Abstand zum Bund anlegen.

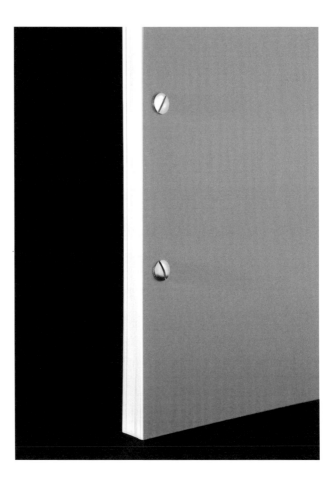

Öse, Niete, Buchschrauben, Buchschraube mit langem Mittelstück

Buchschraube

Buchschrauben: Die Schrauben bestehen aus einem Schraubenkopf und einem Schaft mit Gewinde, die durch die gelochten Blätter hindurch ineinander verschraubt werden. Man kann die Schrauben jederzeit wieder öffnen und neu verschließen, oft werden sie für Speisekarten, Fotoalben und Musterfächer genutzt.

Öse Ursprungsform

Öse bereits gestaucht

Ösen: Ösen sind hohle Metallzylinder mit einem verdickten Kopf. Sie werden durch die gelochten Blätter gesteckt und dann auf der anderen Seite mit einer Ösenzange gestaucht, das heißt, der Zylinder wird nach außen umgebogen. So entsteht eine feste und sichere Verbindung, die sich nicht wieder öffnen lässt, ohne dabei die Bindung zu zerstören. Gerne verwendet man die Bindung mit Ösen deshalb für Akten und wichtige Dokumente. Weil Ösen im Gegensatz zu Nieten innen hohl sind, lassen sich die Blöcke auch abheften.

Niete, Niete verbunden

Nieten: Nieten sind zweiteilige Bolzen aus Blech bzw. Kunststoff, mit denen man Einzelblätter und Coverpappen dauerhaft fest verbinden kann. Man steckt das Ober- und das Unterteil durch die Löcher ineinander und verschließt sie mit einer Nietenzange. Sie lassen sich dann nicht mehr öffnen.

Blockstärke, Umfang

Welche Blockstärke möglich ist, hängt von den Maßen der Bindeelemente ab: Mit Nieten und Ösen in Standardgrößen lassen sich nur weniger umfangreiche Produkte binden. Mit Buchschrauben kann man dagegen über Verlängerungsstücke bis zu 10 cm Blockstärke erreichen.

Materialien, Druckverfahren

Bindeelemente: Die Schrauben, Nieten und Ösen sind aus Nickel, Messing oder Aluminium, Schrauben und Nieten gibt es auch aus Kunststoff. Sie werden in unterschiedlichen Längen, Durchmessern und Farben angeboten, Buchschrauben auch mit farbigen Köpfen.

Papier: Man kann verschiedenste Papiere und andere Materialien mischen und binden, zum Beispiel auch Folien, Kunststoffe, Pappen oder Leder. Selbst Papiere quer zur Laufrichtung lassen sich damit problemlos binden, allerdings können die Blätter dann leichter ausreißen.

Druckverfahren: Die Bindungen eignen sich für alle Druckverfahren.

Aufschlagverhalten

Wegen des erforderlichen Randabstands der Stanzlöcher entsteht eine hohe Klammerwirkung, die Seiten lassen sich schlecht aufschlagen. Je stärker das Produkt ist, desto schlechter ist das Aufschlagverhalten – bei größeren Formaten relativiert sich das jedoch wieder.

Haltbarkeit

Bindungen mit Nieten und Ösen halten sehr lange.
Bei Bindungen mit Buchschrauben kann sich die
Lebensdauer noch verlängern, denn man kann einzelne
Blätter austauschen, ohne die Stabilität des gesamten
Produkts zu beeinträchtigen.

Zeitaufwand

Es geht sehr schnell, weil Lochen und Binden die
einzigen beiden Arbeitsschritte sind. Eine Ausnahme
ist allerdings die Bindung mit Buchschrauben:
Sie dauert länger, weil es Zeit kostet, die Schrauben
händisch zusammenzuschrauben.

Kosten, Auflage

Eine Bindung mit Schrauben, Nieten oder Ösen lässt
sich nur von Hand machen, deshalb eignet sie sich
ausschließlich für Einzelstücke und kleine Auflagen.
Sie kostet nicht viel und wird erst dann teurer, wenn
man spezielle Umschlagsmappen anfertigen lässt, etwa
für aufwendige Speisekarten, Mappen oder Alben.

Besonderheiten bei der Gestaltung

Farbige Bindeelemente: Die Ösen, Nieten und
Schrauben gibt es in unterschiedlichen Farben.

Verschiedene Papiere: Man kann alle Papiersorten
und -stärken mischen, auch Papiere und Materialien
401 410 mit sehr unterschiedlichen *Grammaturen, Volumina* und
33 *Oberflächen* können direkt aufeinanderfolgen.

Verschiedene Formate: Es lassen sich auch verkürzte
oder verkleinerte Seiten einbinden.

Weitere Verarbeitung

Umschlag: Man kann keinen klassischen Umschlag umbinden, dafür aber Kartondeckel mit einbinden.

Ausstattung: Mit Schrauben, Nieten oder Ösen gebundene Produkte lassen sich an allen vier Seiten schnittveredeln.

Umweltverträglichkeit

Das Papier und die Bindeelemente lassen sich gut voneinander trennen und entsprechend recyceln.

+	−
• schnell • langlebig • verschiedene Materialien und Formate lassen sich mischen • Austauschen von Blättern bei Buchschrauben möglich • Bindungen mit Ösen sind fälschungssicher	• begrenzter Umfang • nicht für hohe Auflagen geeignet • hohe Klammerwirkung • kein klassischer Rücken

Klemmschienen, Klemmmappen

Klemmbinder

Klemmschienen und -mappen halten Einzelblätter auf sehr einfache Weise zusammen, ohne dass man das Papier stanzen oder kleben muss. Die Blätter lassen sich jederzeit wieder unversehrt aus der Bindung entfernen. Klemmschienen werden häufig für Dokumente verwendet.

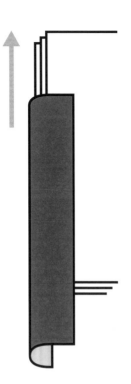

Klemmschienen sind die schnellste und einfachste Möglichkeit, lose Blätter zusammenzuhalten. Man schiebt den Block in die flexible Metall- oder Kunststoffschiene, und schon ist er fest eingespannt. Mit verstärkten Deckblättern oder -folien kann man ihn zusätzlich schützen.

Neben den Klemmschienen gibt es auch Klemmmappen mit fester Buchdecke, in deren Rücken sich eine mit Bezugsmaterial abgedeckte Stahlfeder verbirgt. Um die Blätter einklemmen zu können, muss man die Mappe weit aufschlagen, das Papier einlegen und dann wieder schließen. Klemmmappen gibt es in sehr unterschiedlichen Ausführungen, aus Kunststoff oder Pappe, auch mit Leder oder Leinen bezogen und in verschiedenen Farben.

Bei beiden Varianten (Klemmschienen und -mappen) lassen sich nicht nur Einzelblätter, sondern auch Falzbogen und Hüllen einlegen. Einzelne Blätter kann man schnell entfernen oder austauschen. Klemmmappen und -schienen sind wiederverwendbar und werden zum Beispiel für Speisekarten, Bewerbungsunterlagen, Handouts und Präsentationsmappen eingesetzt.

Blockstärke, Umfang

Standardmäßig sind Schienen und Mappen nur für bestimmte Formate und Blockstärken erhältlich. Schienen können in der Regel höchstens 10 mm starke Blöcke aufnehmen, Mappen in den Formaten A4 und A5 bis zu 20 mm. Man kann sich die Klemmmappen auch eigens anfertigen lassen, dann kann man die Füllmenge individuell wählen.

Materialien, Druckverfahren

Bindeelemente: Die Kunststoff- und Metallschienen gibt es in verschiedenen Farben und Ausführungen, beispielsweise auch mit Abheftstreifen. Klemmmappen werden ähnlich wie Buchdecken hergestellt, auch aus den gleichen Materialien.

Papier: Man kann damit die verschiedensten Papiere und anderen Materialien zusammenklemmen und untereinander mischen. Die Papiere sollten nur nicht zu steif sein, weil sich die Schiene sonst öffnen könnte und die Blätter herausfallen. Selbst Papiere quer zur 38 _Laufrichtung_ lassen sich problemlos zusammenhalten, man kann sie aber schlechter aufschlagen.

Druckverfahren: Klemmschienen und -mappen eignen sich für alle Druckverfahren.

Aufschlagverhalten

394
405 Weil die Schienen ein bis zwei Zentimeter des _Bundstegs_ einnehmen, entsteht eine hohe _Klammerwirkung,_ und die Seiten lassen sich verhältnismäßig schlecht aufschlagen. Sind die Deckblätter aus einem steifen Material, werden sie rechts neben der Schiene gefalzt, damit man sie leichter aufschlagen kann.

Bei über den Bund laufenden Layouts wird viel verschluckt, man sollte deshalb einen größeren Abstand zum Bund anlegen.

Haltbarkeit

Klemmschienen und -mappen werden üblicherweise nur temporär genutzt, der Inhalt ist austauschbar. Wer den Inhalt regelmäßig austauschen will, sollte auf stabiles Material zurückgreifen. Bei Speisekarten beispielsweise ist eine Stahlfeder zu empfehlen. Kunststoffschienen können bei Dauerbelastung auch mal brechen und nach einer gewissen Zeit verspröden.

Zeitaufwand

Es geht sehr schnell, weil man die Blätter nur in die Schiene schieben muss.

Kosten, Auflage

Klemmschienen sind sehr günstig, man kann sie in jedem Bürobedarf kaufen. Klemmmappen hingegen sind teuer, bei Maßanfertigungen richten sich die Kosten nach der Ausstattung. Weil man den Inhalt von Hand einschieben muss, eignet sich das Bindeverfahren nur für kleine Stückzahlen.

Besonderheiten bei der Gestaltung

Farben und Formate: Klemmmappen gibt es in verschiedenen Formaten und Ausführungen, man kann sie auch vom Buchbinder nach eigenen Vorstellungen anfertigen lassen – die unterschiedlichen Bezugsmaterialien dafür entsprechen denen der Buchdecken. Klemmschienen werden nur in Standardausführungen und -formaten angeboten, aber in verschiedenen Farben.

Verschiedene Papiere: Man kann alle Papiersorten und -stärken mischen, auch Papiere und Materialien mit sehr unterschiedlichen *Grammaturen, Volumina* und *Oberflächen* können direkt aufeinanderfolgen.

401 410
33

Verschiedene Formate: Es lassen sich auch verkürzte oder verkleinerte Seiten einbinden.

Weitere Verarbeitung

Umschlag: Bei Klemmschienen lässt sich kein klassischer Umschlag umbinden, aber man kann einen Kartondeckel mit einbinden.

Umweltverträglichkeit

Wie umweltschonend diese Bindetechnik ist, hängt vom verwendeten Material ab. Klemmschienen und -mappen lassen sich wiederverwenden und haben deshalb eine hohe Lebensdauer.

+	−
• günstig • Austauschen von Blättern möglich • verschiedene Materialien und Formate lassen sich mischen • wiederverwendbar	• begrenzter Umfang • kein klassischer Rücken • nicht für hohe Auflagen geeignet

Gummibandbindung

Mit einem Gummiband kann man Falzbogen oder Einzelblätter in kleinen Auflagen binden. Die Blätter lassen sich dabei jederzeit wieder austauschen. Gummibandbindungen halten allerdings nicht lange und wirken auch eher wie eine vorübergehende Lösung. Mit Gummibändern in ungewöhnlichen Farben kann man noch zusätzlich einen Akzent setzen.

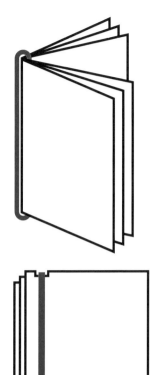

Es gibt zwei Möglichkeiten, wie sich Gummibänder zum Binden verwenden lassen – je nachdem, ob man **393** *Bogen* oder Einzelblätter verarbeiten möchte, bringt man die Bänder im Rückenfalz oder seitlich an.

Gummibandbindung im Rücken: Mehrere passend zugeschnittene und zusammengesteckte Falzbogen kann man mit einem Gummiband binden, das man in der Mitte des Heftes von Hand bis zum Rückenfalz schiebt. Es sollte nicht zu eng, aber auch nicht zu locker sitzen. Weil das Gummiband an Kopf und Fuß über das Format hinausschaut, lässt sich das Heft dann nur noch vorne beschneiden.

Neben einfachen Bogen kann man mit einem Gummi- **121 406** band auch mehrere einzeln *klammergeheftete Lagen*, beispielsweise auch in unterschiedlichen Formaten, miteinander verbinden.

Seitliche Gummibandbindung: Wer Einzelblätter mit einem Gummiband binden möchte, muss das seitlich machen. Die zusammengetragenen, auf das Endformat beschnittenen Blätter stanzt man dafür an Kopf und Fuß möglichst nahe am Bund rechteckig aus – das wird bei kleinen Auflagen von Hand, bei größeren Auflagen maschinell erledigt. Die Ausstanzungen sorgen dafür, dass das darin eingehängte Gummiband nicht ver-rutscht, sie sollten minimal breiter sein als das verwen-dete Band.

Blockstärke, Umfang

Gummibandbindungen kommen ähnlich wie die **191** Klammerheftung oder *seitliche Fadenheftung* nur für weniger umfangreiche Produkte infrage. Je nach Papiermenge kann bei der Gummibandbindung eine **412** *Rückensteigung* entstehen, das heißt, das Heft ist am **415** Rücken höher als der *Vorderschnitt*. Auch die Gummi-bänder selbst erhöhen den Rücken noch einmal.

⚡ Gummibänder müssen die richtige Länge haben, sonst geben sie nicht genügend Halt oder verspannen den Buchblock.

Gummibänder: Gummibänder gibt es aus Kautschuk oder aus gewebtem bzw. gewebeummanteltem Gummi. Die aus Kautschuk sind in der Regel flach und bereits in sich geschlossene Ringe. Sie werden in unterschiedlichen Längen und Breiten angeboten, in verschiedenen Farben und auch transparent. Gewebte Gummibänder sind flach, gewebeummantelte rund. Beide kommen von der Rolle und müssen für das gewünschte Format erst noch zu einem geschlossenen Ring verschweißt oder mit einer kleinen Metallklammer verschlossen werden. Sie sind in vielen Farben erhältlich.

Papier: Mit Gummibändern lassen sich die verschiedensten Papiere und andere Materialien mischen und binden, weil die einzelnen Blätter nicht direkt miteinander verbunden werden. Allerdings sollte man das Papier entsprechend der Stärke des Buchblocks und dem Format auswählen: Es muss einerseits fest genug sein, um der Spannung der Gummibänder standzuhalten. Andererseits sollte es auch flexibel genug sein, damit man die Seiten gut aufschlagen kann – was insbesondere bei der seitlichen Gummibandbindung eine Rolle spielt. Hat man sich für ein eher dünnes Inhaltspapier entschieden, lässt sich das mit einem entsprechend stärkeren Umschlagpapier ausgleichen.

38 Auch Papiere quer zur *Laufrichtung* kann man auf diese Weise problemlos binden, sie lassen sich dann aber eventuell schlechter aufschlagen.

Druckverfahren: Die Bindung eignet sich für alle Druckverfahren.

Aufschlagverhalten

Bei einer Gummibandbindung im Rücken lassen sich die Seiten ähnlich gut aufschlagen wie etwa bei einer Klammerheftung, bei der seitlichen Gummibandbindung hingegen deutlich schlechter – durch den Randabstand der Ausstanzung ergibt sich eine hohe Klammerwirkung.

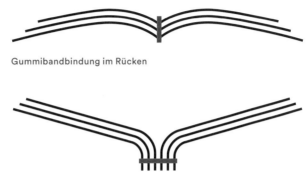

Gummibandbindung im Rücken

Seitliche Gummibandbindung

412 Deckblätter aus einem steifen Material sollte man rechts neben der Bindung *rillen,* damit man sie leichter aufschlagen kann.

Haltbarkeit

Gummibandbindungen wirken eher locker, weil die einzelnen Blätter bzw. Bogen nur lose zusammengehalten werden. Wie lange sie halten, hängt deshalb vor allem von den verwendeten Materialien ab; die Gummibänder können beispielsweise irgendwann verspröden. Dass man einzelne Blätter problemlos austauschen kann, ohne die Stabilität des gesamten Hefts zu beeinträchtigen, verlängert die Lebensdauer.

Zeitaufwand

Seitliche Gummibandbindung: Nach dem Stanzen bringt man die Gummibänder üblicherweise händisch an, was Zeit kostet.

Gummibandbindung im Rücken: Diese Technik dauert nicht so lange wie die seitliche Gummibandbindung, denn das Stanzen entfällt, und man muss nur die Bogen falzen und das Gummiband anbringen. Weil auch das von Hand gemacht wird, muss man bei höheren Auflagen viel Zeit dafür einplanen.

Kosten, Auflage

384 Gummibänder sind zwar günstig, die Herstellung kann wegen der händischen Abläufe aber teuer werden; für eine seitliche Gummibandbindung muss man eventuell sogar *Stanzformen* herstellen lassen. Die Gummibandbindung eignet sich vor allem für Einzelstücke und kleinere Auflagen.

Besonderheiten bei der Gestaltung

Farbige Gummibänder: Gummibänder gibt es in verschiedenen Farben, gewebeummantelte Gummis zum Beispiel auch in metallischer Ausführung.

401
410 33 **Verschiedene Papiere:** Es lassen sich nahezu alle Papiersorten und -stärken mischen, auch Papiere und Materialien mit sehr unterschiedlichen *Grammaturen, Volumina* und *Oberflächen* können direkt aufeinanderfolgen.

Verschiedene Formate: Mit einer Gummibandbindung im Rücken kann man in Höhe und Breite unterschiedliche Formate zusammenbinden. Bei der seitlichen Gummibandbindung müssen die Formate die gleiche Höhe haben, können aber in der Breite verkürzt sein.

Abgerundete Ecken: Die Ecken lassen sich abrunden, wenn man es vor dem Binden macht.

Weitere Verarbeitung

Umschlag: Die Gummibandbindung kann man komplett ohne Umschlag oder mit verschiedenen Umschlagvarianten produzieren – zum Beispiel mit einem Umschlag aus einem einteiligen Karton, der um den Rücken herumgelegt wird, oder einem zweiteiligen Karton, also mit separatem Deckel und einem Rückenteil.

Ausstattung: Ausstattungsvarianten wie Farbschnitte sind nicht möglich, weil der Block nicht homogen ist, sondern nur eine Loseblattsammlung.

Umweltverträglichkeit

Papier und Gummibänder lassen sich problemlos voneinander trennen und recyceln.

+	**−**
• verschiedene Materialien und Formate lassen sich mischen • Austauschen von Blättern möglich • große Farbauswahl bei Gummibändern	• zeitaufwendig und dadurch relativ teuer • kein klassischer Rücken • seitliche Gummiband-bindung hat ein schlechtes Aufschlagverhalten • Gummiband trägt im Rücken auf, das erschwert das Stapeln • Gummiband kann versprödenn

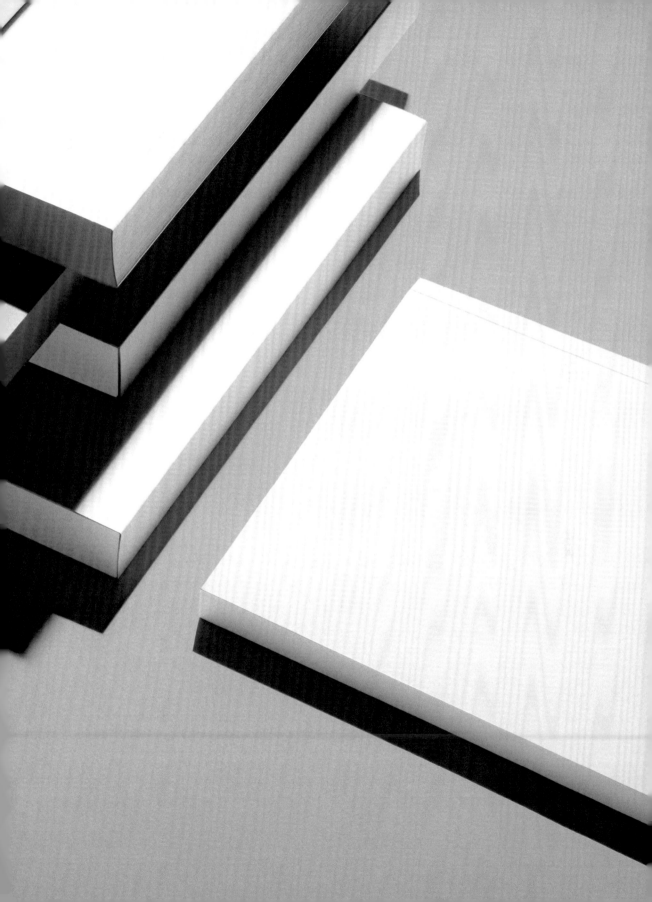

Broschuren

Paperback
Softcover
Taschenbuch
Weichbroschur

Broschuren bestehen aus einem Broschurblock und einem flexiblen Umschlag, die direkt miteinander verbunden werden. Es gibt sehr viele unterschiedliche Formen von Broschuren. Sie sind eine interessante und oft auch günstigere Alternative zu klassischen Büchern, denn man kann die verschiedensten Materialien einsetzen, und die Gestaltungsmöglichkeiten sind groß.

Herstellung einer klassischen Broschur

256

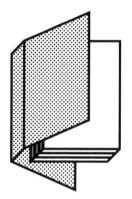

Mehrlagige Broschur

Einlagenbroschur

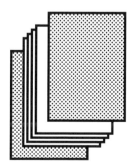

Einzelblattbroschur

Ursprünglich war der Broschurumschlag als vorübergehender Einband gedacht, solange bis sich der Buchkäufer für eine höherwertige Buchdecke nach seinem Geschmack entschieden hatte. Erst gegen Ende des 19. Jahrhunderts wurden Bücher mit einheitlichen, vom Verlag gestalteten Umschlägen, dem sogenannten Verlagseinband, hergestellt. Der Stellenwert der Broschur hat sich seitdem deutlich gewandelt, nicht zuletzt durch hochwertigere Klebstoffe, die das Aufschlagverhalten wesentlich verbessert haben. Broschuren werden heute nicht mehr nur für Taschenbücher verwendet, sondern sind eine interessante Alternative zum traditionellen Buch.

Zur Herstellung einer Broschur benötigt man einen Broschurblock: Er setzt sich aus den zusammengetragenen und gebundenen Einzelblättern oder Falzbogen zusammen und wird direkt mit dem Umschlag verbunden. Anders als ein Buchblock hat der Broschurblock keinen angeklebten Vor- und Nachsatz, er lässt sich mit allen Bindetechniken binden – ein- oder mehrlagig oder mit einer Einzelblattbindung –, und er wird normalerweise erst ganz am Ende zusammen mit dem Umschlag beschnitten.

Bei einer klassischen mehrlagigen Broschur ist der Umschlag aus einem Stück, üblicherweise aus Papier oder Karton. Man rillt ihn zwei- oder viermal und verklebt ihn mit dem Rücken des Broschurblocks. Zum Schluss beschneidet man die fertig gebundenen Broschuren an zwei (Kopf und Fuß) oder drei Seiten. Der Umschlag einer Broschur steht an den Kanten nicht über.
Neben den Mehrlagenbroschuren gibt es auch Einlagenbroschuren und Einzelblattbroschuren – Broschuren lassen sich also mit allen Bindeverfahren fertigen. Bei einlagigen Broschuren wird der einteilige, nicht gerillte Umschlag üblicherweise gleich mit der Lage mitgeheftet, etwa mit einer Klammer- oder Fadenrückstichheftung.
Ähnlich ist das bei Einzelblattbroschuren: Auch hier heftet man den Umschlag gleich mit dem Broschurblock aus losen Blättern mit, ohne beides miteinander zu verkleben.

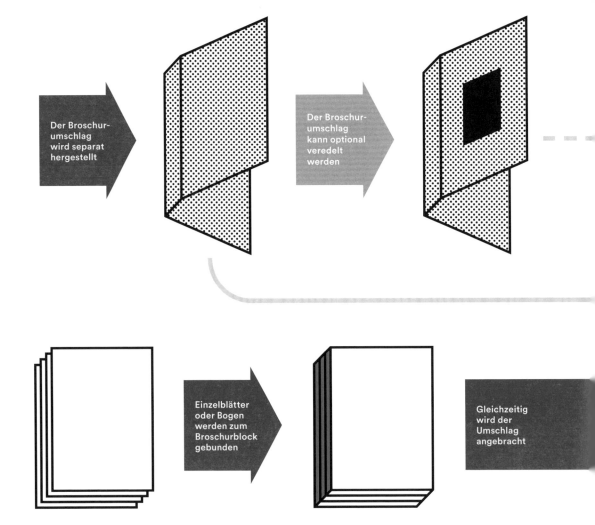

Der Broschur-
umschlag
wird separat
hergestellt

Der Broschur-
umschlag
kann optional
veredelt
werden

Einzelblätter
oder Bogen
werden zum
Broschurblock
gebunden

Gleichzeitig
wird der
Umschlag
angebracht

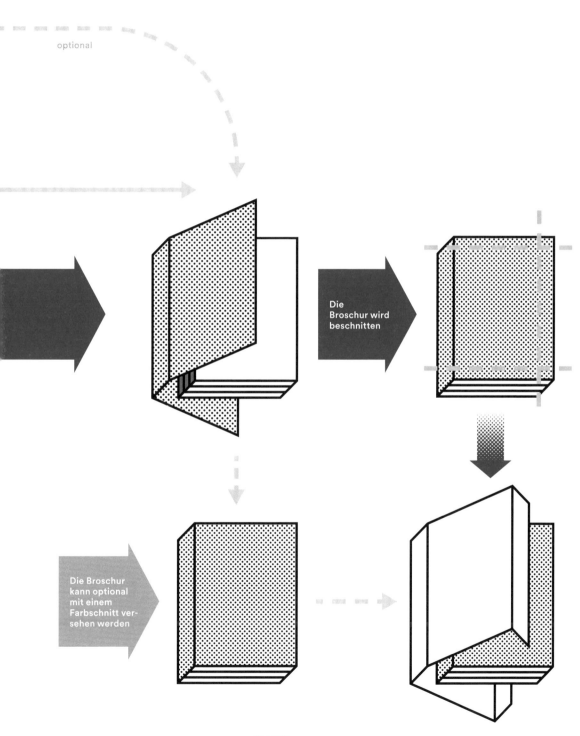

optional

Die
Broschur wird
beschnitten

Die Broschur
kann optional
mit einem
Farbschnitt ver-
sehen werden

259

Einzelblattbroschur
360 Grad

Broschurblock

Umschlag

Metallspiralen/Ringe/Schrauben

Einzelblätter bindet man mit Spiralen oder Drahtkämmen und häufig gleich zusammen mit einem Umschlag zu einer Broschur. Der Block wird dabei lose zusammengehalten und ist deshalb besonders beweglich. Man kann Einzelblattbroschuren um 360 Grad umklappen, oft verwendet man sie für Kalender oder Collegeblöcke.

266 Einzelblattbroschur 360 Grad Varianten

Einzelblattbroschur
360 Grad

Den Umschlag für eine Einzelblattbroschur
kann man entweder separat herstellen oder
gleich zusammen mit dem Broschurblock
stanzen und mitheften – dann sind es in
der Regel nur stärkere Vorder- und Rückseiten im Format des Broschurblocks.
Verschiedenste Umschläge sind möglich,
etwa feste Kartons, Deckel aus Materialien
wie Papier, Kunststoff oder Leder, Umschläge mit Klappen und verkürzte oder
überstehende Umschläge. Im Innenteil
lassen sich unterschiedliche Papiere und
andere Materialien mischen.

Einzelblattbroschuren haben keinen klassischen bedruckbaren Rücken. Deswegen
hat man spezielle einteilige Umschlagvarianten entwickelt, die den fehlenden
Rücken ergänzen, damit zum Beispiel eine
Spiralbindung einen Rücken bekommt.

Mögliche Bindungen

Varianten

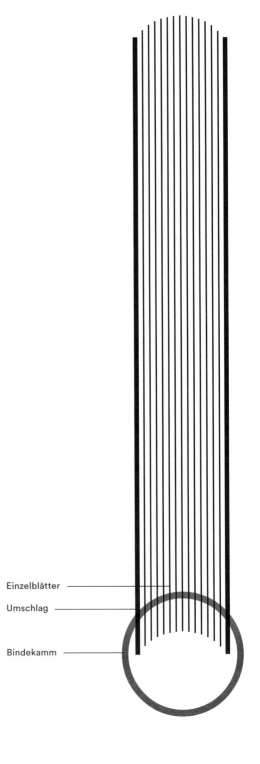

Einzelblätter

Umschlag

Bindekamm

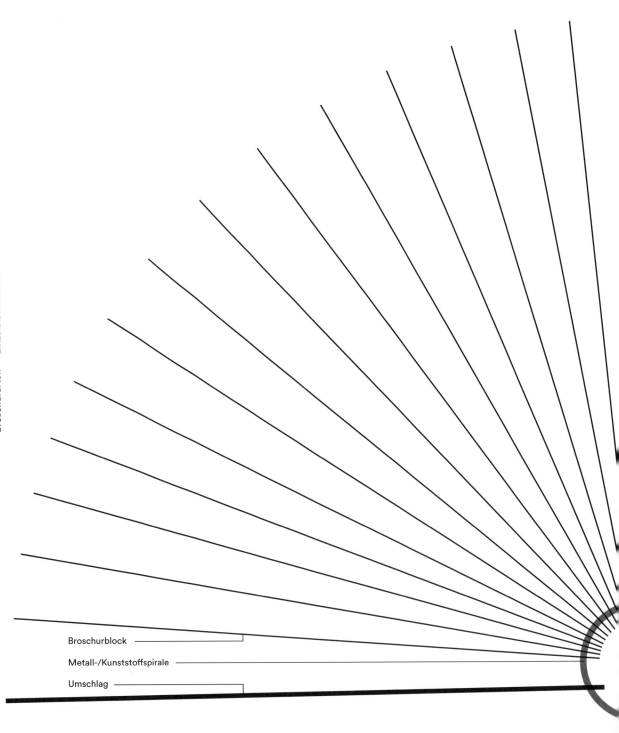

Broschurblock

Metall-/Kunststoffspirale

Umschlag

Einzelblattbroschur 360 Grad
Umschlagvarianten

Offener Klappenumschlag
(Wire-O wrap around)

Ein einteiliger Umschlag, dessen Klappe sich nach rechts öffnen lässt und den Vorderschnitt der Broschur schützt; er wird mit dem Broschurblock mitgeheftet und lässt sich bedrucken.

Verdeckter Klappenumschlag
(Wire-O bound onto flap, Reverse Binding)

Der speziell gefalzte Umschlag wird hier nur auf der Rückseite mit dem Broschurblock mitgeheftet und dann so um diesen herumgeklappt, dass die Bindung verdeckt bleibt. Es entsteht ein gerader Rücken, der sich bedrucken lässt. Die eingeklappte Rückseite stabilisiert die Broschur, man kann die Klappe kleben oder offen lassen.

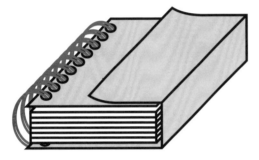

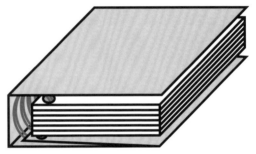

Halbverdeckte Drahtkammbindung
(Full Canadian)

Ein einteiliger Umschlag, der auf der Vorder- und Rückseite über je zwei vorgestanzte Lochreihen mit dem Broschurblock mitgeheftet wird. Die Bindung bleibt so teilweise verdeckt, der gerade Rücken lässt sich gestalten.

Verdeckte Drahtkammbindung
(Half Canadian)

Ein einteiliger Umschlag, von dem man nur die Rückseite mit dem Broschurblock mitheftet; der gerade Rücken lässt sich bedrucken.

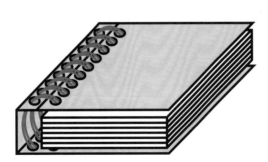

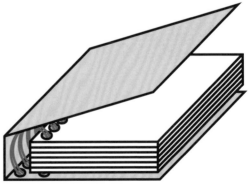

Einklebe-Umschlag mit geradem Rücken (Glued into case)

Hier klebt man den drahtkammgebundenen Broschurblock auf der Rückseite in einen einteiligen Umschlag mit geradem Buchrücken ein, der die Bindung verdeckt.

Halbverdeckte Drahtkammbindung mit rundem Rücken (Semi exposed)

Ein einteiliger Umschlag, der am Rücken über zwei Lochreihen mit dem Broschurblock mitgeheftet wird; der Drahtkamm schaut am Rücken heraus.

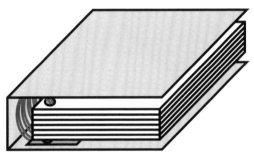

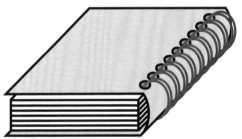

Einklebe-Umschlag mit abgerundetem Rücken (Cased in)

Der drahtkammgebundene Broschurblock wird auf der Rückseite mit einem abgerundeten und stabilen Umschlag verklebt – und lässt sich auch dann noch um 360 Grad umklappen.

Umschlag mit Einschub im Rücken (Pocket Binding)

In diesen Umschlag mit integrierter Tasche schiebt man die letzte Seite des Broschurblocks ein, um beides miteinander zu verbinden; der Rücken kann gerade oder rund sein.

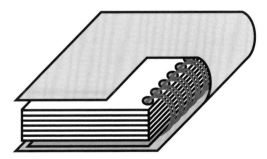

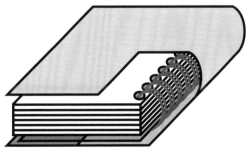

Seitlich geheftete Broschur

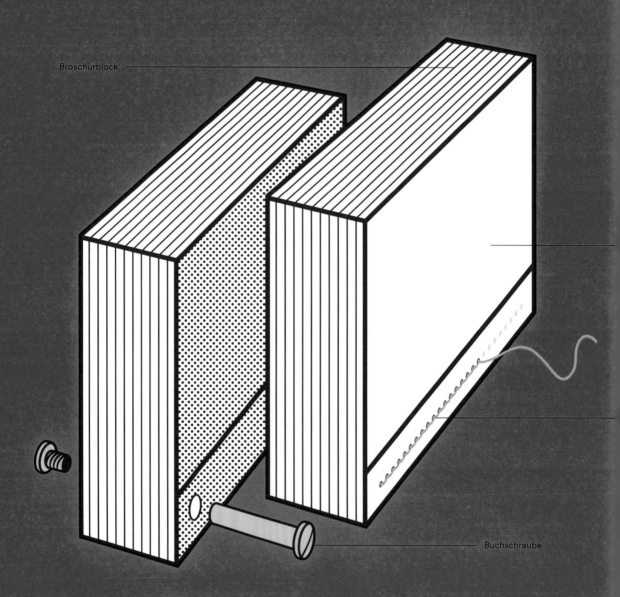

Broschurblock

Buchschraube

Seitlich geheftete Broschuren bindet man mit Faden, Draht, Schrauben oder Nieten. Sie lassen sich zwar nicht so gut aufschlagen, sind dafür aber sehr stabil. Als Umschlag dienen üblicherweise zwei stärkere Blätter, der Rücken bleibt offen. Diese Broschurart kommt eher selten vor, man kennt sie aber zum Beispiel von Abreißblöcken mit Draht-klammern.

Umschlag

Faden/Draht

269

Seitlich geheftete Broschur

Die beiden Umschlagblätter auf der Vorder- und Rückseite heftet man gleich mit dem Broschurblock mit, ohne dass man etwas kleben müsste. Auch ein einteiliger, zweifach gerillter Umschlag ist möglich, der um den Block gelegt wird. Man kann die verschiedensten Materialien dafür nehmen, etwa Papier, Karton, Kunststoffe, Leder und Gewebe, solange sie sich durchbohren 171 bzw. für die *Fadenheftung* mit Nadeln durchstechen lassen. Innerhalb des Broschurblocks lassen sich unterschiedliche Papiere und andere Materialien mischen.

Das Material des Umschlags sollte nicht zu steif sein, weil sich die Broschur dann nicht mehr so leicht aufschlagen lässt und das Material brechen kann. Empfehlenswert ist es, die Umschlagblätter entlang der Heftung zu rillen, um das Aufschlagverhalten zu verbessern und unschöne Knicke im Umschlag zu verhindern. Man kann den Umschlag auch mit Klappen ausstatten und unterschiedlich veredeln, 381 zum Beispiel mit *Lackierungen* oder *Folien-* 378 *kaschierung.*

Mögliche Bindungen

Varianten

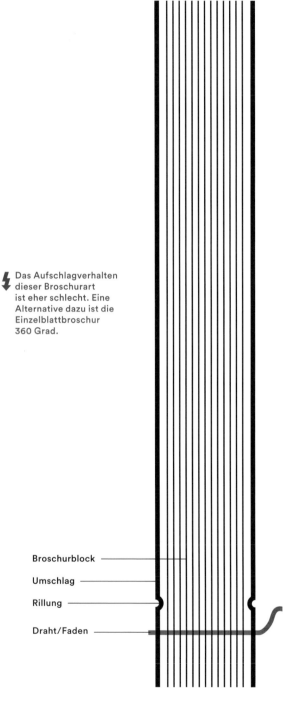

Das Aufschlagverhalten dieser Broschurart ist eher schlecht. Eine Alternative dazu ist die Einzelblattbroschur 360 Grad.

Broschurblock

Umschlag

Rillung

Draht/Faden

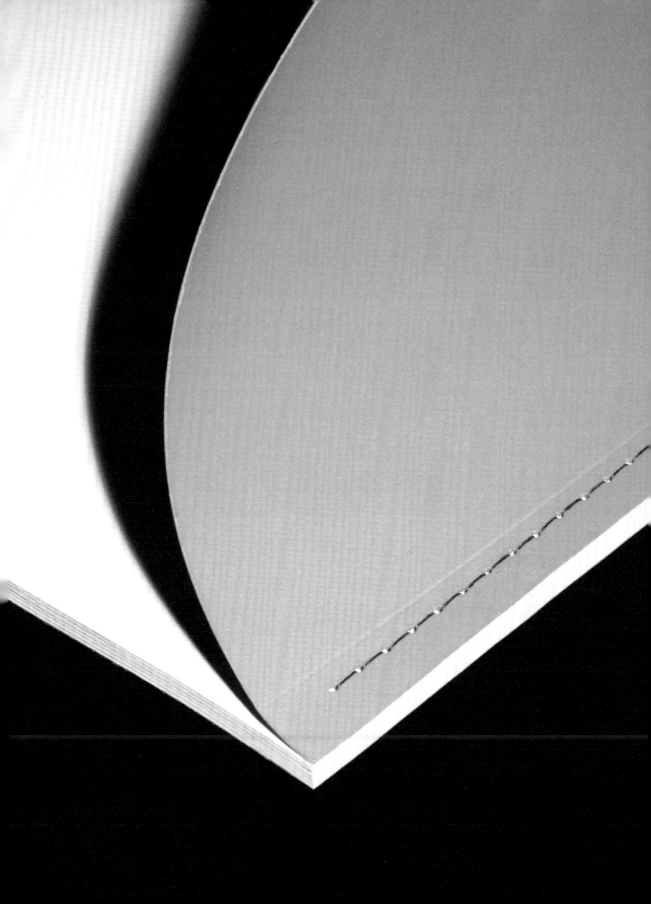

Seitlich geheftete Broschur

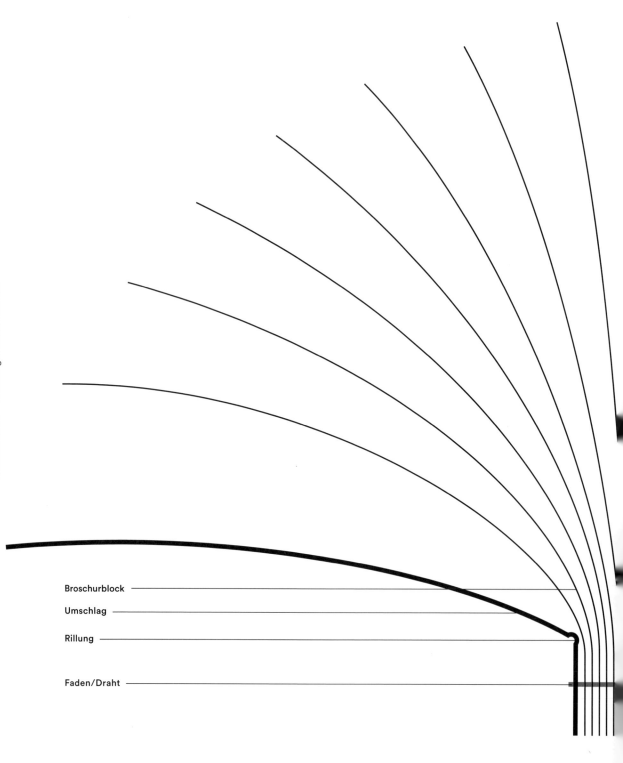

Broschurblock

Umschlag

Rillung

Faden/Draht

Rückstichbroschur

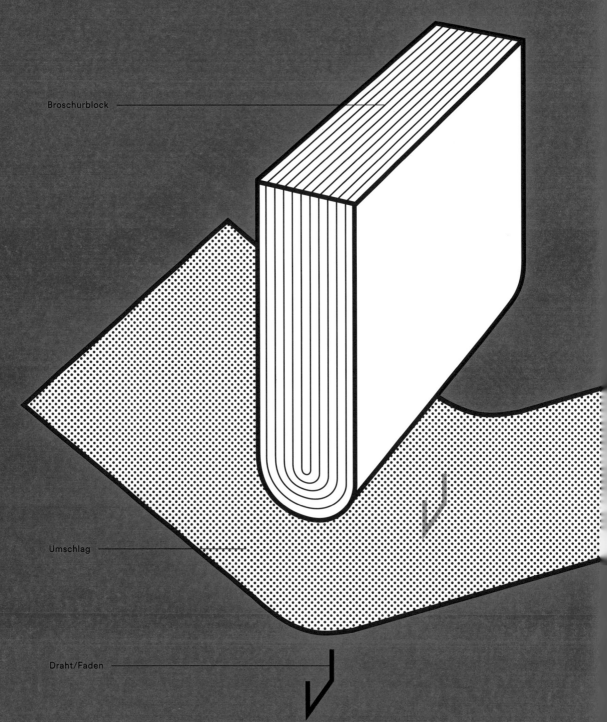

Broschurblock

Umschlag

Draht/Faden

Für eine Rückstichbroschur
steckt man mehrere Falzbogen
zu einer Lage ineinander
und heftet sie mit Drahtklammern oder einem Faden im
Rücken zusammen. Diese sehr
unkomplizierte Broschur
findet häufig bei Magazinen
und Schulheften Anwendung.

280 Z-Broschur

Rückstichbroschur

Das Inhaltspapier heftet man mitsamt dem einteiligen Umschlag in einem Arbeitsgang – auch hier muss man nichts verkleben. Danach wird die Broschur an drei Seiten – Kopf, Fuß und Front – beschnitten.

Nicht alle Materialien sind für den Umschlag geeignet. Sie müssen sich nicht nur mit Klammern oder Nadeln durchstechen lassen, sondern auch flexibel genug sein, damit man die Broschur gut aufschlagen kann. Neben Papier und Karton sind aber auch flexible Kunststoffe oder Leder möglich. Bei vollflächig bedruckten Umschlägen ist es häufig 378 sinnvoll eine *Folienkaschierung* einzusetzen, damit die Druckfarbe am Rücken nicht bricht.

Die Rückstichbroschur hat den Nachteil, dass es keine gestaltbare Rückenfläche gibt.

Mögliche Bindungen

Varianten

⚡ Den Bundzuwachs, der hier entsteht, kann man entweder beschneiden oder bewusst in die Gestaltung mit einbeziehen.

Broschurblock

Umschlag

Draht/Faden

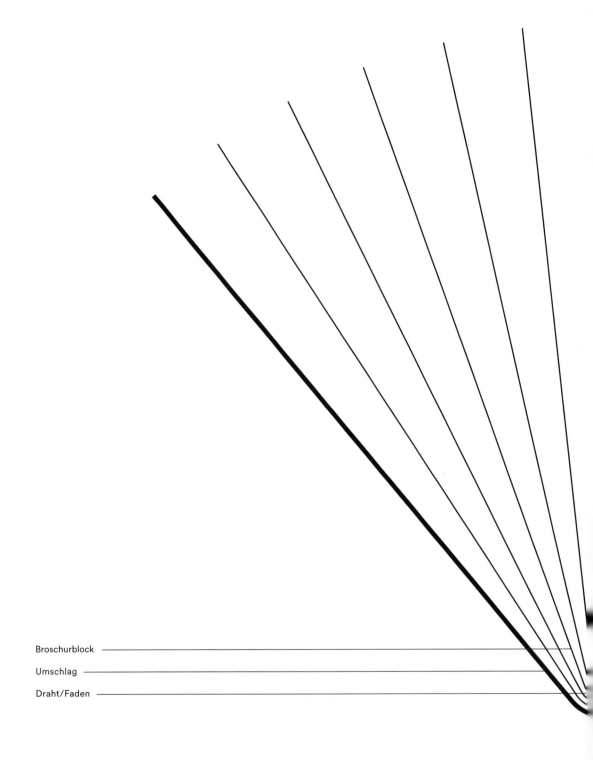

Broschurblock

Umschlag

Draht/Faden

Z-Broschur (Zwillingsbroschur)

Eine Variante der Rückstichbroschur ist
die Z-Broschur oder auch Zwillingsbroschur,
bei der man mehrere Falzbogen in einen
im Zickzack gefalzten Umschlag heftet.
Dabei liegen die Falzbogen versetzt Front
an Rücken, und die Broschur lässt sich von
zwei verschiedenen Seiten aufschlagen.
Der Umschlag muss stabil genug sein, um
der besonderen Belastung standzuhalten.
Er wird separat hergestellt und vor dem
Einheften auf die entsprechende Länge
beschnitten, da dies nachträglich nicht
möglich ist. Kopf- und Fußschnitt folgen
nach dem Heften.
Die Z-Broschur wird von Hand gemacht
und kann um beliebig viele Falze erweitert
werden. In jedem Heft kann man unterschiedliche Papiere und andere Materialien mischen.

Auch mit anderen Bindetechniken und
Broschurarten ist eine Z-Broschur möglich,
sogar mit einer festen Buchdecke.

Mögliche Bindungen
121 Klammerheftung
233 Ringösenheftung
184 Fadenknotenheftung
181 Fadenrückstichheftung
185 Singerbuchnaht/Steppheftung
141 alle Klebebindetechniken
171 alle Fadenheftarten

Varianten
332 Feste Buchdecke

Broschurblock

Umschlag

Draht/Faden

Klassische Broschur

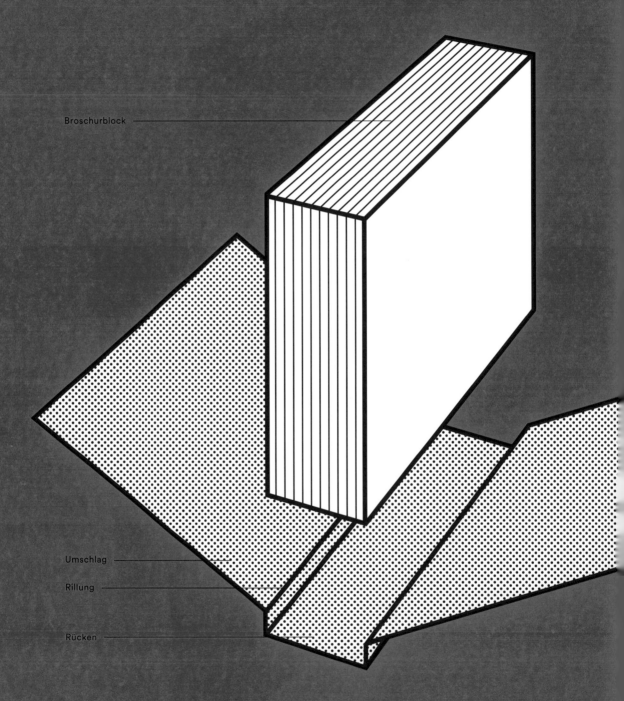

Broschurblock

Umschlag

Rillung

Rücken

Von allen Broschuren ist die klassische Broschur die am meisten verbreitete. Man benötigt dafür einen klebegebundenen oder fadengehefteten Broschurblock, den man direkt mit einem flexiblen Umschlag verklebt. Die klassische Broschur dient häufig als Alternative zum Buch, viele verschiedene Varianten sind möglich.

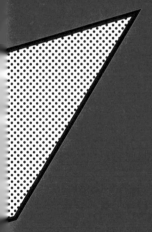

Standardbroschur
(Weichbroschur)

Abb. 1

Die einfachste, günstigste, aber auch
408 kurzlebigste Form einer *Mehrlagenbroschur*
kommt zum Beispiel bei Taschenbüchern
zum Einsatz. Dabei wird der Broschurblock
an seinem Rücken in einen einteiligen
Umschlag eingeklebt und anschließend an
drei Seiten beschnitten.

Den Umschlag rillt man mindestens zweimal (Abb. 2), jeweils an den Rückenkanten.
Rillt man ihn viermal (Abb. 1), also auch noch
einige Millimeter vom Rücken entfernt
auf der Vorder- und Rückseite, kann man
dadurch das Aufschlagverhalten verbessern. In diesem Fall trägt man den Klebstoff
auch noch auf die Vorder- und Rückseite
bis zur Rille auf. Die Rückenrillen sind
Positivrillen (mit dem Wulst nach außen),
die Gelenkrillen auf der Vorder- und
Rückseite Negativrillen (mit dem Wulst
nach innen).

Mögliche Bindungen
141 Klebebindung
171 Fadenheftung
201 Fadensiegeln

Varianten
324 Steifbroschur
288 Klappenbroschur
292 Französische Broschur
296 Englische Broschur
375 Banderole

Abb. 2

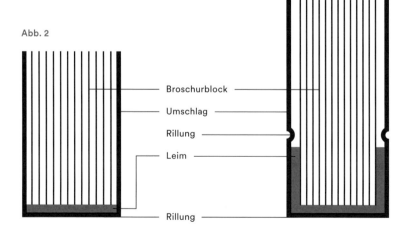

Broschurblock

Umschlag

Rillung

Leim

Rillung

Standardbroschur
(Weichbroschur)

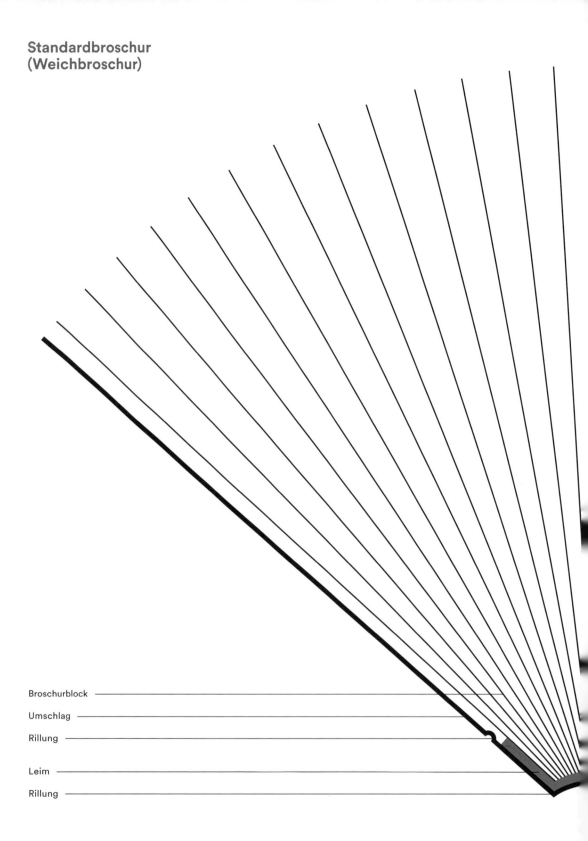

Broschurblock

Umschlag

Rillung

Leim

Rillung

Klappenbroschur

Anders als die Standardbroschur hat die Klappenbroschur an beiden Umschlagblättern Klappen, die sie stabiler und buchähnlich wirken lassen.

Damit der Umschlag wie bei einem Buch vorne leicht übersteht (Abb. 1), beschneidet man den Broschurblock vor dem Einkleben am Vorderschnitt um 1–2 mm, Kopf und Fuß erst nach dem Einkleben. In der Regel werden die Klappen nach innen geschlagen, man kann sie aber auch nach außen schlagen. Die Klappen können unterschiedlich lang sein, auch vorne länger als hinten und umgekehrt.

Eine andere Möglichkeit ist es, den Broschurblock überstehen zu lassen und einen verkürzten Umschlag anzubringen (Abb. 2). Dazu muss man zuerst den Broschurblock in den vorbereiteten Umschlag einkleben und danach beschneiden.

Mögliche Bindungen
141 Klebebindung
201 Fadensiegeln
171 Fadenheftung

Variante
Stark verkürzte Klappen

Abb. 2   Abb. 1

Verkürzte Klappen,
Beschnitt nach dem
Binden

⚡ Der Umschlag für eine Klappenbroschur muss auf einem ausreichend großen Bogen angelegt sein. Bei Digitaldruckmaschinen reichen dafür oft die Standardformate nicht aus.

⚡ Klappen können die Verarbeitung in der Klebemaschine erschweren. Damit sie in der Maschine nicht hängen bleiben, muss man insbesondere die nach außen geschlagenen Klappen eventuell fixieren, was die Kosten erhöht.

Broschurblock ——
Umschlag ——
Rillung ——
Leim ——

Rillung ——

288

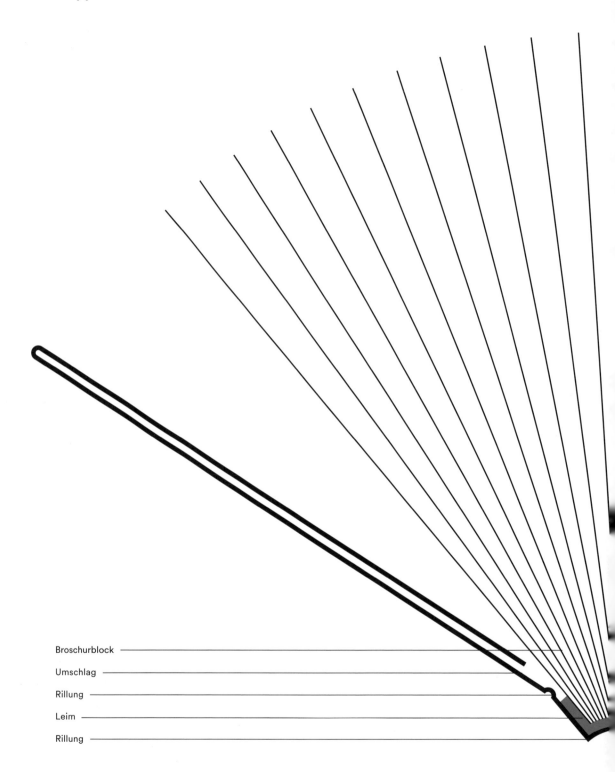

Broschurblock

Umschlag

Rillung

Leim

Rillung

Französische Broschur
(Breitklappenbroschur)

Die französische Broschur ist ähnlich aufgebaut wie eine Standardbroschur, hat aber einen zusätzlichen Schutzumschlag, üblicherweise aus dünnerem Papier. Der Broschurblock wird in einen unbedruckten inneren Umschlag eingeklebt, dann ein bedruckter äußerer Umschlag mit Klappen lose darumgelegt. Die Klappen schlägt man um den inneren Umschlag, auf Wunsch werden sie auch angeklebt.

Der Schutzumschlag kann auch an allen Kanten eingeschlagen sein (Abb. 1). Die Vorsätze können dann am Rand mit dem umgeschlagenen Schutzumschlag verklebt werden.

Mögliche Bindungen
141 Klebebindung
201 Fadensiegeln
171 Fadenheftung

Varianten
332 Feste Buchdecke
375 Mit Schutzumschlag

Abb. 1

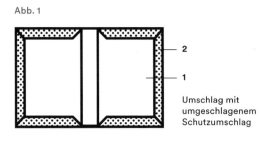

Umschlag mit umgeschlagenem Schutzumschlag

2
1

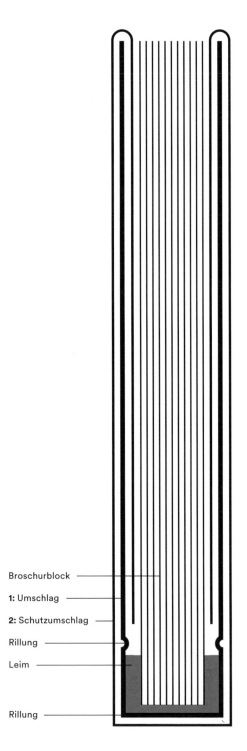

Broschurblock
1: Umschlag
2: Schutzumschlag
Rillung
Leim
Rillung

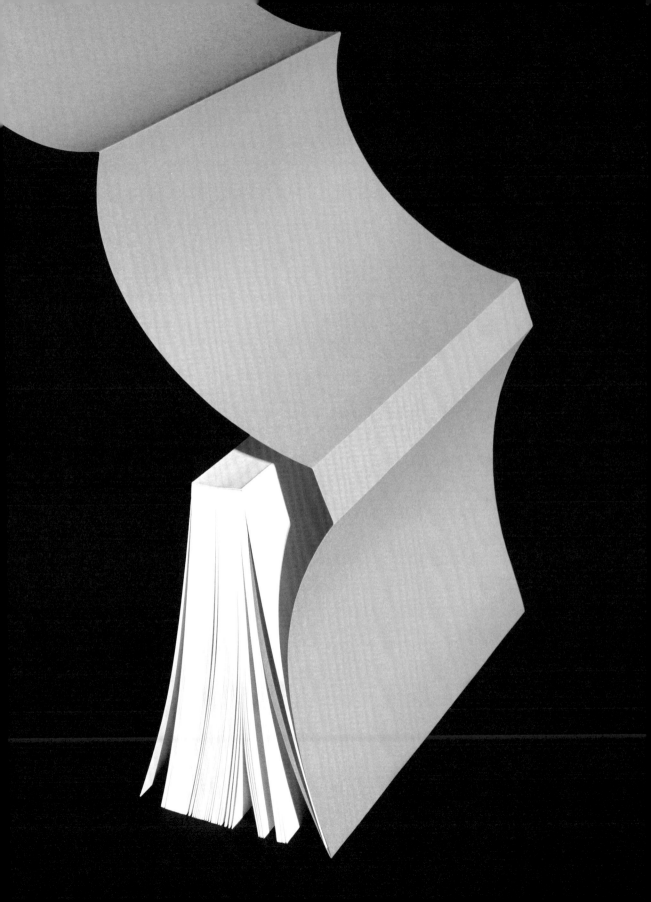

Französische Broschur
(Breitklappenbroschur)

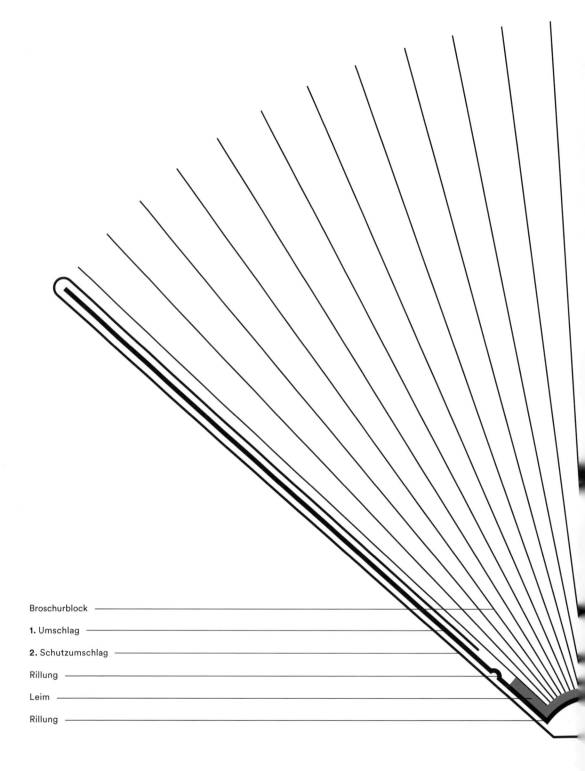

Broschurblock

1. Umschlag

2. Schutzumschlag

Rillung

Leim

Rillung

Englische Broschur

Für die englische Broschur verwendet man zwei Umschläge: einen inneren Umschlag, gewöhnlich aus einem festeren, unbedruckten Karton, der – wie bei der Standard- und Klappenbroschur – vierfach gerillt und mit dem Rücken des Broschurblocks verklebt wird. Und einen äußeren Umschlag aus dünnerem, bedrucktem Papier mit Klappen. Diesen Schutzumschlag verklebt man mit dem Rücken des inneren Umschlags und schlägt die Klappen darum.

Den Broschurblock beschneidet man vorher am Vorderschnitt um 1–2 mm, damit der Umschlag wie beim Buch vorne leicht übersteht – Kopf und Fuß werden erst hinterher beschnitten. Auch ein verkürzter doppelter Umschlag ist möglich.

Die englische Broschur ist stabiler als eine 284 *Standardbroschur*, aber auch deutlich aufwendiger zu verarbeiten und entsprechend teurer.

Mögliche Bindungen
141 Klebebindung
201 Fadensiegeln
171 Fadenheftung

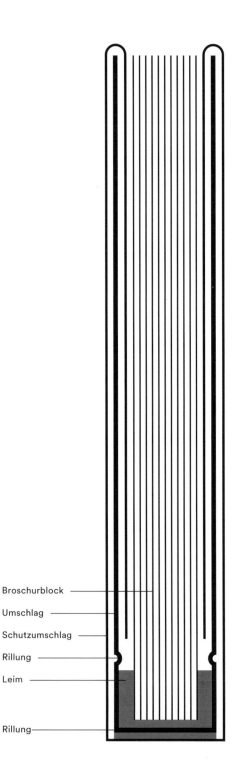

Broschurblock
Umschlag
Schutzumschlag
Rillung
Leim

Rillung

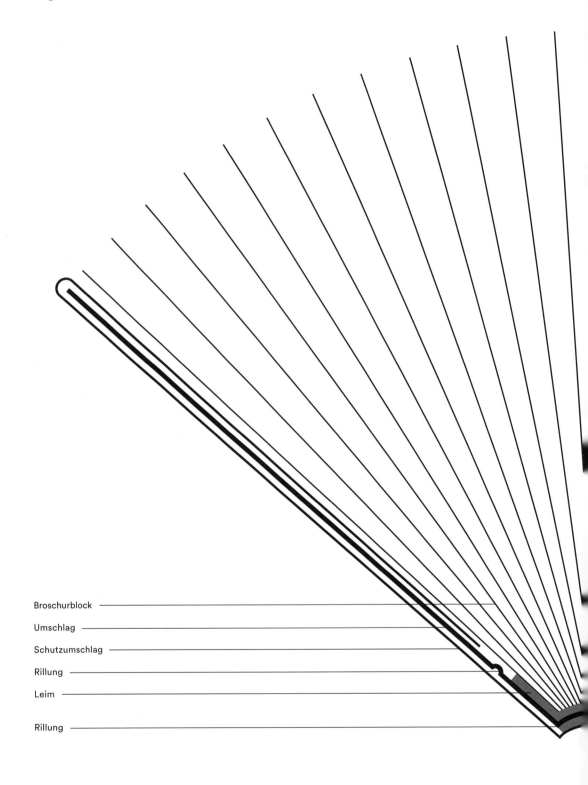

Broschurblock

Umschlag

Schutzumschlag

Rillung

Leim

Rillung

Fälzelbroschur

Bei der Fälzelbroschur verbindet ein Fälzelstreifen die beiden Umschlagblätter 398 mit dem Broschurblock. Das *Fälzel* aus Papier oder Gewebe wird auf den Rücken aufgebracht, greift aber auch noch 6–7 mm (bis zur Rille) auf die Umschlagblätter auf der Vorder- und Rückseite über und wird dort verleimt. Verwendet man Karton oder festeres Papier für den Umschlag, wird er vorher gerillt, um das Aufschlagverhalten zu verbessern. Eine Fälzelbroschur ist aber auch ohne Umschlagkarton möglich. Zum Schluss beschneidet man sie an drei Seiten.

Weil das Fälzel am Rücken so flexibel ist, lassen sich Fälzelbroschuren sehr gut aufschlagen.

Mögliche Bindungen

Varianten

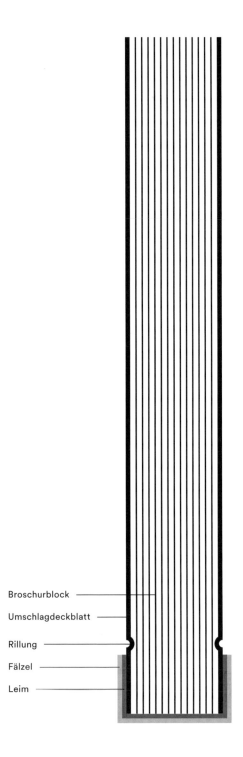

Broschurblock

Umschlagdeckblatt

Rillung

Fälzel

Leim

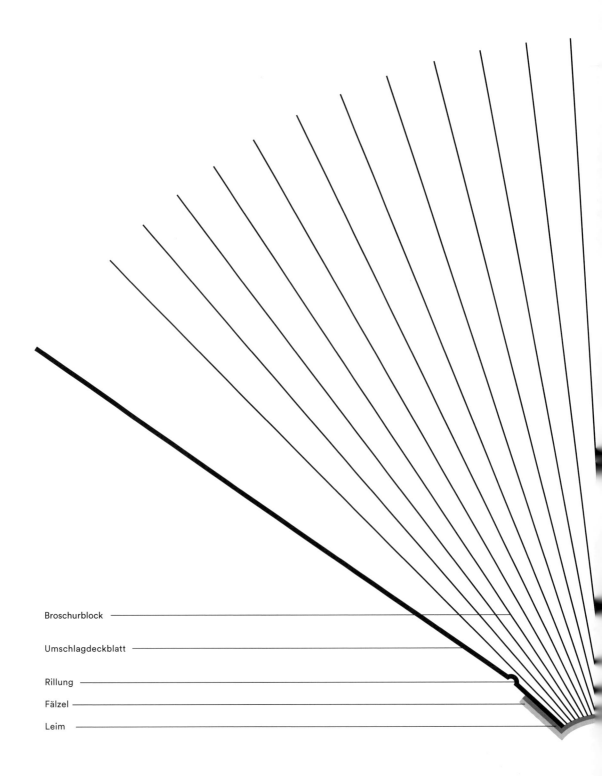

Broschurblock

Umschlagdeckblatt

Rillung

Fälzel

Leim

Bei der Schweizer Broschur klebt man einen Broschurblock an einem schmalen Klebestreifen auf der dritten Umschlagseite (U3) nahe am Bund in den Umschlag ein. Der einteilige Umschlag wird dafür zwei- oder dreimal gerillt. Er lässt sich so weit aufklappen, dass die erste Seite des Blocks und der Blockrücken freiliegen. Der Broschurblock selbst lässt sich auch gut aufschlagen, weil er entweder ein

178 gefälzelter oder *offen fadengehefteter Block* mit einem sehr flexiblen Rücken ist. Die Schweizer Broschur wird an drei Seiten beschnitten. Man kann auch einen

332 stärkeren Karton oder sogar feste *Buchdecken* für den Umschlag nehmen. Weil er nicht mit dem Blockrücken verklebt wird und sich dadurch kein Zug auf den Broschurblock entwickelt, wird das Aufschlagverhalten nicht beeinträchtigt. Das Besondere an der Schweizer Broschur sind die vielen Möglichkeiten, Materialien für Block und Umschlag zu kombinieren.

Mögliche Bindungen

Varianten

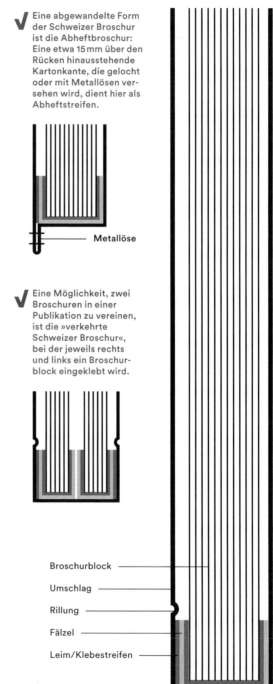

✓ Eine abgewandelte Form der Schweizer Broschur ist die Abheftbroschur: Eine etwa 15 mm über den Rücken hinausstehende Kartonkante, die gelocht oder mit Metallösen versehen wird, dient hier als Abheftstreifen.

Metallöse

✓ Eine Möglichkeit, zwei Broschuren in einer Publikation zu vereinen, ist die »verkehrte Schweizer Broschur«, bei der jeweils rechts und links ein Broschurblock eingeklebt wird.

Broschurblock
Umschlag
Rillung
Fälzel
Leim/Klebestreifen
Rillung

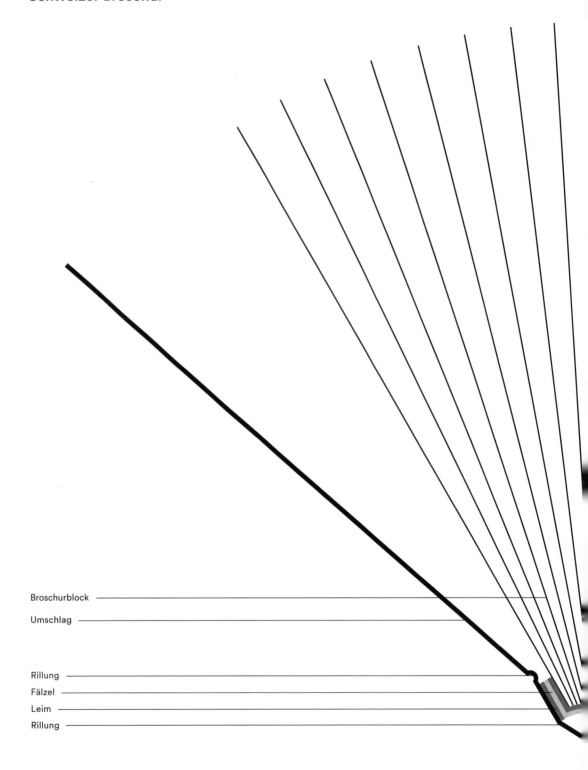

Broschurblock

Umschlag

Rillung

Fälzel

Leim

Rillung

Die Kösel-Broschur hat ähnlich wie die englische Broschur einen inneren und einen äußeren Umschlag. Bei dieser Variante ist der innere Umschlag allerdings nicht einteilig, sondern man verwendet zwei Umschlagblätter aus Karton, die möglichst nahe am Bund direkt auf die erste und letzte Seite des Broschurblocks geklebt werden. Nur der äußere Schutzumschlag aus einem dünneren, falz- und reißfesten Material wird dann über den Rücken geklebt. Die Klappen des Schutzumschlags legt man um die inneren Umschlagkartons, am Vorderschnitt stehen die Kanten leicht über.

Der Rücken dieser Kösel-Broschur bleibt flexibel, und so lässt sie sich gut aufschlagen.

Mögliche Bindungen
141 Klebebindung
171 Fadenheftung
201 Fadensiegeln

Die Firma Kösel, spezialisiert auf Buchfertigung, hat viele verschiedene Patente. Daher besteht Verwechslungsgefahr.

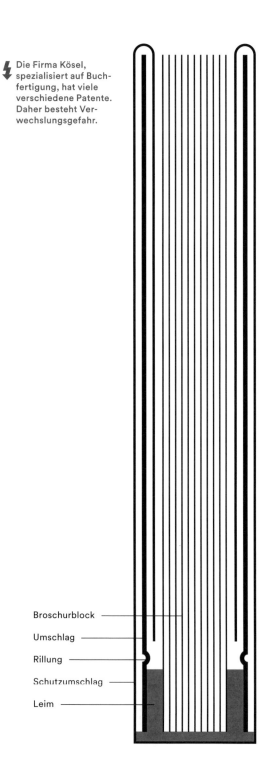

Broschurblock
Umschlag
Rillung
Schutzumschlag
Leim

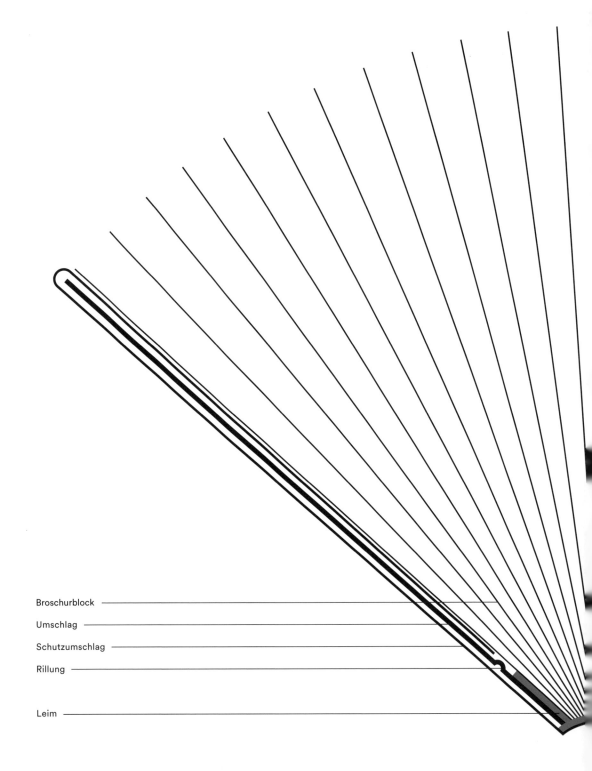

Broschurblock

Umschlag

Schutzumschlag

Rillung

Leim

Freirückenbroschur

Broschurblock

Umschlag

Fälzel/Gaze/Krepp

Rillung

Rücken

Freirückenbroschuren lassen
sich sehr gut und ähnlich
wie ein Buch aufschlagen,
weil ein Hohlraum zwischen
Rücken und Umschlag (der
freie Rücken) viel Spielraum
beim Blättern lässt. Es gibt
verschiedene Methoden und
Patente, um eine Freirückenbroschur herzustellen.

Freirückenbroschur

Bei einer Freirückenbroschur verklebt man Broschurblock und Umschlag so, dass sie nur seitlich, nicht aber am Rücken direkt miteinander verbunden sind. Zunächst bringt man ein *Fälzel* oder ein anderes weiches Hinterklebematerial wie *Krepppapier* oder *Gaze* auf den Rücken des klebegebundenen oder fadengehefteten Broschurblocks auf. Den einteiligen Umschlag rillt man sechsfach und verklebt ihn dann mit der Vorder- und Rückseite des Blocks – jeweils zwischen den beiden äußersten Rillen. Schlägt man die Freirückenbroschur auf, ergibt sich ein Hohlraum zwischen Block und Umschlag.

398 406 400

Mögliche Bindungen
141 Klebebindung
171 Fadenheftung
201 Fadensiegeln

Varianten
332 Feste Buchdecke
288 Klappenbroschur
375 Banderole
318 Eurobind
319 Tubebind
320 Kösel FR
321 Libretto

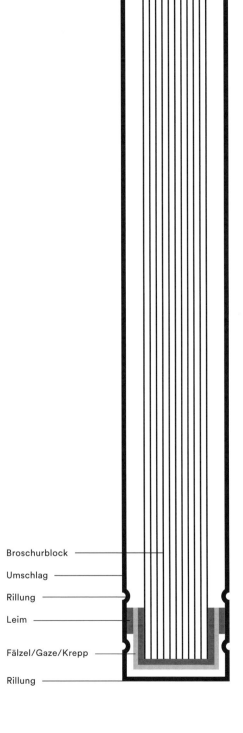

Broschurblock

Umschlag

Rillung

Leim

Fälzel/Gaze/Krepp

Rillung

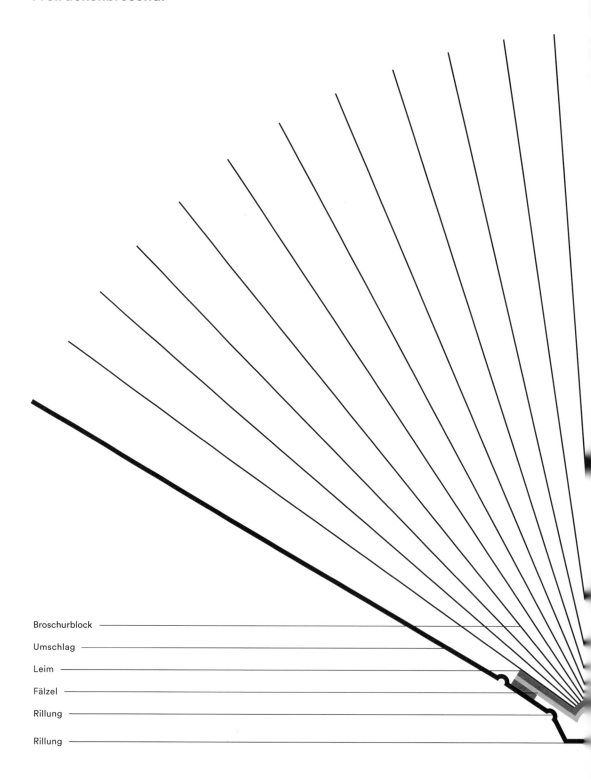

Broschurblock

Umschlag

Leim

Fälzel

Rillung

Rillung

Freirückenbroschur: Varianten

Eurobind

Der Umschlag einer Eurobind-Broschur
wird fünffach gerillt, zweimal auf der
Vorder- und dreimal auf der Rückseite.
Man verklebt ihn jeweils zwischen
den beiden äußersten Rillen mit einem
vorher gefälzelten Broschurblock.
Üblicherweise bindet man auf diese Weise
klebegebundene Buchblöcke ein.

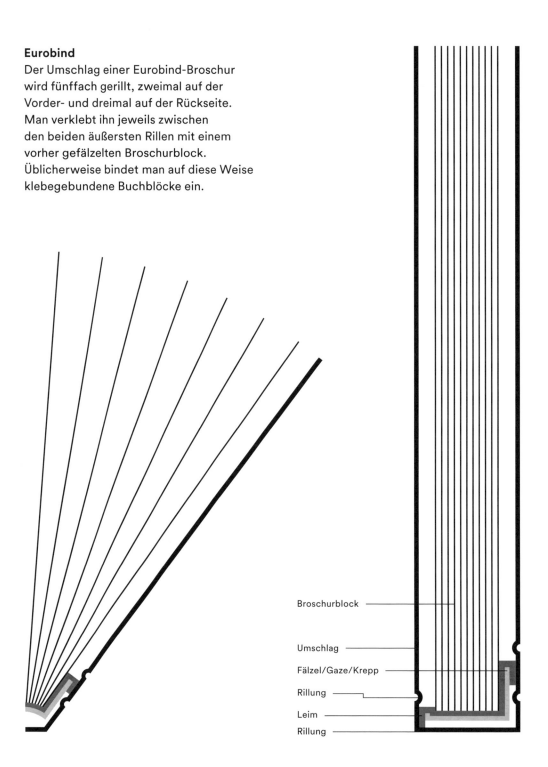

Broschurblock

Umschlag

Fälzel/Gaze/Krepp

Rillung

Leim

Rillung

Tubebind

Hier verbindet eine Papierhülse, die
wie ein Fälzel aufgebracht wird,
den Broschurblock mit einem vierfach
gerillten Umschlag.

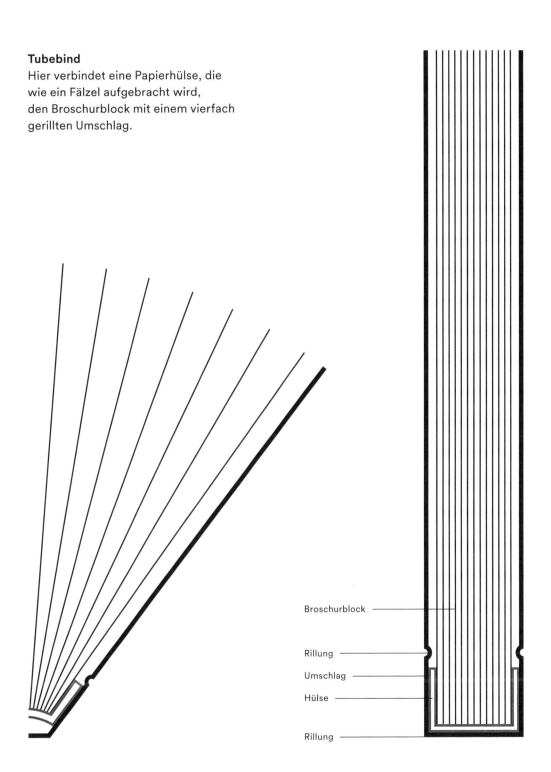

Broschurblock

Rillung

Umschlag

Hülse

Rillung

319

Freirückenbroschur: Varianten

Kösel FR

Kösel rillt den Umschlag für seine Freirückenbroschur sechsfach und verklebt
ihn jeweils zwischen den äußersten Rillen
mit dem Vorsatzpapier des gefälzelten
Broschurblocks. Der Hauptunterschied zu
anderen Freirückenbroschuren ist die
Rückeneinlage, die dem Rücken Festigkeit
verleiht, ohne die gesamte Broschur zu
versteifen.

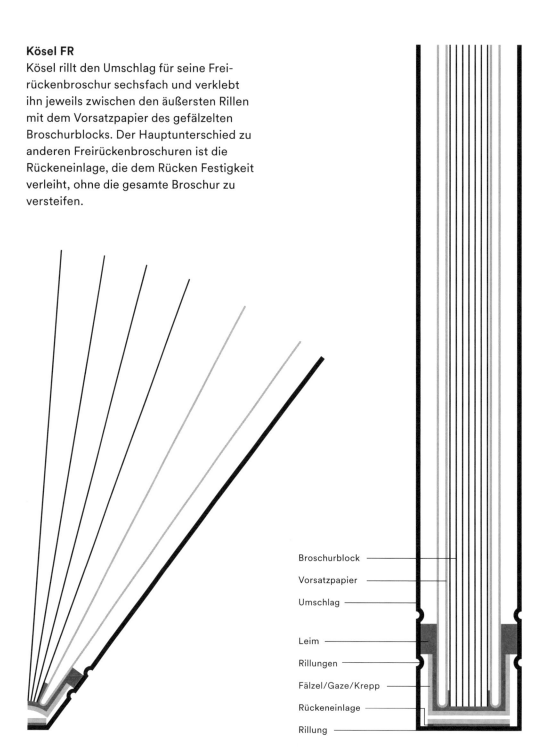

Broschurblock

Vorsatzpapier

Umschlag

Leim

Rillungen

Fälzel/Gaze/Krepp

Rückeneinlage

Rillung

Libretto

Ein Kaschiervorsatz verbindet bei der
Libretto-Broschur den Broschurblock
und den vierfach gerillten Umschlag miteinander. Das Vorsatzpapier wird jeweils
nur innerhalb der Rillen und am Rücken
mit dem Broschurblock verklebt, nur
jeweils außerhalb der äußersten Rille mit
dem Umschlag – der Rücken bleibt frei.

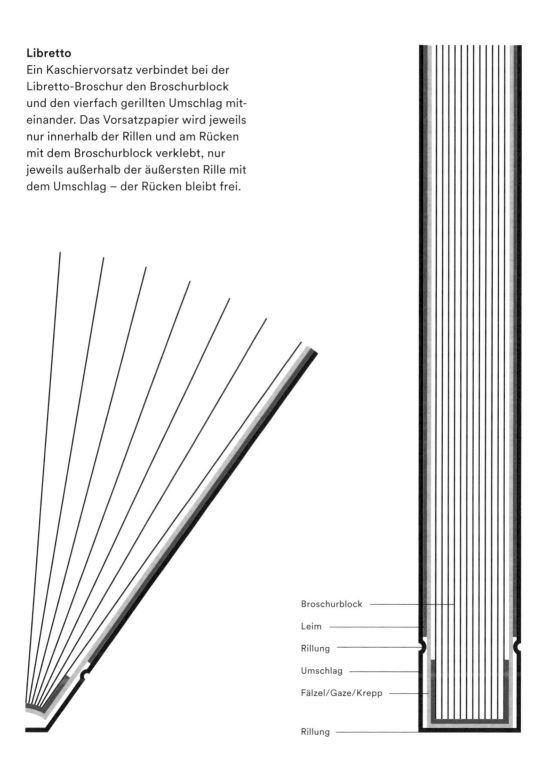

Broschurblock

Leim

Rillung

Umschlag

Fälzel/Gaze/Krepp

Rillung

Steifbroschur

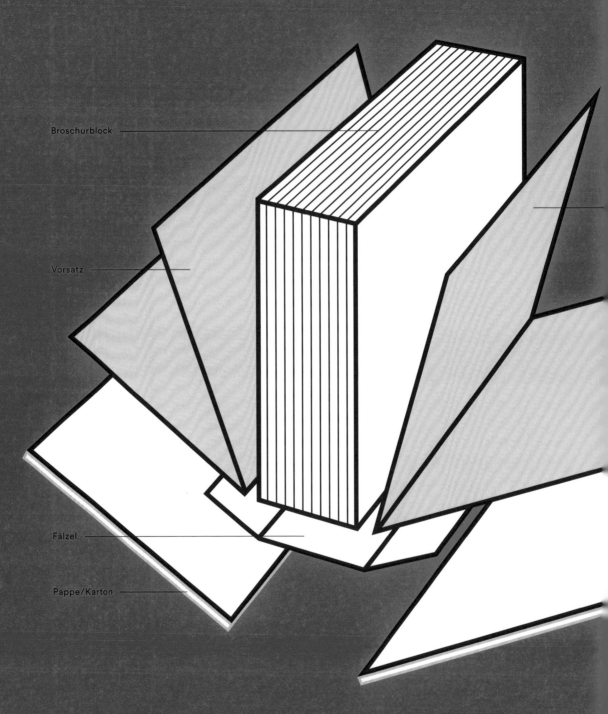

Broschurblock

Vorsatz

Fälzel

Pappe/Karton

Von allen Broschuren kommt die Steifbroschur dem Buch am nächsten – man könnte auch von einem Buch ohne Buchrücken sprechen. Im Gegensatz zu gewöhnlichen Broschuren hat sie feste Umschlagdeckel.

Nachsatz

328 Steifbroschur Varianten

Steifbroschur

Die Steifbroschur hat anders als eine klassische Broschur keinen einteiligen Umschlag, sondern zwei Deckel aus Pappe, die auf das Vor- und Nachsatzpapier des gefälzelten Broschurblocks kaschiert werden. Man kann die Broschur von Hand herstellen oder industriell, als dreiteilige Buchdecke, die danach bündig mit dem Block beschnitten wird. Die Deckel aus Pappe können zusätzlich mit Papier oder Gewebe bezogen werden, dann werden sie erst nach dem Beschnitt angebracht.

Es gibt verschiedene Möglichkeiten, eine Steifbroschur anzufertigen. Einige davon werden auf den folgenden Seiten beschrieben.

Mögliche Bindungen

Varianten
Deckel in unterschiedlichen Stärken

⚡ Beim Beschnitt von Steifbroschuren kann es zu schartigen Schnittkanten am Papierblock kommen. Das liegt an eingeschlossenen Partikeln in der Pappe, die sich beim Schneiden am Papier entlangschieben.

⚡ Der Umschlag kann sich beim Kaschieren der Deckel wölben, wenn man nicht auf die richtige Laufrichtung von Papier und Pappen achtet.

Broschurblock
Vorsatz
Leim
Karton/Pappe
Fälzel/Gaze/Krepp

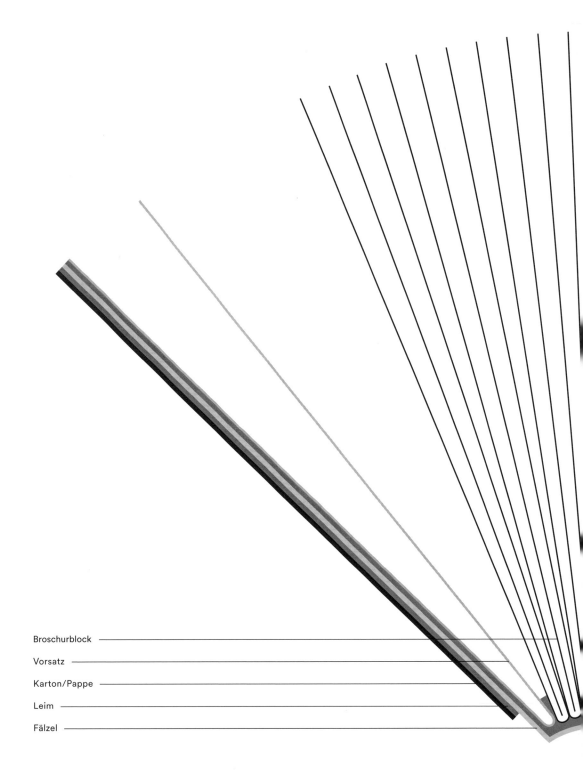

Broschurblock

Vorsatz

Karton/Pappe

Leim

Fälzel

Variante 1

Für eine Steifbroschur benötigt man in der Regel einen mit Vorsatz- und Nachsatzpapier versehenen Broschurblock, den man am Vorderschnitt beschneidet. Auf die Vor- und Nachsätze kaschiert man dann die in der Breite passend zugeschnittenen Deckel aus Pappe. Wie breit man die Deckel lässt, ist auch eine gestalterische Entscheidung: Man kann sie vollflächig aufkaschieren oder einen Abstand zum Buchrücken lassen, was das Aufschlagverhalten verbessert. Erst danach klebt man ein Gewebefälzel so breit über den Rücken, dass es auf die Pappdeckel übergreift.

Abb. 1
Variante mit Fälzel über den Pappdeckeln

Man kann die Deckel noch mit bedrucktem Papier überziehen, das an den Kanten eingeschlagen wird. Wenn nicht, bleibt die Schnittkante sichtbar, und man beschneidet zum Schluss noch Kopf und Fuß der Broschur.

Abb. 2
Variante mit eingeschlagenen Kanten

Variante 2

Steifbroschuren lassen sich auch ohne Vorsatzpapier fertigen, wenn man die Deckel vollflächig auf eine Fälzelbroschur aufkaschiert. Dazu sollte das Fälzel so weit auf die Vorder- und Rückseite des Broschurblocks übergreifen, dass die Deckel es überdecken können – oder sogar auf die ganze Blockbreite.

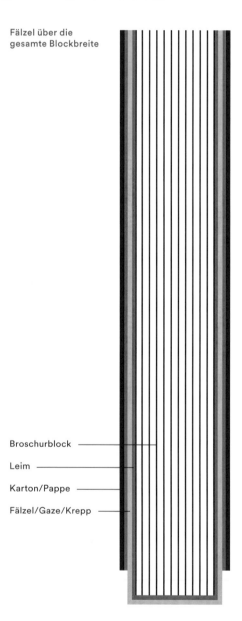

Fälzel über die gesamte Blockbreite

Broschurblock

Leim

Karton/Pappe

Fälzel/Gaze/Krepp

Variante 3

Diese Variante eignet sich zum Beispiel für eine offene Fadenheftung: Die Deckelpappen werden einfach direkt auf den fadengehefteten Broschurblock aufkaschiert, ohne einen Vorsatz dazwischen.

Variante 4

Oft werden »Pseudo-Steifbroschuren« hergestellt, indem man fertige klassische Bücher noch an drei Seiten beschneidet. Der Nachteil: Die Kanten können leicht bestoßen.

✓ Diese Variante kann überstehende Umschlagskanten haben, siehe Abb. 2

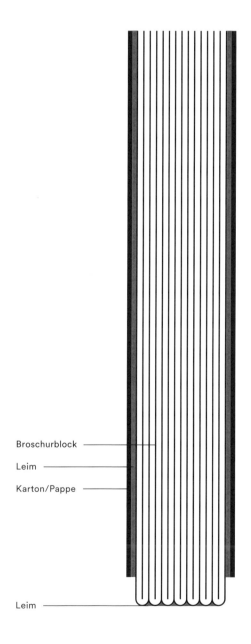

Broschurblock

Leim

Karton/Pappe

Leim

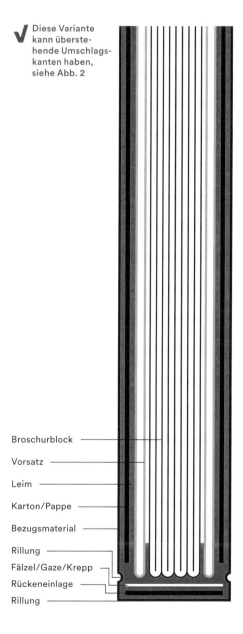

Broschurblock

Vorsatz

Leim

Karton/Pappe

Bezugsmaterial

Rillung

Fälzel/Gaze/Krepp

Rückeneinlage

Rillung

329

Bücher

Festeinband
Festband
Hardcover

Festeinbände haben einen Einband, dessen Kanten über den Buchblock hinausstehen: die Buchdecke.
Damit unterscheiden sie sich von den Broschuren, die normalerweise nur mit einem flexiblen Umschlag eingebunden sind. Die Buchdecke besteht aus zwei Buchdeckeln und dem Buchrücken, der sie miteinander verbindet, und ist mit Papier, Gewebe, Kunststoff oder Leder bezogen. Sie schützt den Buchblock und bestimmt seine äußere Erscheinung.

Die Buchdecke hat drei Funktionen: Sie informiert über den Buchinhalt und vermittelt den ersten ästhetischen Eindruck des Buches. Sie schützt zweitens den Buchblock vor Beschädigungen und Verschmutzung. Und sie sorgt drittens dafür, dass das Buch stabil im Regal steht und sich nicht verzieht – die Buchdecke muss sich leicht öffnen lassen und so verarbeitet sein, dass sich das Buch gut handhaben lässt. Dafür gibt es verschiedene technische Details wie etwa den *Einbrennfalz*.

Buchdecken stellt man separat her und legt sie dann um den fertig beschnittenen *Buchblock*. Decke und Block werden dabei durch das *Vorsatzblatt* verbunden, in der Regel ein einmal gefalzter Bogen. Die äußeren Vorsatzblätter verklebt man beim Einhängen in die Decke vollflächig, sie verdecken die Innenseite der Buchdecke. Diese Hälfte des Vorsatzblatts nennt man *Spiegel*. Die andere Hälfte, der fliegende Vorsatz, haftet nur an einem schmalen Klebestreifen am Buchblock, schützt diesen und verbindet Decke und Block gestalterisch.

Um das Buch leicht und spannungsfrei öffnen zu können, prägt man mit einer erhitzten Schiene Einbrennfalze in den Vorder- und Hinterdeckel, die als Gelenk dienen. Das fertige Buch wird gepresst, damit sich die Buchdecke während der Trocknungsphase nicht verzieht. Danach kann man noch einen *Schutzumschlag* um das Buch legen, was in der Regel maschinell gemacht wird.

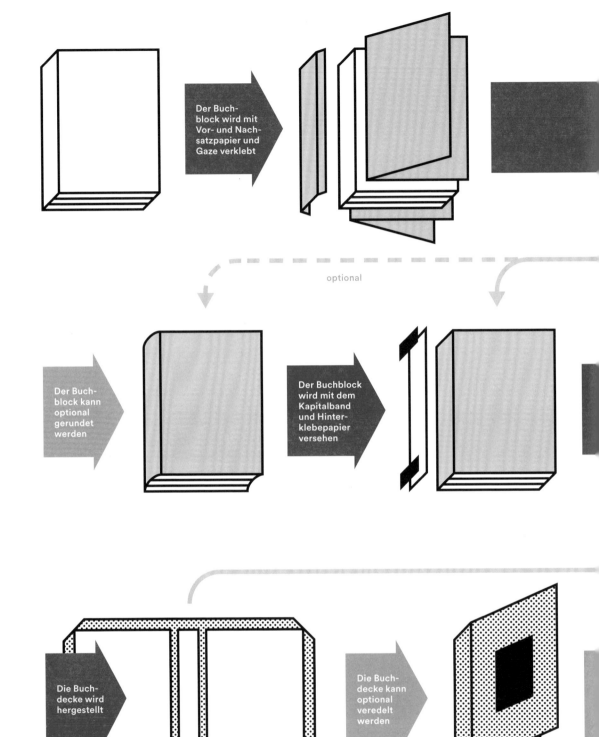

Der Buchblock wird mit Vor- und Nachsatzpapier und Gaze verklebt

Der Buchblock kann optional gerundet werden

Der Buchblock wird mit dem Kapitalband und Hinterklebepapier versehen

optional

Die Buchdecke wird hergestellt

Die Buchdecke kann optional veredelt werden

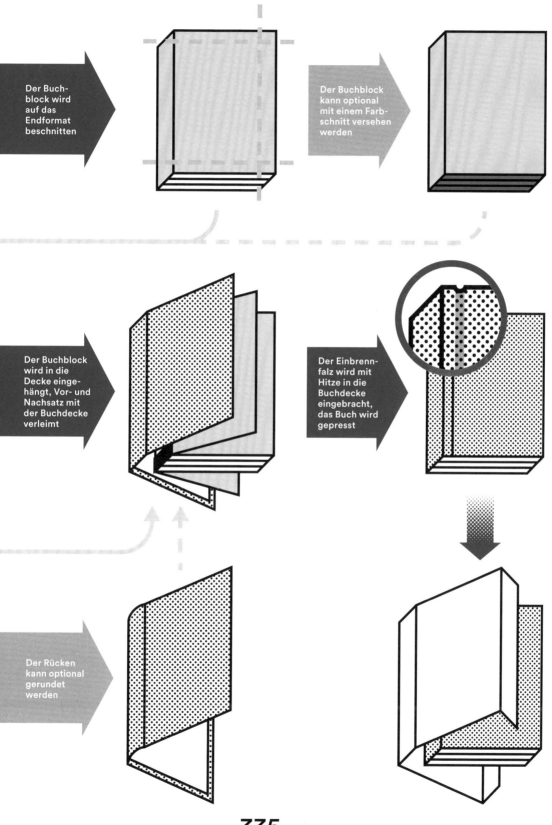

Der Buchblock wird auf das Endformat beschnitten

Der Buchblock kann optional mit einem Farbschnitt versehen werden

Der Buchblock wird in die Decke eingehängt, Vor- und Nachsatz mit der Buchdecke verleimt

Der Einbrennfalz wird mit Hitze in die Buchdecke eingebracht, das Buch wird gepresst

Der Rücken kann optional gerundet werden

Einteilige Buchdecke

Buchblock

Vorsatz

Krepp/Gaze

Umschlag

Einteilige Buchdecken erinnern in ihrer Erscheinung an Broschuren. Sie sind aus einem Stück, flexibel, und man kann sie zusätzlich auch beziehen.

Nachsatz

342 Buchdecke aus Kunststoff

Einteilige Buchdecke

Für einteilige Buchdecken verwendet man üblicherweise dünnes, faserhaltiges

367 Material wie zähe *Buchbinderpappe* und

367 *Karton,* aber auch Kunststoffe oder Lederfasern. Sie lassen sich nicht ganz

344 so leicht öffnen wie *mehrteilige Buch-decken,* das Aufschlagverhalten lässt sich aber mit einer Rillung verbessern. Man kann einteilige Buchdecken auch beziehen, der Bezug wird entweder nur als Verstärkung auf den Rücken oder vollständig auf die Buchdecke kaschiert – der Bezug kann an den Kanten umgeschlagen werden, die Kanten können aber auch offen bleiben. Klassische Buchausstattungen wie *Kapital-*

375 386 *band* oder *gerundeter Rücken* sind bei einer einteiligen Decke ebenfalls möglich.

Die Integraldecke ist eine Sonderform der einteiligen Decke. Bei ihr werden die Kanten eines recht dünnen Kartons eingeschlagen und verklebt.

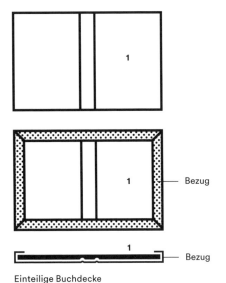

Bezug

Bezug

Einteilige Buchdecke
mit umgeschlagenem Bezug

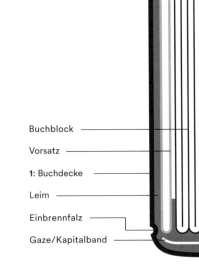

Buchblock

Vorsatz

1: Buchdecke

Leim

Einbrennfalz

Gaze/Kapitalband

Einteilige Buchdecke

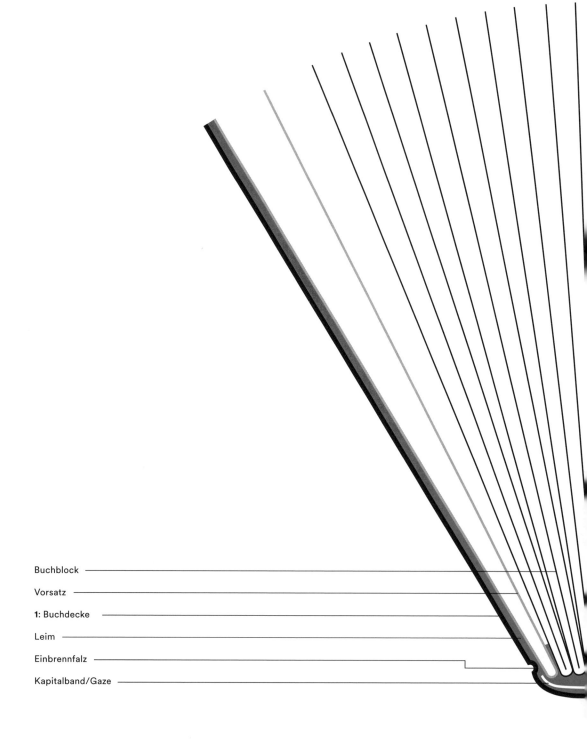

Buchblock

Vorsatz

1: Buchdecke

Leim

Einbrennfalz

Kapitalband/Gaze

Buchdecke aus Kunststoff

Kunststoffbuchdecken gibt es erst seit den 1950er-Jahren, als hochpolymere Stoffe wie PVC erstmals dafür zur Verfügung standen – ein Material, aus dem sie noch heute überwiegend hergestellt werden. Weil Buchdecken aus Kunststoff sehr robust sind, kommen sie klassischerweise bei viel benutzten Produkten wie Wörter- und Notizbüchern oder Taschenkalendern zum Einsatz. Man kann sie aus einem oder mehreren Materialzuschnitten herstellen. Der Kunststoff wird an den Kanten nicht umgeschlagen, sondern einfach an den Rändern verschweißt.

Buchdecken aus Kunststoff haben den Vorteil, dass sie lange halten, allerdings sind die Materialien oft nicht unbedingt umweltverträglich und schwer zu entsorgen. Außerdem sind die Material- und Produktionskosten hoch, weil man spezielle Maschinen dafür benötigt. Sie lassen sich nur im UV-Offset oder im Siebdruck bedrucken, deshalb bedruckt man manchmal auch nur ein Papier-Inlay, das man vor dem Verschweißen in eine transparente Kunststoffdecke einschiebt.

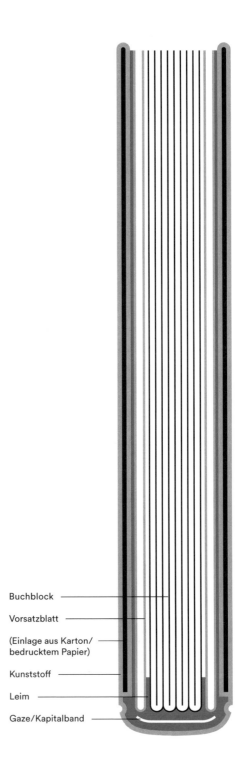

Buchblock

Vorsatzblatt

(Einlage aus Karton/ bedrucktem Papier)

Kunststoff

Leim

Gaze/Kapitalband

Mehrteilige Buchdecke

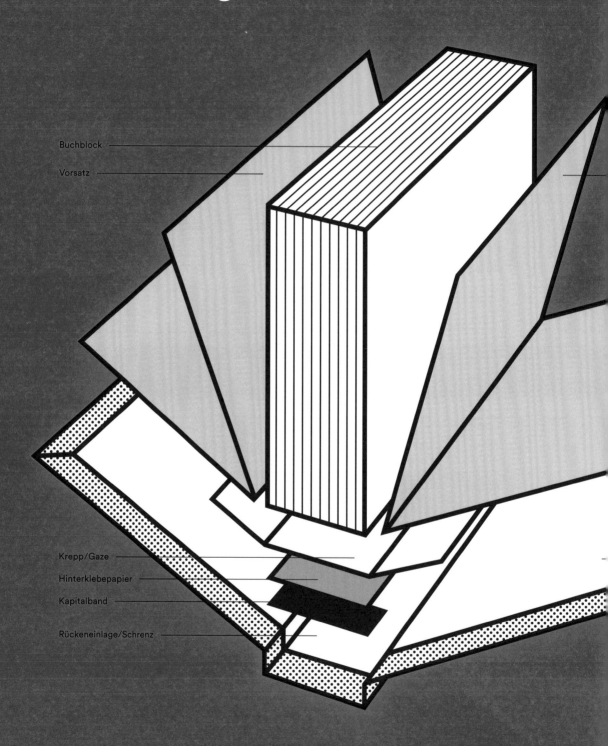

Buchblock

Vorsatz

Krepp/Gaze

Hinterklebepapier

Kapitalband

Rückeneinlage/Schrenz

Mehrteilige Buchdecken haben feste Buchdeckel, die vom Bezug zusammengehalten werden, und lassen sich besonders gut öffnen. Man unterscheidet sie nach der Zahl ihrer Teile, dazu gehören die Bestandteile der Buchdecke und das Bezugsmaterial. Je nach Region fallen die Bezeichnungen allerdings anders aus, was zu Missverständnissen führen kann.

Nachsatz

Buchdecke

Bezug

⚡ Manche Buchbindereien rechnen den Bezug einer Buchdecke nicht als einzelnes Teil: Eine dreiteilige Buchdecke besteht dann zum Beispiel nur aus zwei Buchdeckeln und ist damit zweiteilig.

3- und 4-teilige Buchdecke: Ganzband

Die Ganzbanddecke ist heute am meisten verbreitet. Sie setzt sich entweder aus drei oder vier Teilen zusammen, den zwei Buchdeckeln, der Rückeneinlage und dem Deckenbezug. Eine 3-teilige Ganzbanddecke hat keine Rückeneinlage und wird vor allem für weniger starke Bücher verwendet, denn eine Rückeneinlage ist erst ab etwa 6 mm Rückenbreite möglich. Das Bezugsmaterial ist aus einem Stück und wird an den Kanten umgeschlagen – je nachdem, welches Bezugsmaterial zum Einsatz kommt, spricht man von einem Ganzgewebeband, Ganzkunstlederband etc. Weil der Bezugsstoff einteilig ist, ist der Arbeitsaufwand geringer als zum Beispiel bei einer *Halbbanddecke*.

350

✓ Auch ein Ganzband kann flexibel sein, wenn man für die Buchdecke ein dünneres Material nimmt. Man spricht dann von einer flexiblen Buchdecke bzw. einem Flexband.

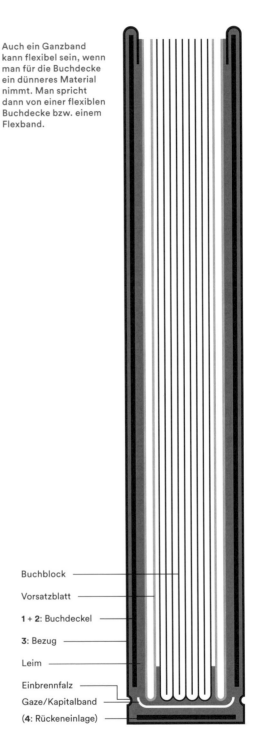

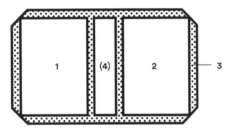

Buchdeckel, Rückeneinlage und Bezug

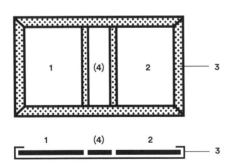

Buchdeckel und Rückeneinlage mit umgeschlagenem Bezug

Buchblock

Vorsatzblatt

1 + 2: Buchdeckel

3: Bezug

Leim

Einbrennfalz

Gaze/Kapitalband

(**4:** Rückeneinlage)

3- und 4-teilige Buchdecke: Ganzband

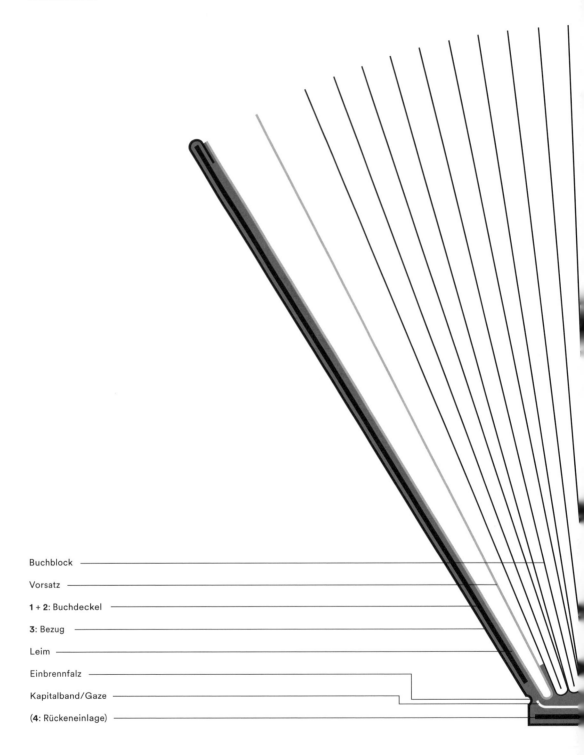

Buchblock

Vorsatz

1 + 2: Buchdeckel

3: Bezug

Leim

Einbrennfalz

Kapitalband/Gaze

(**4**: Rückeneinlage)

5- und 6-teilige Buchdecke: Halbband

Das Besondere an Halbbanddecken ist, dass der Buchrücken einen anderen Bezug hat als die Buchdeckel. Bei einer 5-teiligen Halbbanddecke besteht der Rücken lediglich aus dem Bezugsmaterial, die 6-teilige hat zusätzlich eine Rückeneinlage. Den Rücken sollte man mit einem strapazierfähigen Material beziehen, das den mechanischen Beanspruchungen des Falzgelenks standhält. Je nachdem, welches Material eingesetzt wird, spricht man von einem Halbgewebeband, Halbkunstlederband etc.

Ursprünglich nutzte man Halbbanddecken, um Kosten zu sparen: Früher kam die Arbeitszeit günstiger als das Material, weshalb man nur den Buchrücken mit einem hochwertigen Material bezog, den Rest mit einem billigeren. Heute dagegen kosten Halbband- mehr als Ganzbanddecken.

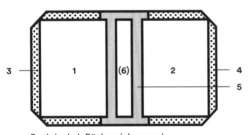

Buchdeckel, Rückeneinlage und drei Bezugszuschnitte

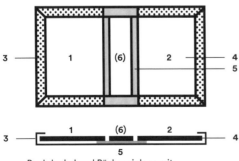

Buchdeckel und Rückeneinlage mit umgeschlagenem Bezug

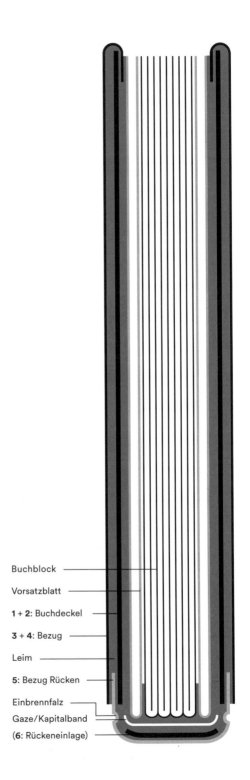

Buchblock

Vorsatzblatt

1 + 2: Buchdeckel

3 + 4: Bezug

Leim

5: Bezug Rücken

Einbrennfalz

Gaze/Kapitalband

(6: Rückeneinlage)

5- und 6-teilige Buchdecke: Halbband

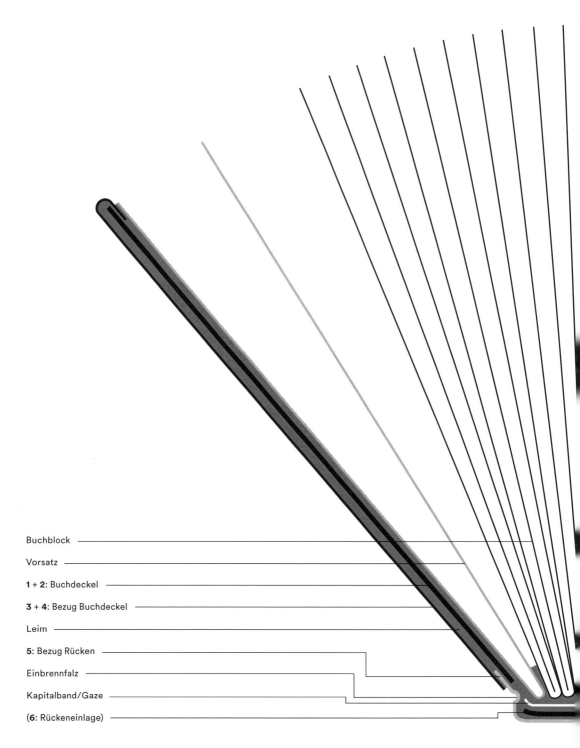

Buchblock

Vorsatz

1 + 2: Buchdeckel

3 + 4: Bezug Buchdeckel

Leim

5: Bezug Rücken

Einbrennfalz

Kapitalband/Gaze

(**6**: Rückeneinlage)

Wattierte Buchdecke

Wattierte Buchdecken werden mit Schaumstoff oder einem anderen Polstermaterial bis zu 4 mm aufgepolstert, sie fühlen sich weich und ungewöhnlich an. Die Schaumstoffteile werden in großen Formaten mit den Buchdeckeln verbunden und dann im Verarbeitungsformat herausgestanzt. Wer wattierte Buchdecken prägen möchte, sollte das vor dem Wattieren machen – hinterher ist es schwierig.

Wattierte Buchdecken sind relativ teuer, weil die Produktion aufwendig ist und viel Material verwendet wird.

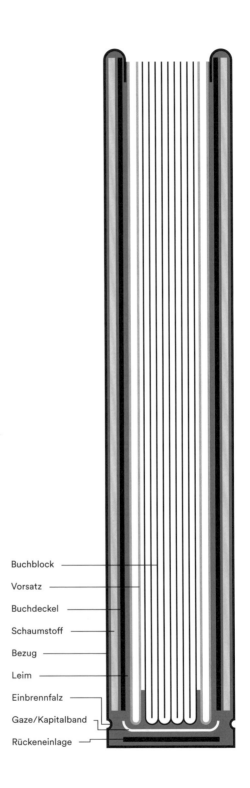

Buchblock

Vorsatz

Buchdeckel

Schaumstoff

Bezug

Leim

Einbrennfalz

Gaze/Kapitalband

Rückeneinlage

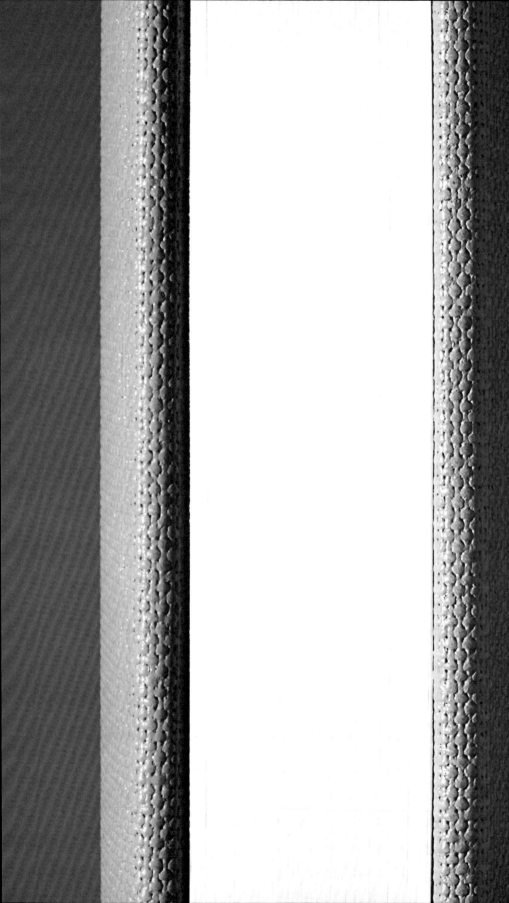

Ausstattung

Es kommt auf die Ausstattung eines Buches an, ob es als hochwertig wahrgenommen wird. Zur Ausstattung gehören das Format, die Materialien (das Papier des Innenteils, das Vorsatzpapier, das Umschlag- und Bezugsmaterial), das Bindeverfahren und zusätzliche Merkmale wie Kapital- und Leseband, Schnittveredelung oder Folienkaschierung.

Die Ausstattung eines Buches ist ebenso wichtig wie die Gestaltung – sie vermittelt dem Betrachter und Benutzer auf einer subtilen Ebene den Charakter einer Publikation und unterstreicht das gestalterische Konzept. Es gibt verschiedene Kriterien, die man dabei berücksichtigen sollte.

Haltbarkeit: Die Ausstattung sollte sich danach richten, für welchen Zweck ein Buch gedacht ist und wie oft es in die Hand genommen wird. So werden viel benutzte Bücher wie Schulbücher mit einer widerstandsfähigen, abwaschbaren Folie kaschiert.

Wertigkeit: Es gibt verschiedene Ausstattungselemente, die man einsetzen kann, um ein Buch besonders hochwertig erscheinen zu lassen. Das kann ein feiner Leinen- oder gar Seidenüberzug sein, ein schönes Vorsatzpapier, und auch Details wie ein Folienschnitt oder eine Prägung tragen dazu bei.

Verwendungszweck: Neben der Haltbarkeit spielt der Verwendungszweck eine wichtige Rolle. Bei einem Kinderbuch für die Badewanne zum Beispiel müssen die Materialien wasserfest sein, bei einem Fotobuch sollte man darauf achten, dass das verwendete Papier auch feine Nuancen darstellen kann. Auch das Format einer Publikation sollte man immer auf den Verwendungszweck abstimmen.

Haptik, Besonderheiten: Mit besonderen Umschlag- oder Bezugsmaterialien, etwa sehr rauen oder samtigen Materialien, kann man einer Publikation mehr Aufmerksamkeit verschaffen. Veredelungstechniken wie Strukturlack oder eine Prägung fügen dem Druck noch eine haptische Ebene hinzu. Im Prinzip lässt sich aus fast jedem Material ein Buch herstellen, wenn man es richtig verarbeitet – hier ist die Experimentierfreude der Gestalter und Buchbinder gefragt.

Inhaltspapier

Das Papier sollte man ausgehend von Inhalt und Zweck eines Buches auswählen: Geht es zum Beispiel um eine besonders gute Bildwiedergabe, ist ein Kunstdruckpapier eher zu empfehlen als ein Werkdruckpapier.

Naturpapier besteht aus Naturfasern und wird geglättet, aber nicht beschichtet oder oberflächenbehandelt. Das heißt, seine Oberfläche ist etwas rauer und spricht den Tastsinn an. Naturpapier eignet sich gut für Text, während Bilder für den Offsetdruck speziell lithografiert werden müssen – sonst kann es sein, dass sie »einsumpfen«, also Halbtöne im Druck verloren gehen. Das Papier hat eine längere Trocknungszeit, die man bei der Produktionsplanung berücksichtigen muss.

36 Ein Naturpapier mit besonders hohem *Volumen* ist das sogenannte Werkdruckpapier, mit dem man vor allem Text und Strichzeichnungen gut wiedergeben kann. Werkdruckpapier hat eine etwas längere Trocknungszeit als andere Papiersorten, die man unbedingt einhalten sollte, damit sich keine Druckfarbe auf den Rückseiten der Bogen ablegt.

Gestrichenes Papier (Bilderdruckpapier, Kunstdruckpapier) ist mit einem Bindemittelauftrag, dem sogenannten Strich, veredelt. Der Strich schließt die Oberfläche des Papiers und verbessert die Druckqualität. Trägt man ihn auf, ist der Strich noch

404 matt, erst durch das *Kalandrieren* des Papiers mit Walzen wird das Papier geglättet und die Oberfläche zum Glänzen gebracht.

Bei gestrichenen Papieren unterscheidet man matt gestrichenes Papier, halbmatt gestrichenes Papier, glänzendes Papier und gussgestrichenes Papier.

In der Buchproduktion wird gestrichenes Papier vor allem für bildlastige Publikationen eingesetzt. Man sollte aber daran denken, dass es beim Falzen zu Strichbruch kommen kann – der Strich wird aufgerissen, und auf den bedruckten Flächen kommt eine weiße Linie zum Vorschein.

Offsetpapier ist ein holzfreies oder holzhaltiges Papier, 408 412 das *maschinenglatt* oder leicht *satiniert* ist. Es ist speziell auf die Anforderungen des Offsetdrucks abgestimmt, gibt beim Druck keinen Staub ab und verzieht sich auch bei Feuchtigkeitseinwirkung im Druckwerk nicht.

Dünndruckpapier, auch Bibeldruckpapier genannt, 399 ist ein Papier mit einem sehr niedrigen *Flächengewicht* von 25 bis 50 g/m². Es wird klassischerweise für sehr umfangreiche Bücher wie Bibeln oder Gesangbücher eingesetzt, findet aber auch bei Mailings immer öfter Verwendung. Dünndruckpapiere sind in der Buchbindung relativ schwer zu verarbeiten: Vor allem bei vierfarbigem Druck können die Bogen durch den Farbauftrag unregelmäßig stark sein, was zu Schwierig- 415 keiten beim *Zusammentragen* und Falzen führen kann.

412 **Tiefdruckpapier** wird im *Rollenrotationsdruck* vor allem für Magazine in hohen Auflagen eingesetzt. Es ist 412 ungestrichen, holzhaltig oder holzfrei, *satiniert* und sehr robust, damit es den mechanischen Beanspruchungen der Rollendruckmaschine standhält. Außerdem muss es weich und sehr saugfähig sein, um die Farbe aufnehmen zu können, die im Rollendruck sehr schnell gedruckt wird.

Zeitungspapier ist ein holzhaltiges, ungestrichenes, maschinenglattes oder satiniertes Papier, das im Rollendruck bedruckt wird. Überwiegend wird es für schnelllebige Produkte in hohen Auflagen eingesetzt, etwa für Zeitungen. Es besteht zu 100 Prozent aus recyceltem Material und hat deswegen oft einen etwas dunkleren Farbton. Zeitungspapier wird in sehr niedrigen Flächengewichten verarbeitet, das Druckbild zeigt vor allem bei der Wiedergabe von Bildern Schwächen.

Büttenpapier besteht aus hochwertigen Stoffen. Hand- 38 geschöpftes Bütten hat keine *Laufrichtung*, wird es mit einer Rundsiebmaschine produziert, muss auch bei »Maschinenbütten« die Laufrichtung beachtet werden. Heutzutage ersetzt die industrielle Papierherstellung das Handschöpfen von Papier; Büttenpapier wird meist nur noch für Einladungen oder Geschäftsausstattungen verwendet.

Recyclingpapier wird vollständig aus Sekundärfasern (Altpapier) hergestellt. Es hat meistens einen dunkleren Farbton, manche Recyclingpapiere werden aber auch stark aufgehellt. Recyclingpapiere sind buchbinderisch schwer zu verarbeiten: Weil sie aus Altpapier bestehen, sind die Papierfasern sehr kurz und brüchig. Dadurch staubt das Papier stärker, wenn es gefalzt wird, und Klebstoffe halten schlechter an den Fasern.

Bei Feuchtigkeit oder falscher Lagerung kann sich Papier wellen.

Vorsatzpapier

332 393 Das Vorsatzblatt ist in der Regel ein einmal gefalzter Bogen, der *Buchdecke* und *Buchblock* miteinander verbindet und so dafür sorgt, dass Buchblock und Buchdecke aneinanderhalten. Die äußere Hälfte des Vorsatzblatts verklebt man beim Einhängen in die Buchdecke vollflächig, sie verdeckt die Innenseite der Decke und wird Spiegel genannt.
Die andere Hälfte des Vorsatzblatts, der sogenannte fliegende Vorsatz, dient als Schutz des Buchblocks und verbindet Decke und Block gestalterisch. Das hintere Vorsatzblatt bezeichnet man als Nachsatz.

Für das Vorsatzpapier verwendet man spezielle Papiere, die besonders kräftig und reißfest sind und eine hohe Opazität haben, üblicherweise mit einem Flächengewicht von 120 bis 150 g/m². Manchmal wird auch bedrucktes Inhaltspapier als Vorsatz genutzt, wenn es robust genug ist.
Weil das Vorsatzpapier vollflächig mit der Buchdecke verklebt und angepresst wird, sind gestrichene Papiere dafür nicht zu empfehlen – die Feuchtigkeit des Klebstoffs könnte dazu führen, dass nur die Beschichtung der Papieroberfläche daran haftet und nicht das ganze Papier. Auch ein Strichbruch kann bei gestrichenen Papieren auftreten, auf einem vollflächig bedruckten Vorsatzblatt ist dann im Falz eine weiße Linie zu sehen.
Vorsatzpapier wird in vielen Farben angeboten, es kann auch bedruckt sein. Die Qualität des Vorsatzblatts ist entscheidend dafür verantwortlich, wie lange ein Buch hält, denn es wird beim Öffnen und Schließen besonders beansprucht.

Man kann Vorsatzblätter aber auch noch anders gestalten: Ein verkürzter fliegender Vorsatz zum Beispiel gibt den Blick auf den Schmutztitel frei, man kann Vorsatzblätter besonders bedrucken oder sie mit Klappen ausstatten – was sich bei bedruckten Vorsätzen nutzen lässt, um weitere Informationen unterzubringen.

Es gibt verschiedene Möglichkeiten, Vorsatzpapier und Buchblock miteinander zu verbinden:

Vorsatz   Leim

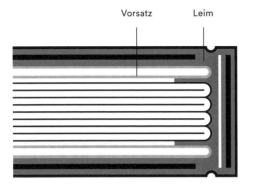

Einfach angeklebtes Vorsatzblatt (industrieller Vorsatz): Ein einmal gefalzter Bogen wird vollflächig auf die Innenseite der Buchdecke geklebt und haftet nur an einem schmalen Klebestreifen am Buchblock.

Vorsatz ist
der Titel- bzw.
Endbogen   Leim

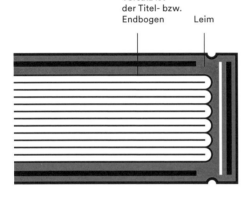

Integrierter Vorsatz: Die erste und letzte Seite des Buchblocks werden als Vor- und Nachsatz genutzt. Dazu muss das Inhaltspapier genügend reißfest sein (zum Beispiel ein Naturpapier) und eine Grammatur von mindestens 120 g/m² haben. Möglich ist der integrierte Vorsatz nur bei fadengehefteten und fadengesiegelten Buchblöcken. Weil ein Arbeitsschritt wegfällt, kostet die Produktion weniger.

Vorsatz

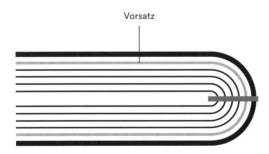

Umgelegter Vorsatz: Bei einlagigen Broschuren wie einer Klammer- oder Fadenrückstichheftung legt man das Vorsatzblatt um den Inhaltsbogen und heftet es mit.

Buchdeckenmaterialien

332
393 Das Material für die Herstellung der *Buchdecken* sollte man auf das Format und die Stärke des *Buchblocks* und auf das Bezugsmaterial abstimmen.

367 Pappe: Buchbinderpappe muss zäh und fest sein, sie darf sich nicht spalten oder aufblättern, muss sehr plan liegen und möglichst glatt sein, weil sich jede Unebenheit der Oberfläche auf das *Bezugsmaterial* abdrückt. Insbesondere Graupappe, Lederpappe, Hartpappe, Holzpappe oder Strohpappe kommen dafür infrage.

394
412
413 Karton: Karton ist dünner als Pappe und wird aus hochwertigeren Rohstoffen hergestellt, er kann eine Grammatur von 200 bis 500 g/m² haben. Man verwendet ihn sowohl als *Buchdeckel* als auch für die *Rückeneinlage*, als Rückeneinlage wird er *Schrenz* genannt.

✔ Man kann eine Buchdecke auch aus einem dünnen, flexiblen Karton mit Grammaturen von 200 bis 400 g/m² herstellen – das Buch wirkt dann eher wie eine Broschur. Eine solche flexible Buchdecke kann ein- oder mehrteilig sein.

Bezugsmaterialien

Die frühen Bucheinbände waren aus Leder und Pergament, im 19. Jahrhundert wich man dann zunehmend auf weniger teure Materialien wie das Baumwollgewebe Kaliko aus. Neben der Verarbeitbarkeit, der Haltbarkeit und den Kosten spielen auch die Ästhetik und die Haptik eine Rolle.
Bei der Auswahl des Einbandmaterials muss man unterschiedliche Kriterien berücksichtigen: Während für den Buchbinder die Frage im Vordergrund steht, wie sich das Material verarbeiten lässt, sind es für den Benutzer des Buches die Reiß- und Biegefestigkeit in den Gelenken, die Farbechtheit (was zum Beispiel bei Neon- oder Tagesleuchtfarben oft ein Problem ist), die stabile Planlage (das Material quillt nicht auf und wölbt sich nicht) und natürlich die Haptik. Auch Scheuerfestigkeit und Schmutzbeständigkeit sind Faktoren. Die meisten Bezugsmaterialien sind nicht nur aus einem Material, oft haben sie einen (Papier-)Träger oder es sind Fasern beigemischt.

Bezugsmaterialien mit Papieroberfläche

Bezugspapiere müssen falz- und zugfest sein und unempfindlich gegenüber Scheuern, Kratzen und anderen mechanischen Belastungen. Oft werden sie folienkaschiert oder lackiert, um sie noch besser zu schützen.

Bilderdruck- oder Offsetpapier kann man in vielen Fällen auch als Bezugspapier nutzen. Es wird oft bedruckt, muss aber normalerweise noch mit einer 378 *Folie kaschiert* werden, damit es robust genug ist.

Durchgefärbtes, langfaseriges Naturpapier als Bezugsmaterial hat eine schöne, natürliche Papieroberfläche. Es ist robuster als Bilderdruckpapier, muss nicht folienkaschiert werden, und man kann es problemlos im Offsetdruck bedrucken oder prägen. Es gibt durchgefärbte Naturpapiere auch mit einer Effektlackierung oder Beschichtung, so lassen sich zum Beispiel Glanz- oder Glitzereffekte erzielen.

Thermoreaktives Naturpapier reagiert durch die Beimischung von Kunststofffasern auf Hitze und Druck. 384 So lassen sich zum Beispiel mit einer *Blindprägung* interessante Farbeffekte auf dem Papier erzielen – die geprägten Bereiche werden dann dunkler als die ungeprägten. Thermoreaktives Papier gibt es auch mit verschiedenen Strukturen.

Beschichtetes Papier ist in der Regel ein mit Latex beschichtetes und mit PU oder Acryl versiegeltes Offsetpapier. Durch die Beschichtung ist es besonders robust und schmutzbeständig, je nach Material entstehen dabei sehr interessante, weiche Oberflächen. Beschichtetes Papier lässt sich im Offsetdruck oder Siebdruck bedrucken, man kann es aber auch prägen.

Neben den hier aufgezählten gibt es noch verschiedene handwerklich hergestellte oder bearbeitete Papiere wie Buntpapier, Kleisterpapier, Knitterpapier, Öltunkpapier oder Marmorpapier, die in der Handbuchbinderei als Bezugsmaterialien verwendet werden.

↯ Farbige Papiere, aber auch viele Gewebe sind nur bedingt lichtecht und können ausbleichen. Angaben dazu findet man in der Wollskala.

369

Bezugsmaterialien mit Gewebeoberfläche

Gewebe ist ein Oberbegriff für textile Bezugsmaterialien aus unterschiedlichen Rohstoffen wie Baumwolle, Leinen, Zellwolle und Gemischen dieser Materialien, die stets auf einen Papierträger aufkaschiert werden.

Normalerweise sind Gewebe deckend, es gibt allerdings auch sehr dünne Gewebe, bei denen die oft andersfarbigen Trägermaterialien durchscheinen. So können interessante Duotone-Effekte entstehen. Gewebe haben unterschiedliche Strukturen, und man kann sie appretieren oder beschichten – so wird ihre Oberfläche glatter, fester und widerstandsfähiger, möglich sind matte oder glänzende Oberflächen.

377 Man kann Gewebe bedrucken und mit *Veredelungs-*
384 *techniken* wie einer *Heißfolienprägung* versehen, allerdings hängt das Ergebnis davon ab, wie fein bzw. grob der Faden ist: Nur fein strukturierte Gewebe eignen sich beispielsweise für Offsetdruck und Prägungen, mit Siebdruck lassen sich auch gröber strukturierte Gewebe bedrucken.

Gewebe mit offener Oberfläche: Weniger stark appretierte Gewebe haben eine offene Oberfläche, ihre Struktur lässt sich gut erkennen, sie sind aber auch empfindlicher als stark appretierte Gewebe. Es gibt Gewebe von fein (Feingewebe) bis grob (Rips), mit matter (Mattgewebe) oder eher glänzender Oberfläche (Glanzgewebe). Am häufigsten werden Gewebe aus Baumwolle oder Viskose angeboten, selten auch welche aus Seide oder Rohseide, die sehr empfindlich und teuer sind. Viskose-Gewebe haben eine sehr gleichmäßige Oberfläche, was zum Beispiel das Prägen einfacher macht.

Gewebe mit geschlossener Oberfläche: Eine beidseitig eingewalzte Appretur oder Beschichtung schließt die Zwischenräume zwischen den Fäden, die Struktur ist dann weniger deutlich – und oft glättet man die Gewebe noch zusätzlich. So werden die Gewebe widerstandsfähiger. Stark appretierte Gewebe sind zum Beispiel Kaliko, Buckram, Bibliotheksgewebe und Recordleinen (aus Baumwolle) oder Büchertuch (aus Baumwolle und Leinen).

✔ Mit einer Blindprägung vor dem Folienprägen kann man bei grobem Mattgewebe das Druckbild verbessern.

Bezugsmaterialien mit Acryloberfläche

Bezugsmaterialien mit Acryloberfläche haben einen Papier- oder Vliesträger. Acryl ist härter als die meisten anderen Bezugsmaterialien, sehr robust, abwischbar und kratzunempfindlich. Es gibt Acryloberflächen in matt und glänzend, mit verschiedenen Prägungen und Strukturen. Sie lassen sich im Offset- und Siebdruck bedrucken und *prägen*.

384

Bezugsmaterialien aus Lederfaserstoff

Lederfaserstoffe werden aus Lederfasern, einem Abfallprodukt der lederverarbeitenden Industrie, und Bindemittel hergestellt. Sie haben einen sehr hohen Lederanteil und riechen auch stark danach. Es gibt sie beispielsweise mit einer etwas weicheren Oberflächenbeschichtung aus Polyurethan oder einer härteren aus Acryl. Lederfaserstoffe sind insofern umweltfreundlich, als sie aus Abfallstoffen gemacht sind, allerdings lassen sie sich nicht noch mal verarbeiten.

Bezugsmaterialien aus Kunstleder

Kunstleder ist ein sehr vager Begriff, der wenig über das eigentliche Material aussagt: Es kann eine PU-, eine PVC- oder Gewebebasis haben. Alle Kunstleder haben gemeinsam, dass sie ziemlich voluminös sind – was sich insbesondere an umgeschlagenen Ecken bemerkbar macht und die weitere Verarbeitung erschweren kann.

Kunstleder mit PU-Oberfläche: PU-Oberfläche (Polyurethan) hat einen Papier- oder Vliesträger und erinnert leicht an Haut, sie fühlt sich weich, warm und samtig an. PU-Überzüge sind robust und abwischbar, allerdings auch kratzempfindlich. Sie lassen sich im Siebdruck bedrucken oder mit Prägungen versehen.

Kunstleder aus PVC: PVC ist zwar ein sehr günstiges Bezugsmaterial, aber trotzdem nicht unbedingt zu empfehlen, weil es eine schlechte Umweltbilanz hat. PU und Acryl sind bessere Alternativen.

Kunstleder auf Gewebebasis: In der Luxusuhren-industrie hat man für Verpackungen verschiedene Hightech-Gewebe mit einer sehr speziellen Haptik entwickelt: Sie können sich zum Beispiel wie Leder anfühlen, wie kurzes Fell oder wie Samt. Kunstleder auf Gewebebasis lassen sich nur schwer maschinell verarbeiten, unter anderem weil sie sich bei der Verarbeitung dehnen. Man kann sie in der Regel mit einer *Folienprägung* veredeln. [384]

Bezugsmaterialien aus Tierhaut

Die ältesten und auch wertvollsten Bucheinbände sind aus Tierhaut. Man unterscheidet Leder und Pergament, das jeweils mit unterschiedlichen Verfahren aus Tierhaut gewonnen wird. Damit bindet man heute vor allem wertvolle Buchausgaben, die lange halten sollen, etwa Bibeln, Nachschlagewerke und Gästebücher.

Leder: Hier wird nur die mittlere Schicht der Tierhaut, die sogenannte Lederschicht, verwendet. Sie wird nor-malerweise gegerbt, bevor man sie in der Buchbinderei einsetzen kann. Man nimmt dafür unterschiedliche Ledersorten wie Ziegenleder, Schafsleder, Rindsleder, Schweinsleder oder Rauleder.

Pergament: Pergament ist noch zäher und widerstands-fähiger als Leder. Es kommt heute nur noch in der Handbuchbinderei zum Einsatz. Pergament wird nicht gegerbt, sondern durch Spannen, Schaben und Trocknen hergestellt. Verwendet werden unterschied-liche Sorten wie Ziegen- oder Kalbspergament.

Broschurumschläge

Für Broschurumschläge kann man das gleiche Papier nehmen wie für den Inhalt, es sollte nur stärker sein. Allerdings sind solche Papiere oft nicht robust genug und müssen *folienkaschiert* oder *lackiert* werden. Es gibt auch *langfaserigen* Umschlagkarton mit matter oder glänzender Oberfläche (Chromokarton), der sich sehr gut als Broschurumschlag eignet und sich im Offsetdruck bedrucken lässt. Durchgefärbte,

360 langfaserige *Naturpapiere* kann man ebenfalls verwenden, sofern sie die richtige Grammatur haben – sie benötigen keinen weiteren Schutz. Fast alle Bezugspapiere lassen sich auch als Umschlagpapier für eine Broschur nutzen, wenn der Buchbinder sie auf einen stärkeren Karton aufkaschiert.

Schutzumschläge

Schutzumschläge dienen dazu, Bücher vor Verschmutzung und Abnutzung zu bewahren. Sie werden üblicherweise bedruckt, laminiert oder lackiert und maschinell um die fertig produzierten Bücher gelegt. Auf den Klappen der Schutzumschläge lassen sich Informationen wie der Klappentext unterbringen. Ein verkürzter Schutzumschlag kann eine gestalterisch reizvolle Idee sein, um unterschiedliche Materialien auf dem Buchcover sichtbar zu machen. Auch gefaltete Poster kann man als Schutzumschlag verwenden, man kann sie in der ganzen Höhe des Buches einbinden oder so, dass sie nur einen Teil des Covers verdecken. Der sogenannte amerikanische Schutzumschlag ist – damit er nicht so leicht einreißt – oben und unten nochmals eingefaltet.

Banderolen

Eine Banderole ist ein schmaler Streifen aus Papier oder Folie, den man um ein Buch oder eine Broschur herumlegen kann, um noch eine weitere Informationsebene und Materialität hinzuzufügen. Sie kann bedruckt sein und mit dem Umschlagmotiv korrespondieren. Eine zugeklebte Banderolen zeigt, dass das Buch noch nicht anderweitig genutzt wurde.

Kapitalband

Das Kapitalband ist ein gewebtes Bändchen, das die obere und untere Kante des Buchblockrückens verdeckt und vor Staub schützt. Es wird an den Rücken angeklebt und lässt sich farblich auf die Gestaltung des Buches abstimmen.

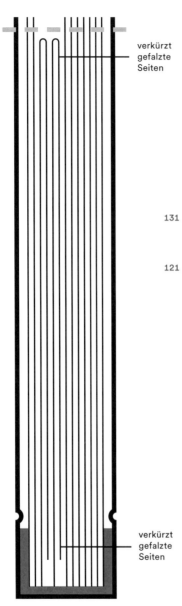

verkürzt
gefalzte
Seiten

verkürzt
gefalzte
Seiten

Ausklapper bekommen
beim Benutzen eines
Buches oft Knicke und
Eselsohren.

Klapptafeln, Ausklapper, Ausfalter, Faltseiten

Bei vielen Bindetechniken ist es möglich, gefaltete Seiten in einem breiteren Format einzubinden, sogenannte Falttafeln. Auf diese Weise lassen sich zum Beispiel großformatige Fotos auf einer durchgehenden Seite abbilden. Man sollte dabei allerdings die Dramaturgie des Buches im Auge behalten: Ausklapper sollten immer so konzipiert sein, dass sie einen visuellen Anreiz bieten, wenn man sie aufklappt – sonst werden sie einfach überblättert.

Ausklapper können als Parallelfalze nach links oder nach rechts aufgehen oder als Wickelfalz gefalzt werden. Man kann sie bei *Einzelblattbindungen*, einer *seitlichen Klammer- und Fadenheftung* oder bei einer Klebebindung von Einzelblättern einfach mit einbinden. Das Gleiche gilt für einlagige Bindungen wie *Klammer- oder Fadenrückstichheftung*.
Bei einer Fadenheftung steckt man die Ausklapper entweder in die Mitte eines Falzbogens ein und heftet sie mit oder man klebt sie auf die Vorderseite oder in die Mitte eines Hefts – beides ist relativ aufwendig, und es kann sein, dass auch händische Arbeitsschritte notwendig sind.
Material und Papierstärke eines Ausklappers sollte man am besten frühzeitig mit dem Buchbinder absprechen, denn nicht jedes Material eignet sich für jede Bindetechnik oder lässt sich zusammen mit den anderen verwendeten Materialien binden. Zum Beispiel können zu steife Papiere bei einer Klebebindung andere Seiten aushebeln. Am einfachsten ist ein Ausklapper aus dem gleichen Papier wie der Inhalt, der mit den anderen Druckbogen gedruckt und verarbeitet wird.

Ausklapper müssen bei allen Bindetechniken so angelegt sein, dass sie am Vorderschnitt etwa 2–3 mm kürzer sind als die anderen Seiten – sonst würde man sie beim Endschnitt des Buches aufschneiden. Auch auf der *Bundseite* sollte die eingeklappte Seite mindestens 10 mm kürzer sein, damit sie nicht gegen die gegenüberliegende Seite stößt und man sie leichter auffalten kann.

210
131 191
121 181
394

Veredelungstechniken

Es gibt unterschiedliche Gründe, warum bei der Ausstattung eines Buches Veredelungen eingesetzt werden: Sie schützen das Buch und sorgen dafür, 381 dass es länger hält (zum Beispiel *Lackierungen* und 378 *Laminierungen*), sie betonen das Buch stärker als 384 Objekt (zum Beispiel *Präge- oder Stanztechniken*), 383 sprechen den Tastsinn an (zum Beispiel *Struktur-,* 383 380 *Relieflacke oder Strukturfolienkaschierung*) oder lassen es besonders hochwertig erscheinen (zum Beispiel Schnittveredelungen).

Schnittveredelung (Schnittverzierung)

Das Färben oder Vergolden des Buchschnitts geht auf die sogenannten Schnitttitel zurück: Im 15. Jahrhundert schrieb man den Titel des Buches auf den Vorderschnitt und stellte das Buch mit der Schnittfläche nach vorne ins Regal, damit der Titel zu lesen war; die Schnittfläche färbte man ein und verzierte sie mit Stempeln oder Malereien. Später wurden die Bücher mit dem Rücken zum Betrachter aufgestellt, und der Schnitttitel verlor seine Notwendigkeit. Allerdings setzte man Schnittverzierungen nach wie vor auf dem Kopfschnitt, der oberen Kante eines Buches, ein, um es vor Staub und Licht zu schützen.

Heute sind Schnittveredelungen – Farbschnitte, Folienschnitte oder bedruckte Schnitte – vor allem ein Gestaltungsmittel. Man kann einem Buch mit einer dreiseitigen Schnittfärbung einen stärker objekthaften Charakter geben – und zum Beispiel ein Motiv oder eine Farbe vom Cover aufnehmen und weiterführen. Für eine Schnittveredelung wird der Buchschnitt zusammengepresst und abgeschliffen. So entsteht eine glatte Schnittoberfläche, auf die man dann die Folie oder Farbe aufbringen kann.

Farbschnitt: Der Farbschnitt ist die Schnittveredelung, die am häufigsten eingesetzt wird. In der maschinellen Verarbeitung wird die Farbe mit einer Walze oder Spritzpistole aufgetragen, man kann es aber auch mit einem Schwamm oder Pinsel machen; möglich sind alle

⚡ Helle Schnittfarben überdecken oft nicht vollständig randabfallende Bilder, was den Eindruck des Farbschnitts sehr stören kann.

Sonderfarben, auch Metallic- oder Leuchtfarben. Ein UV-Farbschnitt hat den Vorteil, dass die unter UV-Licht aushärtende Farbe sehr gleichmäßig verteilt wird, nicht in den Buchblock einläuft und der Block sich sofort weiterverarbeiten lässt. Ein UV-Farbschnitt hält auch auf beschichteten und lackierten Papieren.

Folienschnitt (Goldschnitt, Silberschnitt): Der »echte« Goldschnitt, also das Vergolden des Buchschnitts, wird von Hand gemacht und ist entsprechend teuer und zeitaufwendig. Eine günstige Alternative ist der Folienschnitt, der maschinell aufgetragen wird: Dafür presst man den Buchblock zusammen und überträgt mit einer heißen Silikonwalze die Transferschicht der Folie darauf. Beim ersten Blättern des Buches scheinen die Seiten zusammenzukleben, die Folie reißt aber sehr leicht auf. Neben Gold- und Silberfolie gibt es auch metallische Farben und Diffraktionsfolien. Folienschnitte lassen sich auch prägen, diese Technik nennt man Punzierung.

Bedruckter Schnitt: Buchschnitte kann man auch mit einem Motiv bedrucken, etwa Typografie, Muster oder Bildmotive. Früher wurde das im Tampondruck gemacht, heute druckt man hauptsächlich im Inkjetdruck.

Schnitt durch Bedrucken der Seiten: Mit einer durchgängigen randabfallenden Bedruckung der einzelnen Seiten lässt sich der Schnitt ebenfalls gestalten. So kann man je nach Stärke des Buches Muster, Typografie oder sogar Bilder auf dem Schnitt erzeugen. Der Nachteil ist, dass jede Seite des Buches die Bedruckung im Layout enthalten muss, was sehr dominant sein kann.

Folienkaschierung

Eine Folienkaschierung schützt die Oberfläche eines Buches vor Abrieb, Verschmutzung und Kratzern und verlängert so seine Lebensdauer. Folienkaschierte Papiere sind reißfest, und man kann sie nuten und falzen. Ebenso lassen sie sich mit gängigen Veredelungen wie Lackierungen oder Prägefoliendruck kombinieren. Die Folie verändert die Oberfläche, die

⚡ Folien, die nicht im Standardsortiment sind, muss man eigens anfertigen lassen, dafür gibt es hohe Mindestabnahmemengen.

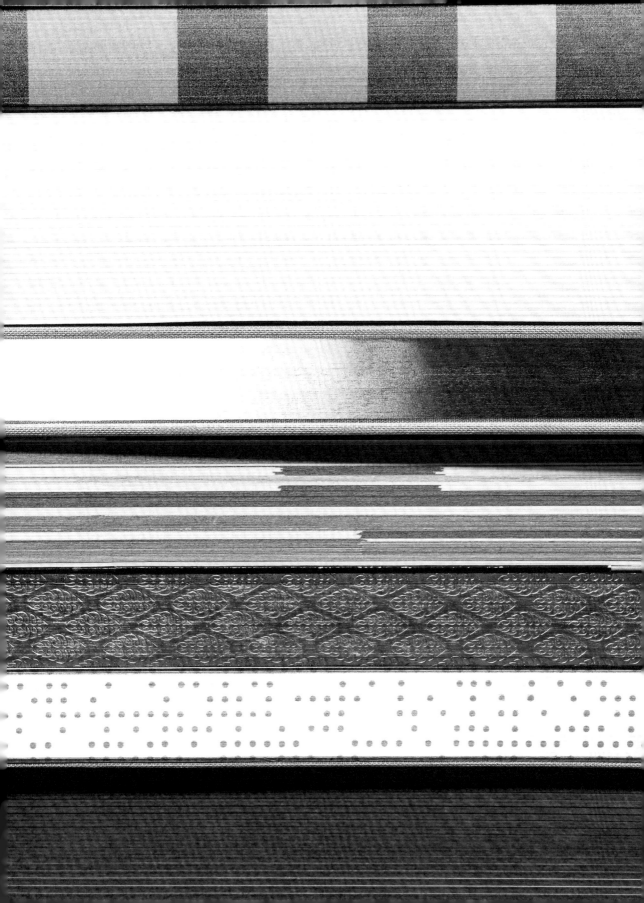

Haptik und auch die Farbigkeit des Offsetdrucks. Eine Folienkaschierung ist immer nur auf ganzen Bogen möglich, gestalterische Details lassen sich nicht aussparen.
Es werden verschiedene Folienarten angeboten:

Folienkaschierung matt, glänzend: Die Folienkaschierung in matt und glänzend wird sehr häufig für Buchumschläge eingesetzt. Sie verändert die Wirkung der darunterliegenden Druckfarben bzw. des Materials: Eine Mattfolienkaschierung schwächt die Druckfarben ab, eine Glanzfolienkaschierung intensiviert die darunterliegenden Farben. Die unterschiedliche Wirkung sollte man deshalb vorher testen, einen ersten Eindruck kann man sich mit einem matten oder glänzenden Tesafilm verschaffen. Mit Matt- oder Glanzfolie lassen sich sowohl gestrichene als auch ungestrichene Papiere kaschieren – bei ungestrichenen Papieren kann sich jedoch die Struktur des Papiers auf der Folie abzeichnen. Ein Effekt, der interessant sein kann, den man aber auf jeden Fall berücksichtigen muss.

Folienkaschierung Struktur (Forchheimfolie, Strukturfolienkaschierung): Strukturierte Folien schützen am besten vor Schmutz, Kratzern und Abrieb, man verwendet sie vor allem für häufig benutzte Bücher wie Lexika und Schulbücher. Es gibt sie mit unterschiedlichen Oberflächenstrukturen, entweder sind sie bereits ab Werk vorstrukturiert oder sie werden erst nach dem Kaschieren mit einer Walze geprägt. Eine strukturierte Folienkaschierung schwächt die Wirkung darunterliegender Druckfarben und Materialien ab oder intensiviert sie, je nachdem ob sie matt oder glänzend ist. Tests sind deshalb unbedingt zu empfehlen.

Folienkaschierung Metallic (Silberfolienkaschierung, Goldfolienkaschierung, Diffraktionsfolien, Effektfolien): Es gibt Metallic-Kaschierfolien in Gold, Silber, metallischen Farben, mit Perlmutteffekt oder auch mit einem sogenannten Diffraktionseffekt. Sie lassen sich nach dem Kaschieren im Sieb- oder Offsetdruck bedrucken, allerdings scheint dabei immer die Farbe der Folie durch; ein Weiß ist zum Beispiel gar nicht möglich, auf einer Metallicfolie hat es einen Grauwert von etwa 40 Prozent. Auch Schwarztöne sollte man möglichst in 4c anlegen, damit sie nicht zu flau werden. Metallicfolien sind nicht kratz- und scheuerfest und sollten deshalb entweder mit einer Glanzfolie kaschiert oder lackiert werden.

Lackierung

Das Lackieren ist neben der Folienkaschierung die Veredelungstechnik, die bei Büchern am häufigsten eingesetzt wird. Lack schützt die Oberflächen, wenn man ihn vollflächig aufträgt, er kann aber auch – partiell aufgetragen – ein gestalterisches Mittel sein. Ähnlich wie eine Folienkaschierung verändert Lack die Wirkung der darunterliegenden Druckfarben und Materialien: Glänzender Lack lässt Farben intensiver strahlen, matter Lack lässt sie etwas zurücktreten. Lack kann man problemlos auf die meisten Materialien drucken. Man unterscheidet zwischen Drucklacken, Mattpasten auf Ölbasis, wässrigen Dispersionslacken und strahlungshärtenden UV-Lacken.

Drucklacke, Öl-Glanzdrucklacke und Mattlacke werden in der Offsetdruckmaschine wie eine weitere Farbe aufgebracht. Sie erhöhen die Abriebfestigkeit und bieten einen leichten Feuchtigkeitsschutz. Weil die lackierten Bogen zum Verkleben neigen, wird üblicherweise ein Pulver verteilt, das vor allem auf dunklen Flächen unangenehm auffallen kann.

Dispersionslack wird ebenfalls in der Druckmaschine aufgebracht, er trocknet schnell und wird standardmäßig vollflächig gedruckt, um den *Bedruckstoff* vor dem Vergilben zu schützen.

UV-Lack wird in speziellen Lackwerken, in der Druckmaschine oder im Siebdruck gedruckt und trocknet unter UV-Strahlung innerhalb von Sekunden. So kann man die Druckbogen sofort nach dem Lackieren weiterverarbeiten, ohne dass sie Farbe ablegen oder scheuern. UV-Lacke können sehr matt oder hochglänzend sein.

 Bei vollflächigen Lackierungen besteht die Gefahr, dass durch das Dehnen des Kartons an den Rillen die Farbe bricht.

Öllack neigt zum Vergilben.

391

381

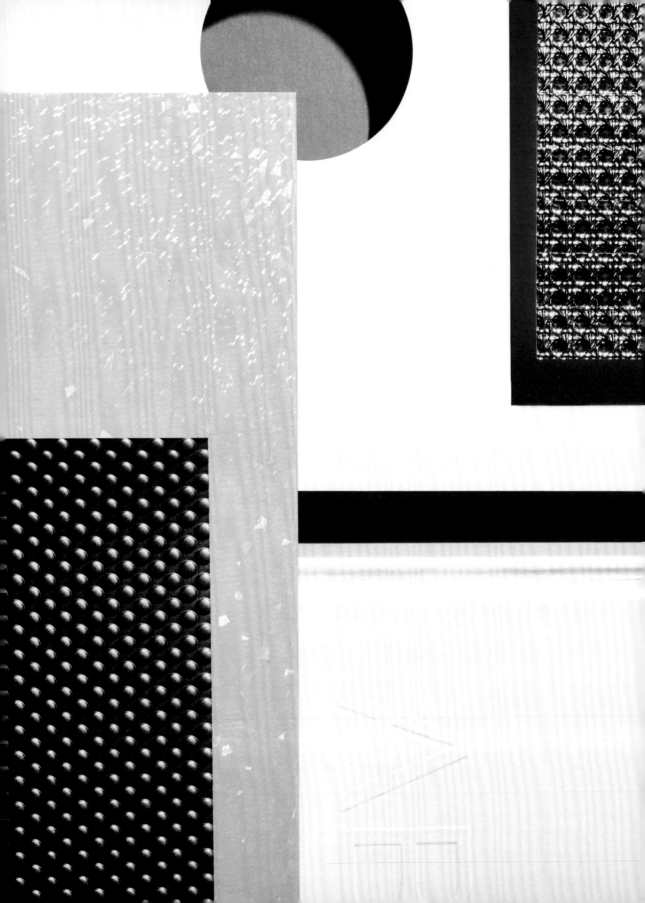

Das Drip-Off-Verfahren ist ein zweistufiges *Inline*-Offsetdruckverfahren, mit dem man Matt-Glanz-Kontraste erzeugen kann: Ein Öldruck-Mattlack wird auf die Stellen aufgebracht, die matt erscheinen sollen, dann ein hochglänzender Dispersionslack vollflächig darübergedruckt. Weil die beiden Lacke sich abstoßen, perlt der Dispersionslack an den matten Stellen ab.

Das Hybridverfahren ist vergleichbar mit dem Drip-Off-Verfahren, hat aber einen noch stärkeren Effekt: Auch hier bringt man einen Öldruck-Mattlack auf die Stellen auf, die matt erscheinen sollen, druckt dann aber einen UV-Hochglanzlack vollflächig darüber. Die beiden Lacke stoßen sich ab, und über dem Mattlack entsteht eine granulatartige Oberfläche.

Soft-Touch-Lack hat eine weiche, samtige Oberfläche. Er lässt sich im Offsetdruck oder im Siebdruck drucken, wobei man im Siebdruck eine höhere Schichtdicke und damit einen stärkeren Effekt erzielt. Soft-Touch-Lack ist relativ kratzempfindlich und schluckt viel Licht.

Strukturlack ist ein UV-Lack mit beigemengten Partikeln, der bestimmte Strukturen bildet. Er wird im Siebdruck aufgetragen, ist lasierend und farblos, lässt sich aber mit Pigmenten einfärben.

Relieflack ist ein hochauftragender UV-Lack, mit dem man Motive dreidimensional hervorheben kann. Er wird im Siebdruck gedruckt, ist lasierend und farblos, lässt sich aber mit Pigmenten einfärben.

Effektpigmentlack (Effektlack, Effektfarbe, Iriodin, Interferenzfarbe, Perlmutteffektlack, Metallglanzfarbe) ist ein Lack mit beigemengten Effektpigmenten, die durch die Lichtbrechung an der Oberfläche unterschiedlich schimmern oder Interferenzen auslösen. Effektpigmentlack kann man im Offsetdruck und im Siebdruck drucken. Manche der Effektpigmente lassen sich nicht kopieren und werden deshalb zum Beispiel auf Banknoten als Sicherheitsmerkmale eingesetzt.

Glitterlack ist ein UV-Lack mit beigemengten Glitterpartikeln, der im Siebdruck aufgebracht wird. Je nach Menge und Größe der Glitterpartikel fällt er eher

Grober Strukturlack auf einem Buchcover kann auf andere Bücher abreiben und sie beschädigen.

383

deckend oder durchscheinend aus. Wer Buchcover damit bedrucken will, sollte daran denken, dass grober Glitterlack leicht auf andere Bücher abreibt.

Duftlack enthält mikroverkapselte Duftstoffe, die freigesetzt werden, wenn man daran reibt. Der Effekt lässt sich mehrmals wiederholen, weil immer nur wenige Duftkapseln aufplatzen. Der Duftlack wird als letzte Schicht entweder im Offsetdruck oder im Siebdruck aufgebracht. Es gibt eine große Auswahl an Standarddüften, ein individuell angemischter Duft ist relativ teuer.

Stanzen, Lasercut, Prägen

Stanzen: Mit einem mechanischen Stanzwerkzeug, das auf den Bedruckstoff gepresst wird, lassen sich beliebige Formen ausschneiden. Die darunterliegende Fläche, die dadurch sichtbar wird, sollte man immer mit einbeziehen. Wenn Innenflächen von geschlossenen Formen (zum Beispiel Punzen) nicht herausfallen sollen, muss man verbindende Stege anlegen. Manchmal kommt es beim Stanzen zu Einkerbungen am gestanzten Motiv, weil die Stanzmesser in den Ecken keinen exakt rechten Winkel bilden können. Für filigrane Motive eignet sich Lasercut besser als eine Stanzung.

Lasercut: Lasercut ist eine digital gesteuerte Schneidetechnik, mit der man ausgehend von Vektordaten filigrane Motive ausschneiden kann. Das Verfahren kommt schon für kleine Auflagen infrage, weil keine aufwendige Stanzform hergestellt werden muss. Lasercut ist ab einer Auflage von einem Stück möglich, wegen der vielen händischen Arbeitsschritte bei höheren Auflagen allerdings teuer.

Perforation, Schlitzstanzung, Lochstanzung und Mikroperforation sind spezielle Formen der Stanzung, die oft funktionell eingesetzt werden, damit sich zum Beispiel Teile einer Drucksache abtrennen lassen.

Prägen: Beim Prägen verformt man den Bedruckstoff durch Hitze und Druck, und dabei kann man gleichzeitig auch eine Folie übertragen. So funktionieren der

⚡ Bei Duftlacken muss man berücksichtigen, dass Düfte schwieriger zu definieren sind als zum Beispiel Farben – jeder interpretiert einen Duft anders und hat andere Assoziationen dazu.

⚡ Beim Lasern können auf der Rückseite des Papiers Schmauchspuren auftreten – feine braun verfärbte Ränder, die man bei der Gestaltung berücksichtigen sollte.

Struktur-Prägefoliendruck und der Relief-Prägefolien-druck. Eine Blindprägung hingegen ist eine Prägung, ohne dass eine Folie übertragen wird. Von einem Plan-Prägefoliendruck spricht man, wenn nur eine Folie übertragen, der Bedruckstoff aber nicht verformt wird.

Microembossing: Microembossing ist eine Prägetechnik, bei der nur die Folie, nicht aber der Bedruckstoff verformt wird. Dabei entstehen sehr feine Strukturen, an denen sich das Licht effektvoll bricht.

Kaltfolientransfer: Kaltfolien werden mit einem Kleber im Kaltfolienwerk der Offsetdruckmaschine aufgebracht. Sie lassen sich passgenau drucken, auch feine Strukturen und Rasterungen sind möglich. Die kaschierten Folien sind plan, das heißt, an den Umrissen der Folienelemente ist keine Kante zu spüren.

Papiergravur: Mit einem Laser kann man ausgehend von Vektordaten filigrane Motive in einen Bedruckstoff eingravieren. Der Laser brennt die Oberfläche unterschiedlich tief aus, was eine starke haptische Wirkung hat. Papiere mit unterschiedlich farbigen Schichten ergeben interessante Kontrasteffekte. Die Papiergravur ist ab einer Auflage von einem Stück möglich, höhere Auflagen sind allerdings oft sehr teuer, weil die Produktion – je nach Motiv – sehr zeitaufwendig ist und auch einige händische Schritte notwendig sind.

Registerstanzung: Publikationen wie Fachwörterbücher oder Tabellenbücher werden jeweils versetzt am Vorderschnitt gestanzt, damit man einzelne Kapitel oder Buchstaben schneller und leichter findet. Gestanzt wird dabei der bereits fertige Buch- oder Broschurblock. Registerstanzungen gibt es in unterschiedlichen Ausführungen wie Daumenregister, Formschnitt, Treppenschnitt oder Schuppenschnitt.

Zeichenband (Leseband)

Das Zeichenband ist ein schmales Stoffband, das üblicherweise an die obere Kante des Buchrückens geklebt wird und als Lesezeichen dient – je nach Bindetechnik befestigt man es auch an anderen Stellen. Früher waren die Zeichenbänder aus Seide, heute sind sie überwiegend aus Rayon. Man kann sie farblich auf die Gestaltung des Buches abstimmen.

Runden des Rückens

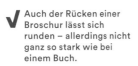

Auch der Rücken einer Broschur lässt sich runden – allerdings nicht ganz so stark wie bei einem Buch.

Beim Runden des Buchrückens werden die einzelnen
406 Blätter oder *Lagen* so gegeneinander verschoben, dass der Rücken eine leicht konvexe Wölbung bekommt – und sich entsprechend der Vorderschnitt leicht nach innen wölbt. Die Rundung macht das Buch stabiler, und gerade stärkere Bücher lassen sich auf diese Weise besser aufschlagen. Außerdem vermindert sie die
412 *Rückensteigung*, denn die Fäden einer Fadenheftung liegen dann nicht mehr übereinander, sondern etwas versetzt. Eine Rundung des Rückens ist vor allem bei stärkeren Büchern zu empfehlen, damit sich der Rücken beim Blättern nicht mit der Zeit nach innen wölbt und an Stabilität verliert.
Wenn man trotz eines gerundeten Rückens einen geraden Vorderschnitt haben möchte, muss man das Buch nach dem Runden noch einmal beschneiden – ein zusätzlicher Arbeitsschritt, der entsprechend mehr kostet.

Ecken abrunden

Die Ecken eines Produkts werden gestanzt, um sie abzurunden: Bei einer Broschur stanzt man das fertige Produkt im Ganzen, also Umschlag und Innenteil, bei einem Buch stanzt man Buchdecke und Buchblock einzeln und hängt den Block dann in die Decke ein. Die runden Ecken von bezogenen Buchdecken lassen sich einschlagen, indem man den Bezug vorher sternförmig einschneidet.

Glossar

A

Abgerundete Ecken — 16, 386
Die Ecken eines Buches oder einer Broschur
werden gestanzt, um sie abzurunden:
Bei einer Broschur stanzt man das fertige
Produkt im Ganzen, also Umschlag und
Innenteil, bei einem Buch werden Buch-
decke und Buchblock einzeln gestanzt,
bevor man den Block in die Decke einhängt.

Ableimen — 173
Um einen fadengehefteten Buchblock
noch fester zu machen, bestreicht
man den Rücken zusätzlich mit Leim.

Ablegen — 55, 360
Das Abfärben von frischer Druckfarbe auf
die Rückseite des darüberliegenden Bogens
– passieren kann das insbesondere bei
weniger saugfähigen Bedruckstoffen.
Wenn man Puder einsetzt, lässt sich das
Ablegen verhindern.

Abpressen — 386
Der Rücken eines Buchblocks wird
maschinell in die richtige Form gebracht,
abgerundet oder gerade.

Abriebfestigkeit — 378 ff.
Die Widerstandsfähigkeit von Oberflächen
gegen mechanische Belastungen wie
Reiben oder Kratzen. Die Abriebfestigkeit
von Druckfarben spielt vor allem beim
Druck von Verpackungen, aber auch
von Buchumschlägen eine wichtige Rolle.
In der Buchherstellung werden Buchcover oft mit einer schützenden Folienkaschierung oder Lack versehen, um die
Abriebfestigkeit zu verbessern.

Achtelbogen — 44
Ein Druckbogen mit zwei Seiten, also
ein Blatt.

Achtseitiger Umschlag
Ein Umschlag besteht normalerweise aus
vier Seiten (es werden jeweils Vorder- und
Rückseite gerechnet) und dem Rücken. Bei
einem achtseitigen Umschlag kommen noch
die Klappen hinzu, die als Lesezeichen oder
für Informationen genutzt werden können.

Aktenheftung
Bindetechnik für einzelne (Akten-)Blätter,
die man von Hand mit einem Faden zusammenheftet. Die Aktenheftung wird heute
nicht mehr eingesetzt, weil man Einzelblätter in der Regel mit Bindesystemen oder
in Ordnern bindet.

Altarfalz — 102 f., 106
Ein Parallelfalz, bei dem man die äußeren
Bogenteile jeweils wie Klappen nach
innen in die Mitte falzt, ohne dass sich die
Seiten überlappen oder aneinanderstoßen.
Der Altarfalz ergibt acht Seiten.

Alterung — 32
Betrifft hier den Zerfall von Papier: Nach
DIN ISO 9706 gelten Papiere als alterungsbeständig, wenn sie aus Zellstoff hergestellt, säure- und holzstofffrei sind und mindestens 2 % Puffersubstanzen enthalten.

Anlegen — 58 ff.
Einzelne Bogen oder Blätter muss man
von Hand in die jeweilige Bearbeitungs-
station von bestimmten halbautomatischen
Buchbindegeräten legen.

Appretieren — 370
Gewebe werden häufig mit einer Masse
aus Kunstharz und Füllstoffen beschichtet,
um sie widerstandsfähiger zu machen –
zum Beispiel Bucheinbandmaterialien.
Durch das Appretieren werden auch die
Zwischenräume zwischen den Fäden
geschlossen, die Gewebestruktur tritt
dann weniger deutlich hervor.

Auflage — 23, 31, 57, 68f., 70ff.
Die Zahl der Exemplare eines Druck-
produkts. Bei einer hohen Auflage sinken
die Druckkosten pro Stück üblicherweise,
nicht unbedingt aber die Kosten für die
Buchbindung – hier hängt es von der jeweiligen Verarbeitung und Bindetechnik ab.

Aufrauen → Rückenbearbeitung

Aufschlagbarkeit → Aufschlagverhalten

Aufschlagverhalten — 22, 39, 257
Beschreibt, wie leicht und wie flach sich
die Seiten eines Buches aufschlagen
lassen. Entscheidend dafür sind sowohl die
Bindetechnik als auch der Umschlag.

Aufstoßen
In der Handbuchbinderei schüttelt man
die zusammengetragenen Buchblöcke
(bzw. die Falzbogen oder Planobogen) vor
dem Schneiden und setzt sie hart auf eine
Fläche auf, um die Kanten gerade aus-
zurichten. In der industriellen Buchbinderei
verwendet man dafür einen Rütteltisch.

Aushänger — 69
Ein auf der Auflagenmaschine bedruckter
Bogen, der dem Kunden vor der weiteren
Verarbeitung zur Freigabe übergeben wird.

Ausreißfestigkeit
Gibt an, wie fest und wie haltbar eine
Bindung ist. Es gibt verschiedene Methoden, die Ausreißfestigkeit zu überprüfen,
zum Beispiel den Pulltest, den Schräg-
zugtest oder den Flextest.

Ausschießen — 43f.
Das druck- und bindegerechte Anordnen
von Seiten auf dem Druckbogen. Während
man im Layout die Seiten nach ihrer Reihenfolge im Buch anlegt, müssen sie auf dem
Druckbogen entsprechend dem Falzschema
und der Größe des Druckbogens so liegen,
dass das gebundene Buch später die richtige
Seitenfolge hat.

Ausstanzen — 211, 218, 222, 230, 251,
384, 386
Papiere und Kartons werden mit einem
scharfkantigen Werkzeug durchstoßen,
um Formen daraus auszuschneiden.
Bei filigranen Motiven muss man die gestanzten Teile oft von Hand herausbrechen.

Ausstattung — 25ff., 30f., 62, 66, 70, 358ff.
Die inneren und äußeren Merkmale
eines Druckerzeugnisses. Dazu gehören
Papier, Einband, Bezugsmaterial, Schnittverzierung, Veredelung, Kapitalband
und Lesebändchen.

B

Banderole — 375
Schmaler Streifen aus zähem Papier oder
Kunststoff, der zum Verschließen von
Verpackungen oder als Teilumschlag von
Büchern und anderen Druckerzeugnissen
verwendet wird.

Bauchbinde → Banderole

Bedruckstoff — 30, 360f.
Bedruckbares Material wie Papier, Karton,
Pappe, Folien etc.

Begazen
Um den Rücken eines Buchblocks noch
fester und steifer zu machen, bringt man
einen Gazestreifen an.

Beihefter
Druckerzeugnis, das fest in ein anderes
Druckerzeugnis eingeheftet wird, etwa in
eine Zeitschrift oder ein Buch.

Beilage — 157
Druckerzeugnis, das einem anderen Druckerzeugnis, etwa einer Zeitschrift oder einem Buch, lose beigelegt wird.

Beleimen
Das Auftragen von Klebstoff.

Beschnitt — 47 ff., 110, 124, 162, 186, 324
Bei randabfallenden Bildern und Flächen muss man im Layout an allen Rändern einen Überstand von etwa 3 mm anlegen, weil es beim Falzen und Weiterverarbeiten immer zu leichten Ungenauigkeiten kommen kann und die Gefahr besteht, dass sonst weiße Ränder stehen bleiben.

Beziehen — 336 ff., 344 ff.
Auf die Buchdecke wird ein Material aufgebracht, der Bezug.

Bezugsmaterial — 242 ff., 342, 345 f., 350, 359, 367 ff.
Zum Beziehen einer Buchdecke kann man unterschiedliche Materialien verwenden, zum Beispiel Papier, Leinen, Acryl oder Lederfaserstoffe.

Bezugspapier — 23, 369
Papiere eignen sich als Bezugsmaterial, wenn sie eine gute Falz- und Zugfestigkeit haben und unempfindlich sind gegen mechanische Belastungen wie Scheuern oder Kratzen.

Bibeldruckpapier — 362
Papier mit einem sehr niedrigen Flächengewicht von 25 bis 50 g/m², das dennoch opak ist und eine hohe Festigkeit hat. Bibeldruckpapier verwendet man für umfangreiche Publikationen wie Wörterbücher, Gesetzessammlungen und Bibeln.

Bibliotheksleinen — 370
Stark appretiertes, unempfindliches Leinenmaterial, das vor allem als Bezugsmaterial von viel benutzten Nachschlagewerken eingesetzt wird.

Bilderdruckpapier — 158, 175, 360, 369
Ein mit einem Bindemittelauftrag (dem sogenannten Strich) veredeltes Papier im mittleren Preissegment. Der Strich schließt die Oberfläche des Papiers und verbessert die Druckqualität.

Binderinge — 15, 225 ff.
Bindesystem für Einzelblätter.

Blindmuster — 53, 58, 61 f., 71, 133, 196
Das unbedruckte Musterexemplar eines Buches, einer Broschur oder eines anderen Druckerzeugnisses. Format, Umfang und Material entsprechen bereits dem späteren Produkt und lassen sich am Blindmuster überprüfen, ebenso die Stärke und das Gewicht.

Blindprägen — 369 f., 385
Das Verformen von Papier mit einem Prägestempel, ohne dass dabei Farbe eingesetzt wird. Motive und Schrift lassen sich erhaben oder vertieft einprägen.

Blitzer — 48 f.
Weiße Stellen im Druckbild oder am Seitenrand, die entstehen können, wenn Farben nicht passgenau übereinandergedruckt werden, wenn man die Überfüllungen nicht richtig einstellt oder randabfallende Motive ohne Anschnitt anlegt.

Block runden → Rücken runden

Blockdrahtheften → Seitliche Klammerheftung

Blockleimen — 146
Eine Bindetechnik, die man zum Beispiel für Schreib- und Notizblöcke einsetzt. Dafür wird Leim mit geringerer Haftkraft

auf die zusammengetragenen Einzelblätter am Kopf- oder Seitenschnitt aufgetragen – einzelne Blätter lassen sich dann später leicht aus dem Block heraustrennen.

Blockstärke — 53, 61
Die Dicke eines Buches oder einer Broschur.

Bogen — 26 ff., 38 f., 42 ff., 63 f., 72, 96 ff.
Ein Papier oder Karton mit einem Mindestformat von DIN A3. Beim Druck spricht man von einem Druckbogen, der 4, 8, 12, 16 oder mehr Seiten umfasst, je nach Größe des Bogens und Format des Druckerzeugnisses.

Bogen einstecken → **Einstecken**

Bogenformat — 26 ff., 46, 55, 97
Papier, Karton oder Pappe ab einem Format von DIN A3.

Bogensignatur — 46, 50
Eine Kontrollnummer auf dem Druckbogen, anhand derer man die Reihenfolge der Seiten überprüfen kann. Sie findet sich auf der ersten und dritten Seite jedes Druckbogens und enthält eine laufende Nummer und den Kurztitel des Projekts.

Books on Demand — 64 ff.
Der computergesteuerte Prozess der standardisierten Buchbindung von Kleinstauflagen.

Breitbahn — 38 f., 69
Die Laufrichtung von Breitbahn-Papieren verläuft parallel zur kurzen Seite.

Broschur — 8, 12 ff., 21 ff., 53 f., 72, 256 ff.
Ein gebundenes Druckerzeugnis mit flexiblem Papier- oder Kartonumschlag – oder ganz ohne Umschlag. Es gibt Einzelblattbroschuren, einlagige und mehrlagige Broschuren.

Broschurblock — 8, 53, 63, 256 ff.
Der aus Blättern oder Falzbogen zusammmengetragene und gebundene Inhalt einer Broschur.

Broschurumschlag — 374
Der flexible Umschlag einer Broschur, der in der Regel aus festerem Papier oder Karton besteht.

Bruch → **Falz**

Buchausstattung → **Ausstattung**

Buchbinderleder — 58, 332 ff., 367 ff., 374
Besonders weiches und dennoch robustes Leder (etwa Ziegenleder), das sich für Bucheinbände eignet.

Buchbinderleinen — 370
Oberbegriff für textile Bezugsmaterialien aus unterschiedlichen Rohstoffen wie Baumwolle, Leinen, Zellwolle und Gemischen dieser Materialien. Buchbinderleinen wird stets auf einen Papierträger aufkaschiert.

Buchbinderpappe — 332, 367
Wird zur Herstellung von Buchdecken verwendet. Sie muss zäh und besonders glatt sein, damit sich keine Unebenheiten auf der Oberfläche abzeichnen.

Buchblock — 10, 63, 73
Der aus Blättern oder Falzbogen zusammmengetragene und gebundene Inhalt eines Buches.

Buchdecke — 11, 12 ff., 55, 63, 72, 332 ff., 367
Der feste Einband eines Buches, der üblicherweise aus Buchbinderpappe oder Karton besteht und mit Papier, Leinen oder Lederfaserstoffen bezogen wird. Es gibt verschiedene Konstruktionen für die Buchdecke: Sie kann ein- oder mehrteilig

sein, je nachdem, aus wie vielen
Komponenten sie sich zusammensetzt.

Buchdeckel — 345 ff., 367
Zuschnitt aus Buchbinderpappe, der
für die Buchdecke verwendet wird.

Buchecken
Um die Kanten von vielbenutzten
Büchern besser zu schützen, kann man
sie mit Metallecken verstärken.

Bucheinband — 332 ff.
Unspezifische Bezeichnung für eine
Buchdecke.

Bucheinbandgewebe → **Buchbinderleinen**

Buchformat — 24 ff., 29 f.
Es gibt eine Reihe klassischer Buchformate
wie Oktav oder Folio, die jedoch nicht
internationalen Normen entsprechen
– in den USA oder China sind andere
Standardbuchformate üblich.

Buchrücken — 11, 39, 53, 332 ff., 386
Die geschlossene Seite des Buches, an
der die Blätter durch eine Bindetechnik
zusammengehalten werden. Häufig wird
der Buchrücken beschriftet.

Buchschnitt — 16, 79, 377 f.
Die drei Seitenflächen des Buchblocks,
an denen sich ein Buch öffnen lässt.
Man unterscheidet den Vorderschnitt
(vorne), den Kopfschnitt (oben) und den
Fußschnitt (unten).

Buchschrauben — 14, 233 ff.
Schrauben aus Metall oder Kunststoff,
mit denen man Einzelblätter binden kann.

Buchstraße — 58
Fertigungsanlage mit mehreren Stationen,
an denen der vorgefertigte Buchblock mit

der Decke verbunden wird. Viele Arbeitsschritte laufen dort in verschiedenen
Stationen automatisch ab, wie etwa das
Einlegen des Zeichenbandes, das Runden
und Abpressen, das Begazen, das Einhängen des Buchblocks in die Buchdecke
und das Einbrennen des Falzes.

Buchumschlag → **Schutzumschlag**

Buckram — 82, 370
Ein Bezugsmaterial aus Baumwolle, das
– ähnlich wie Bibliotheksleinen – stark
appretiert und schmutzabweisend ist.

Bund — 25, 38 f., 50 ff.
Der Falz in der Mitte eines gefalzten
Bogens bzw. eines gebundenen Produkts.

Bunddopplung — 51
Bei Bindetechniken mit hoher Klammer-
wirkung sind über den Bund laufende
Motive oft nicht vollständig zu sehen.
Damit nichts verschluckt wird, sollte man
die betroffenen Bildabschnitte um einige
Millimeter vom Bund wegrücken und den
Bildrahmen zum Bund hin weiter aufziehen.

Bünde → **Heftbünde**

Bundsteg — 51
Der Bereich zwischen Satzspiegel und
Bund. Bei Bindetechniken mit hoher
Klammerwirkung sollte man den Bundsteg
breiter anlegen, damit nicht Teile
des Layouts im Bund verschwinden.

Bundzuwachs — 47, 50, 111, 125, 186, 276
Wenn man gefalzte Bogen zu einer einlagigen Broschur ineinandersteckt,
verschieben sie sich gegenseitig so, dass
die inneren Blätter am Vorderschnitt
weiter herausragen als die äußeren – den
typischen treppenartigen Verlauf nennt
man Bundzuwachs. Man kann das Produkt

dann entweder am Ende beschneiden und wieder auf eine optische Länge bringen oder den Bundzuwachs gestalterisch einbeziehen.

Buntpapier — 369
Durchgefärbtes Naturpapier, das sich auch als Bezugspapier von Buchdecken eignet, wenn es langfaserig und robust genug ist.

Büttenpapier — 362
Ein besonders hochwertiges Papier aus Zellstoff oder Hadern (Stoffresten), das entweder handgeschöpft oder mit einer speziellen Maschine hergestellt wird und keine Laufrichtung hat. Büttenpapier wird zum Beispiel für Geschäftsausstattungen, aber auch als Bezugsmaterial eingesetzt.

C

Chromolux
Markenname für ein gussgestrichenes, hochglänzendes Papier (bzw. Karton), das in der Buch- oder Broschurproduktion als Umschlagmaterial Verwendung findet.

D

Daumenregister — 385
Stufenförmig ausgestanztes Register am Vorderschnitt eines Buches. Die einzelnen Stanzungen werden Kapiteln oder Buchstaben zugeordnet, damit der Leser die gesuchten Stellen schneller findet. Daumenregister werden zum Beispiel bei Fachwörterbüchern oder Tabellenbüchern eingesetzt.

Decke → Buchdecke

Deckelpappe — 329
Material, das für die Herstellung von Buchdeckeln verwendet wird.

DIN-Format — 26 ff.
Die Standardformate für Papier sind in der DIN-Norm DIN 476 festgelegt. DIN A0 ist mit 841 × 1.189 mm, also einem Quadratmeter Fläche, die Grundlage für alle anderen DIN-Formate, die sich ergeben, wenn man den Bogen immer wieder parallel zur Breite halbiert.

Dispersionsklebstoff — 149 ff.
Wird für Klebebindungen verwendet. Dispersionskleber besteht aus Wasser, dem Dispergiermittel und Leimpartikeln, die zusammen einen Klebefilm bilden.

Doppelnutzen → Nutzen

Doppelstromproduktion
Ein Verfahren, mit dem sich Falzmaschinen besser ausnutzen lassen. Wenn man ein Druckprodukt wie etwa einen 8-seitigen Falzbogen mehrfach auf dem Druckbogen platziert, kann man einzelne Falzvorgänge (und damit auch Zeit) sparen. In der Doppelstromproduktion werden die Falzbogen gleichzeitig gefalzt und in der Falzmaschine getrennt, dadurch verringert sich die Zahl der Falzvorgänge.

Dos-à-dos → Z-Broschur/Zwillingsbroschur

Drahtkammbindung — 15, 210 f., 213 ff.
Einzelblattbindeverfahren, bei dem man die gelochten Blätter in einen in Doppelschlaufen gelegten Draht einhängt.

Drahtrückstichheften → Klammerheftung

Dreischneider
Schneidemaschine in der Buchbinderei, mit der man den Endschnitt oben, vorne und am Fuß macht.

Dreiseitenbeschnitt
Bücher und Broschuren beschneidet man normalerweise an drei Seiten – am Kopfschnitt, am Vorderschnitt und am Fußschnitt.

Dreiteilige Buchdecke → Buchdecke

Druckbogen — 26 ff., 42 ff., 69 f., 96 ff.
Großer Papierbogen, der mehrere Seiten oder Falzbogen enthalten kann und nach dem Bedrucken auf das Endformat gefalzt und geschnitten wird. Die Größe des Druckbogens richtet sich nach der Druckmaschine oder dem vorrätigen Papier.

Druckkontrollstreifen — 46, 50
Liegt am Rand des Bogens und enthält verschiedene Farbmess- und Kontrollfelder, mit denen man die Druckqualität visuell und messtechnisch überprüfen kann.

Dummy → Blindmuster

Dünndruckpapier → Bibeldruckpapier

Durchschlagen
Manchmal passiert es, dass Farbe (oder auch Kleber) durch das Papier des Druckbogens dringt und auf der Rückseite sichtbar wird.

E

Ecken abrunden — 386
Die Ecken von Buchblöcken und Buchdecken lassen sich abrunden, indem man sie stanzt. Broschuren stanzt man im Ganzen, bei Büchern den Block und die Buchdecke einzeln.

Eckheftung
Eine Art der Klammerheftung, bei der die Blätter von einer Drahtklammer in der oberen Ecke zusammengehalten werden.

Efalin
Markenname für einen hochwertigen, sich angenehm anfühlenden Karton, den man zum Beispiel als Broschurumschlag, aber auch für Einladungskarten verwenden kann.

Effektfolien — 380
Folien zur Veredelung von Einbänden oder des Buchschnitts gibt es mit unterschiedlichsten Mustern und metallischen und holografischen Effekten. Häufig sind allerdings die Mindestabnahmemengen gerade bei ungewöhnlicheren Mustern sehr hoch.

Effektlacke — 369, 383
Besondere Lacke und Farben, mit denen man zum Beispiel ein Buch- oder Broschurcover gestalten kann. Dazu gehören UV-Lack, Effektpigmentlack oder Glitterlack.

Einband → Bucheinband

Einbandgewebe → Buchbinderleinen

Einbandleder → Buchbinderleder

Einbandmaterial — 70, 367 ff.
Viele unterschiedliche Materialien eignen sich als Einbandmaterialien, von langfaserigen Papieren über Gewebe bis hin zu Tierhaut.

Einbrennfalz — 333 ff.
Ein Falz, der mit einer erhitzten Schiene in den Vorder- und Hinterdeckel eines Buches geprägt wird und als Gelenk dient.

Einbruchbogen
Ein einmal gefalzter Druckbogen mit vier Seiten.

Einfacher Stich — 175

Die gebräuchlichste Heftstichart beim Fadenheften. Die Heftfäden liegen hier in jedem Heft auf der gleichen Höhe.

Einhängemaschine

Buchbindemaschine, die den Buchblock mit der Buchdecke verbindet. Sie ist Bestandteil der Buchstraße, kann aber auch als Einzelmaschine verwendet werden.

Einhängen — 333 ff., 365

Das Einkleben des Buchblocks in die Buchdecke.

Einkerben → Rückenbearbeitung

Einkleben → Vorkleben

Einlagenbroschur — 257, 274 ff.

Eine Broschur aus einem oder mehreren ineinandergesteckten, einmal gefalzten Bogen, die zum Beispiel mit einer Klammerheftung oder Fadenrückstichheftung verbunden sind.

Einrichten → Rüsten

Einschaltblätter

Einzelseiten oder gefalzte Blätter, die in den Buchblock mit eingebunden werden. Sie haben oft ein anderes Format oder sind aus einem anderen Papier als der Buchblock.

Einschrumpfen → Einschweißen

Einschweißen — 69 ff.

Fertige Druckprodukte, etwa Bücher oder Broschuren, werden oft mit einer dünnen Plastikfolie versehen, um sie zu schützen.

Einstecken

Das Sammeln und Ineinanderlegen von Falzbogen zur Herstellung einer einlagigen Broschur.

Einteilige Buchdecke — 336 ff.

Buchdecke aus einem Materialzuschnitt, also einem Stück. Eine Sonderform ist die Buchdecke aus Kunststoff.

Einzelblattbindeverfahren — 142, 210

Alle Bindetechniken, mit denen man Einzelblätter verbinden kann. Dazu gehören die Klebebindung, aber auch Bindesysteme.

Einzelblattbroschur 360 Grad — 260 ff.

Eine Broschur aus Einzelblättern, die zusammen mit einem Umschlag mit Spiralen, Drahtkämmen oder Ringen gebunden wird und besonders beweglich ist.

Elefantenhaut

Markenname für ein Papier, dessen typische Aderung durch Fasereinschlüsse entsteht. Es hat eine kratzfeste Oberfläche.

Englische Broschur — 296 ff.

Broschur mit einem zusätzlichen (Schutz-) Umschlag, der am Rücken angeklebt ist.

Eurobind — 318

Variante der Freirückenbroschur mit fünffach gerilltem Umschlag.

Exlibris

Ein üblicherweise auf den Spiegel des Vorderdeckels geklebter Zettel oder Stempel mit dem Zeichen, Wappen bzw. Namen des Eigentümers des Buches. Exlibris waren oft sehr aufwendig gestaltet.

F

Fächerklebebindung → Lumbecken

Fadendichte — 370

Gibt an, wie grob bzw. fein ein Gewebe ist. Je höher die Fadendichte, desto feiner und undurchsichtiger ist es.

Fadenheftmaschine
Maschine, die automatisch fadenheften kann.

Fadenheftung—7ff., 12f., 171ff.
Bindetechnik, bei der die zusammengetragenen Falzbogen im Rücken mit einem Heftfaden miteinander vernäht werden.

Fadenknotenheftung—181ff.
Eine spezielle Variante der handwerklichen Fadenheftung von einlagigen Broschuren. Sie ist auch als seitliche Heftung möglich.

Fadenrückstichheftung—7ff., 14f., 181ff.
Bindetechnik für einlagige Broschuren, bei der man die ineinandergesteckten Bogen mit einem Faden durch den Falz vernäht. Das Fadenrückstichheften bieten heute nicht mehr viele Buchbindereien an.

Fadensiegeln—7ff., 201ff.
Eine Alternative zur Fadenheftung. Dabei werden kunststoffummantelte Fäden unter Hitze und Druck mit dem Rücken eines Falzbogens versiegelt. Um mehrere Falzbogen fest miteinander zu verbinden, muss der Buchblock noch zusätzlich verleimt werden. Für das Fadensiegeln benötigt man einen speziellen Fadensiegelautomaten, den nur wenige Buchbindereien haben.

Falschbogenkontrolle
An den aufgedruckten Flattermarken kann man beim Zusammentragen überprüfen, ob alle Bogen vorhanden sind und ob sie in der richtigen Reihenfolge gesammelt wurden – das passiert in der Zusammentragmaschine automatisch.

Falz—39f., 43ff., 96ff.
Linie, an der Papier scharfkantig umgebogen ist. Durch mehrmaliges Falzen entsteht aus einem Druckbogen ein Falzbogen.

Falzabweichung
Beim Falzen ergeben sich oft Ungenauigkeiten, die je nach Papiersorte, Beschaffenheit des Papiers, aber auch Falzschema unterschiedlich ausfallen können. Weitgehend vermeiden lässt sich das, wenn man auf eine sehr niedrige Falzgeschwindigkeit umstellt.

Falzbein
Ein Werkzeug, mit dem man Papier von Hand scharfkantig falzen kann.

Falzbogen—43ff., 96ff.
Der einmal oder mehrmals gefalzte Druckbogen.

Fälzel—142, 300ff.
Ein Papier- oder Gewebestreifen, der zur Verstärkung auf den Rücken des Buchblocks aufgeklebt wird.

Fälzelbroschur—300f.
Eine mit einem Fälzel versehene Broschur. Das Fälzel greift hier auf die Vorder- und Rückseite des Broschurblocks über und wird dort mit den Umschlagblättern verklebt.

Falzen → Falz

Falzfestigkeit—32
Gibt an, wie widerstandsfähig ein Papier gegen ungewollte Knicke und Falze ist. Wichtig ist das insbesondere bei Vorsatzpapieren, Bezugsmaterialien, aber zum Beispiel auch bei Banknoten.

Falzkleben—7ff., 155ff.
Bindetechnik, mit der sich Druckerzeugnisse mit wenigen Seiten sehr schnell binden lassen. Dabei werden die einzelnen Teile eines Falzbogens bereits während des Falzens durch eine Leimspur auf den Falzlinien miteinander verklebt. Das Falzkleben

ist vor allem bei einfachen, günstigen Produkten wie Werbebeilagen üblich.

Falzmarke — 46 ff.
Hilfslinie auf dem Druckbogen, an der der Buchbinder erkennt, an welchen Stellen gefalzt werden muss. Bei mehrseitigen Publikationen werden die Falzmarken automatisch mit dem Ausschießprogramm in der Druckerei gesetzt.

Falzschema — 43, 96 ff., 205
Die Reihenfolge der Falze eines Falzbogens in der Falzmaschine.

Falzüberhang → **Rückensteigung**

Falzwiderstand → **Falzfestigkeit**

Farbschnitt — 377
Schnittveredelung mit einer Farbschicht, die auf den Kopf-, Fuß- und Vorderschnitt aufgetragen werden kann und den Buchschnitt vor dem Verschmutzen und Vergilben schützt. In der industriellen Buchbinderei verwendet man dafür Walzen oder Spritzpistolen, früher wurde es mit dem Pinsel oder Schwamm gemacht.

Faserlaufrichtung → **Laufrichtung**

Feingewebe — 370
Bezugsmaterial für Bücher, das eine sehr feine Fadenstruktur hat. Feingewebe lässt sich in der Regel gut bedrucken oder prägen.

Fensterfalz — 106
Ein Parallelfalz, bei dem die äußeren Bogenteile jeweils wie Fensterläden nach innen in die Mitte gefalzt werden, ohne dass sich die Seiten überlappen oder aneinanderstoßen. Der Fensterfalz hat sechs Seiten.

Fertigungsstraße → **Buchstraße**

Festeinband → **Hardcover**

Flächengewicht — 362, 365
Gibt das Gewicht eines Papiers in g/m² an.

Flattermarke — 46 ff.
Kontrollzeichen in Form eines kurzen Balkens, das immer weiter versetzt auf die Rückseite jedes Falzbogens gedruckt wird. So kann man am Rücken eines zusammengetragenen Buchblocks sofort erkennen, ob die Bogen in der richtigen Reihenfolge liegen.

Flexible Buchdecke — 346, 367
Buchdecken können auch flexibel sein, wenn man einen dünnen, flexiblen Karton mit Grammaturen von 200 bis 400 g/m² dafür verwendet. Bücher mit einer solchen flexiblen ein- oder mehrteiligen Buchdecke erinnern an eine Broschur, zeigen jedoch den typischen Überstand der Buchdecke.

Flexstabilbindung
Eine besondere Form der Klebebindung, bei der man nur Viertelbogen verarbeitet, die in der Mitte des Falzes aufgetrennt werden.

Flextest
Eine Methode, um die Festigkeit klebegebundener Buchblöcke zu überprüfen. Der Block wird in eine Maschine eingespannt, und einzelne Blätter werden so lange hin- und herbewegt, bis sie sich aus der Klebebindung lösen.

Fliegender Vorsatz — 365
Die innere Hälfte des Vorsatzblatts, die nicht mit der Buchdecke, sondern nur an einem schmalen Streifen mit dem Buchblock verklebt wird.

Fließstrecke
Zusammenstellung von Buchbindemaschinen – zum Beispiel Zusammentragmaschine, Klebebinder und
Dreimesserautomat –, mit deren Hilfe man
den manuellen Aufwand einer Buchbindung
reduzieren kann.

Folienheißprägen → Prägefoliendruck

Folienkaschierung — 378 ff.
Veredelungstechnik, bei der eine glänzen-
de, matte oder strukturierte Folie auf eine
Buchdecke oder Broschur aufgebracht
wird. Eine Folienkaschierung schützt vor
Abrieb, Feuchtigkeit und Verschmutzung.

Folienprägung → Prägefoliendruck

Folienschnitt — 16, 359, 378
Schnittveredelung mit einer metallischen
oder farbigen Folie, die auf den Kopf-, Fuß-
und Vorderschnitt aufgebracht werden
kann.

Formatbogen → Rohbogen

Franzband
Äußerst aufwendige und hochwertige
Einbandtechnik, die in der handwerklichen
Buchbinderei Anwendung findet. Buch-
decke und Buchblock werden dabei
besonders fest miteinander verbunden.

Französische Broschur — 292 f.
Broschur mit einem zusätzlichen zweiten
Umschlag, der jedoch – im Gegensatz
zur englischen Broschur – nicht am Rücken
festgeklebt, sondern wie ein Schutzumschlag lose umgelegt wird.

Freirückenbroschur — 324 ff.
Eine Broschur, die ein ähnlich gutes Aufschlagverhalten hat wie ein Buch, weil
ihr ein Hohlraum zwischen Rücken und
Umschlag (der freie Rücken) viel Spielraum

beim Blättern gibt – Broschurblock und
Umschlag sind nur seitlich, nicht aber am
Rücken direkt miteinander verbunden.

Froschtasche
Eine buchbinderisch hergestellte
Tasche an einem Papierprodukt, in die
man Einzelblätter einstecken kann.

Fünfteilige Buchdecke — 350 ff.
Besteht aus fünf Teilen, den beiden
Buchdeckeln, der Rückeneinlage,
dem Bezugsmaterial der Pappen und
dem Bezugsmaterial des Rückens.

Fußschnitt — 157, 280
Die Schnittfläche an der unteren Seite
des Buchblocks.

Fußsteg
Der Bereich unterhalb des Satzspiegels.

Futteral → Schuber

G

Ganzband — 346 ff.
Mehrteilige Buchdecke, die mit einem
Material aus einem Stück bezogen ist.
Je nach Bezugsmaterial unterscheidet
man zwischen Ganzgewebeband,
Ganzpapierband, Ganzlederband usw.

Ganzer Bogen — 44, 110 f.
Ein Falzbogen mit 16 Seiten, der durch
einen Dreibruchkreuzfalz entsteht.
Vom ganzen Bogen kann man den halben
Bogen und den Viertelbogen ableiten.

Gaze — 144, 334 ff.
Weitmaschiger Gewebestreifen, mit
dem der Rücken des Buchblocks hinterklebt
wird, um die Festigkeit zu erhöhen.

Gazeheftung → Fälzelbroschur

Gegenkaschieren

Manchmal beklebt man auch die Rückseite eines Materials – zum Beispiel einer Buchdecke –, wenn die Vorderseite bereits kaschiert ist, um die Spannung auszugleichen und Wellenbildung zu verhindern.

Gerundeter Rücken → Rücken runden

Gestrichenes Papier — 31f., 360

Papier, das mit einem glättenden Bindemittel, dem sogenannten Strich, bestrichen wird und so eine geschlossene Oberfläche bekommt. Dadurch lässt es sich besser bedrucken und kann auch feine Details wiedergeben.

Gewebe — 367ff.

Jedes Gewebe besteht aus Längs- und Querfäden. Je nach Feinheit der Fäden unterscheidet man Feingewebe, Mattgewebe, grobes Gewebe etc.

Glanzfolienkaschieren → Folienkaschierung

Goldener Schnitt

Ein klassisches Teilungsverhältnis von Linien oder Flächen, das als besonders harmonisch gilt: Der kleinere Teil verhält sich dabei zum größeren wie der größere Teil zum Ganzen. Das Verhältnis in Zahlen ist 1:1,618, also etwa 5:8.

Goldschnitt — 378

Eine metallische Schnittverzierung, die mit einer Folie auf den Buchschnitt übertragen wird. Ursprünglich wurde der Goldschnitt von Hand mit Blattgold belegt.

Gummibandbindung — 247

Bindetechnik, bei der ein Gummiband die Einzelblätter oder Falzbogen zusammenhält – seitlich oder im Rückenfalz. Die Gummibandbindung eignet sich vor allem für Kleinauflagen, ihre Haltbarkeit ist eingeschränkt.

Grammatur — 36f., 55f.

Maß für das Flächengewicht von Papier, das in g/m² angegeben wird.

Graphitschnitt

Den Buchschnitt kann man auch veredeln, indem man Graphit darauf verreibt – er glänzt dann leicht metallisch.

Graupappe — 367

Aus Altpapier hergestellte Buchbinderpappe.

Greiffalz — 44, 103

Überstehender Bogenteil, an dem die Druck- und Buchbindemaschinen die Falzbogen greifen, transportieren und zusammentragen können. Für den Greiffalz wird der Druckbogen etwas außerhalb der Mitte gefalzt.

H

Hadernpapier → Büttenpapier

Haftfestigkeit

Gibt an, wie fest die geklebte Verbindung zweier Materialien ist. In der Buchbindung ist die Haftfestigkeit essenziell, zum Beispiel bei der Klebebindung und beim Verheiraten von Buchblock und Buchdecke.

Haftkleben

Klebetechnik, für die man einen Klebstoff mit geringerer Haftkraft verwendet. Bei einem Schreibblock zum Beispiel haften die Blätter gut an der Klebefläche, man kann sie aber leicht einzeln heraustrennen oder die Klebefläche selbst rückstandsfrei wieder ablösen.

Halbband — 12 f., 350 f.
Ein Buch, das mit zwei unterschiedlichen Materialien bezogen ist: eines
für die beiden Buchdeckel, ein anderes
für den Rücken. Je nach Bezugsmaterial
unterscheidet man zwischen einem
Halbgewebeband, Halblederband oder
Halbpapierband.

Halber Bogen — 44, 110
Ein achtseitiger Falzbogen. Der ganze
Bogen hat 16 Seiten, der Viertelbogen
(Quartbogen) vier Seiten.

Halbtöne — 360
Die Abstufungen zwischen Schwarz und
Weiß bzw. die unterschiedliche Helligkeit
und Sättigung einer Farbe.

Handbuchbinderei — 57 ff., 369, 374
Buchbinder, der viele Arbeitsschritte von
Hand oder mit mechanischen Geräten wie
Rillmaschinen, Steppheftungsmaschinen
oder Pappschneidern erledigt. Hier kann
man sich Bücher mit Handbuchbindung
in niedrigen Auflagen anfertigen lassen –
oder individuelle Einzelobjekte, die man
industriell gar nicht umsetzen könnte.

Handeinband
Besonders aufwendiger Bucheinband, der
sich zum Beispiel wegen seiner Materialien
(etwa Leder oder Pergament) nur handwerklich herstellen lässt.

Handgeschöpftes Papier — 362
Papier, das nicht so gleichmäßig ist wie
industriell hergestellte Papiere und einen
unregelmäßigen Rand hat – zum Beispiel
Bütten- und Japanpapier. Von Hand
geschöpftes Papier wird vor allem
für besondere Geschäftsausstattungen
oder Einladungskarten verwendet.

Hardcover — 68, 332 ff.
Ein Buch mit einer festen, meist aus
mehreren Teilen bestehenden Buchdecke.

Harmonikafalz → Leporellofalz

Hartpappe — 367
Sehr dichte, steife Pappe, die vor allem
für Schuber und Boxen, aber auch als
Stanz- und Schneideunterlage verwendet
wird. Als Material für Buchdecken wird
Hartpappe nur bei sehr großen Formaten
eingesetzt.

Heft — 122, 182
Mehrere ineinandergesteckte Falzbogen,
die mit einem Faden oder Klammern im Falz
verbunden sind.

Heftbünde — 174
Quer über den Buchrücken laufende
Bänder oder Gewebestreifen, die in der
handwerklichen Buchbinderei eingesetzt
werden, um eine Fadenheftung zu ver-
festigen. Heftbünde fallen unterschiedlich
aus, gelegentlich zeichnen sie sich am
Umschlag ab.

Heftdraht — 121 ff.
Draht aus verkupfertem oder verzinktem
Stahl, der für Heftklammern verwendet
wird.

Heften — 121 ff.
Oberbegriff für verschiedene Bindetechniken, mit denen man Falzbogen und
Einzelblätter verbinden kann. Dazu gehören
die Klammerheftung, die Fadenheftung
und die Spiralbindung.

Heftfaden — 171 ff.
Faden aus Kunst-, Natur- oder Mischfasern,
der bei der Fadenheftung, der seitlichen
Fadenheftung und der Fadenrückstichheftung eingesetzt wird.

Heftgaze → Gaze

Heftmaschine — 175, 184, 187 f., 193 f., 205
Allgemeine Bezeichnung für Maschinen, die Bogen und Blätter mit Faden oder Klammern zusammenheften, zum Beispiel die Fadenheftmaschine und Drahtheftmaschine.

Heftnadeln — 174, 270, 276
Bei der maschinellen Fadenheftung werden drei unterschiedliche Heftnadeln eingesetzt: die Vorstechnadel, die Nähnadel und die Hakennadel.

Heftsticharten — 175
Neben dem gebräuchlichen unversetzten Stich, bei dem die Fäden in jedem Heft auf der gleichen Höhe liegen, kann man bei der Fadenheftung auch den unversetzten Stich verwenden. So lässt sich zum Beispiel bei dünnen Papieren eine hohe Rückensteigung vermeiden.

Heißfolienprägen → **Prägefoliendruck**

Heißkleber → **Hotmelt**

Heißprägefolie → **Prägefolie**

Heißschmelzkleber → **Hotmelt**

Heißsiegeln
Klebetechnik, mit der man thermoplastisch beschichtete Materialien unter Einwirkung von Hitze und Druck fest verbinden kann. Das Heißsiegeln kommt in der buchbinderischen Produktion beispielsweise zum Einsatz, wenn Buchblock und Buchdecke an den Vorsatzblättern miteinander verklebt werden.

Hinterkleben — 142 ff., 204, 314, 334 ff.
Das Verstärken des Blockrückens mit einem Papier- oder Gewebestreifen.

Anders als ein Fälzel greift der Hinterklebestreifen nicht auf die Vorder- und Rückseite des Buchblocks über.

Hohler Buchrücken — 312 ff.
Der Hohlraum, der entsteht, wenn man ein Buch aufschlägt. Anders als zum Beispiel eine Broschur, bei der Block und Umschlag am Rücken fest miteinander verklebt werden, sind Buchdecke und Buchblock nur durch die Vorsatzblätter verbunden, nicht am Rücken. Deshalb lassen sich Bücher im Allgemeinen viel besser aufschlagen als Broschuren.

Holländern
Einfache Einzelblattbindung, die ähnlich wie das Fadensiegeln funktioniert.

Hologrammprägung
Eine Folienprägung, die vor allem als Sicherheitsmerkmal eingesetzt wird. Hersteller von Prägefolien können dreidimensional erscheinende Motive und Muster selbst in die Folie einprägen, sie lässt sich dann wie jede andere Prägefolie verarbeiten. Hologramm-Prägefolien sind sehr teuer, und man muss mit einer langen Bearbeitungszeit rechnen.

Holzfreies Papier — 32, 362
Besteht zum größten Teil aus Zellstoff und darf nur bis zu fünf Prozent Holzschliff enthalten. Es vergilbt viel langsamer als holzhaltiges Papier.

Holzpappe — 367
Pappe aus Holzschliff, die vor allem für Verpackungen verwendet wird.

Hotmelt — 149 ff.
Ein Schmelzklebstoff, der aus einer mehrkomponentigen thermoplastischen Masse besteht. Hotmelt wird heiß aufgetragen und bindet beim Abkühlen ab. Er dringt

nicht so gut in die Faserzwischenräume ein, sondern liegt vor allem auf der Blattkante auf. Verglichen mit anderen Klebern ist er weniger elastisch und wird auch schneller spröde.

I

Industriebuchbinderei — 57 ff.
Buchbinderei mit automatisierten Produktionsabläufen und Buchstraßen, in denen mehrere Maschinen so zusammengestellt sind, dass immer weniger händische Zwischenschritte notwendig sind.

Inline — 205, 383
Bedeutet, dass mehrere Arbeitsschritte in einer Maschine erledigt werden. Ein Beispiel dafür ist die Kaltfolienprägung, bei der ein zusätzliches Kaltfolienmodul in der Druckmaschine die Kaltfolie in einem Arbeitsgang mit dem Offsetdruck überträgt.

Insert
Ein lose Beilage in einer Zeitung oder Zeitschrift.

Integraldecke — 338
Sonderform der einteiligen Buchdecke, bei der die Kanten der dünnen Buchdecke umgeschlagen und verklebt werden.

Integrierter Vorsatz — 366
Die erste und letzte Seite des Buchblocks lassen sich auch als Vorsatzblätter nutzen, wenn das Inhaltspapier reißfest ist und eine Grammatur von mindestens 120 g/m² hat.

Interimseinband
Früher gebräuchlicher provisorischer Einband, mit dem man wertvolle Bücher schützte, bis sie eine feste Buchdecke bekamen. Heute sind Interimseinbände nicht mehr üblich.

J

Japanische Blockheftung — 195
Eine besondere Form der seitlichen Fadenheftung, bei der man die gesammelten Falzbogen nicht am Rücken, sondern am Vorderschnitt bindet – auf diese Weise entstehen Doppelblätter. Die japanische Blockheftung ist nur handwerklich möglich, eine industrielle Variante lässt sich mit einer Klebebindung produzieren.

Japanpapier — 195
Langfaseriges und sehr festes Papier, das traditionell aus pflanzlichen Faserstoffen (zum Beispiel des Maulbeerbaums) geschöpft wird. Japanpapier hat keine Laufrichtung und wird in vielen Farben und mit einer mehr oder weniger deutlichen Struktur angeboten. Man nutzt es als Vorsatz- oder Überzugspapier.

K

Kalandrieren → **Satinieren**

Kaliko — 367 ff.
Bezugsmaterial aus stark appretiertem Gewebe, das lederartig geprägt ist. Ursprünglich war es als Ersatz für Ledereinbände gedacht.

Kaltfolientransfer — 385
Veredelungstechnik, die vor allem für Buch- und Broschurcover eingesetzt wird. Die Kaltfolie bringt man mit einem Kleber im Kaltfolienwerk der Offsetdruckmaschine auf.

Kaltleim → **Dispersionsklebstoff**

Kapital → **Kapitalband**

Kapitalband — 334 ff., 375
Ein an Kopf und Fuß des Buchrückens
angeklebtes Band aus Baumwolle oder
Kunstseide, das den hohlen Rücken des
Buches abdeckt und vor allem aus
ästhetischen Gründen verwendet wird.

Karbonieren
Das Abscheuern von Druckfarben
auf andere, nicht bedruckte Teile des
Druckbogens.

Karton — 36 ff., 367
Oberbegriff für Werkstoffe, die aus
Holzschliff, Zellstoff und Altpapier hergestellt werden und stark verdichtet sind.
Karton ist stärker als Papier, aber dünner
als Pappe und kann Grammaturen
von 150–600 g/m² haben. Er besteht aus
hochwertigeren Materialien als Pappe.

Kaschieren — 380
Das vollflächige Verkleben von dünnen
Werkstoffen.

Klammerheftung — 6 ff., 121 ff., 274 ff.
Ein Bindeverfahren, bei dem man
mehrere ineinandergesteckte Bogen in
einem Arbeitsgang mit Drahtklammern
im Rückenfalz zusammenheftet.

Klammerwirkung — 51, 149 ff.
Bezieht sich darauf, wie stark der Buchblock im Ganzen und die einzelnen Blätter
untereinander von der jeweiligen Buchbindung bzw. dem Umschlag zusammengehalten werden. Bücher und Broschuren mit
einer hohen Klammerwirkung haben ein
schlechtes Aufschlagverhalten: Sie lassen
sich nicht komplett öffnen, und wenn man
sie aufschlägt, klappen sie gleich wieder zu.

Klappenbroschur — 17, 288 ff.
Eine Broschur, die an beiden Umschlagblättern Klappen hat und dadurch stabiler

und buchähnlich wirkt. Man kann die
Klappen zum Beispiel als Lesezeichen oder
für zusätzliche Informationen nutzen.

Klebebindung — 7 ff., 10 f., 51, 55 ff., 141 ff., 195
Bindetechnik, bei der die Einzelblätter oder
Falzbogen im Rücken miteinander verklebt
werden. Es gibt verschiedene Arten der
Klebebindung: das Fräsklebebinden, das
Lumbecken und die Blockleimung.

Klebstoff — 142 ff., 148, 156, 162
In der Buchbinderei werden verschiedene
Klebstoffe verwendet: Dispersionskleb-
stoff (Kaltleim auf Wasserbasis), Hotmelt
(Schmelzklebstoff) und PUR-Klebstoff
(Polyurethanklebstoff).

Klebstoffeinlauf — 150
Bei Klebebindungen kann Klebstoff so
zwischen die Seiten eindringen, dass er
beim Blättern sichtbar wird. Das stört nicht
nur ästhetisch, sondern führt auch zu
einem schlechteren Aufschlagverhalten.

Kleisterpapier — 369
Handwerklich hergestelltes, gemustertes
Papier, das als Überzugs- oder Vorsatz-
papier verwendet wird.

Klemmschiene — 7 ff., 14, 211, 241 ff.
Einzelblattbindetechnik, bei der man
Blätter in eine Mappe mit Klemmschiene
einspannt.

Knitterpapier — 369
Ein durch Zusammenknüllen von
Kleisterpapier handwerklich her-
gestelltes Buntpapier.

Knotenfadenheftung → **Fadenknotenheftung**

Kombifalz — 113
Parallel- und Kreuzbruchfalze werden oft kombiniert, um Bücher, Broschuren, aber auch Landkarten oder Faltposter herzustellen.

Kombifalzmaschine
Eine Falzmaschine, die sowohl Taschen- als auch Messerfalze falzen kann und damit die Produktion von Büchern, Broschuren und Werbedrucksachen noch effizienter macht.

Kombinierte Sammel-Drahtheft-Falz-Beschneidemaschine
Maschine, die das Sammeln, Drahtheften, Falzen und Beschneiden nacheinander inline erledigt.

Kopfheftung → **Eckheftung**

Kopfschnitt — 377
Die Schnittfläche an der oberen Seite des Buchblocks.

Kopfsteg — 132
Der Bereich oberhalb des Satzspiegels.

Koptische Bindung
Traditionelles handwerkliches Bindeverfahren, bei dem man die einzelnen Hefte und auch die Buchdeckel im Rücken mit Fäden vernäht – dabei bleibt der Rücken offen.

Kösel-Broschur — 308 ff.
Die Buchbinderei Kösel hat mehrere Patente zur Herstellung von Broschuren angemeldet – unter anderem eine Variante der englischen Broschur (Kösel EB 500) und eine Freirückenbroschur (Kösel FR).

Krepppapier — 312 ff.
Langfaseriges Kraftpapier, das in der Buchbinderei als Fälzelmaterial eingesetzt wird.

Allerdings ist es nicht so fest wie andere Fälzelmaterilien.

Kreuzbruch — 44, 99, 109 ff.
Eine Falzart, bei der jeder Falzbruch senkrecht zum vorherigen Falzbruch verläuft – klappt man den Bogen nach dem Falzen auf, bilden die Falzlinien ein Kreuz. Den Kreuzbruchfalz verwendet man fast ausschließlich für die Buch- und Broschurproduktion.

Kunstdruckpapier — 150, 360
Hochwertiges Papier mit einer beidseitig gestrichenen, sehr gleichmäßigen Oberfläche, das sich besonders gut zur Wiedergabe von Bildern mit feinem Druckraster eignet. Kunstdruckpapier kann matt, seidenmatt oder glänzend gestrichen sein.

Kunstleder — 373 f.
Oberbegriff für Materialien auf PU-, PVC- oder Gewebebasis, die als Bezugsmaterial für Bücher verwendet werden.

Kunststoffbuchdecke — 342 f.
Buchdecke, die überwiegend aus PVC hergestellt wird. Kunststoffbuchdecken sind sehr robust und werden für häufig benutzte Bücher verwendet. Der Kunststoff wird an den Kanten nicht umgeschlagen, sondern an den Rändern verschweißt.

L

Lage — 274 ff.
Ein oder mehrere Falzbogen, die ineinandergesteckt und für die Buchbindung gesammelt werden. Bei einlagigen Broschuren verbindet man die Falzbogen mit einem Faden oder Klammern im Rückenfalz, bei mehrlagigen Broschuren oder Büchern sammelt man mehrere Lagen, legt sie übereinander und verbindet sie

mit einem Faden, Klammern oder Kleber zu einem Block.

Lagenfalz — 102, 104
Ein zusätzlicher Falzbruch durch mehrere, bereits ineinandergesteckte Falzbogen (Lagen). Das bekannteste Beispiel für einen Lagenfalz ist die Zeitung, die als Ganzes nochmals in der Mitte gefalzt wird.

Lagenkleben → Falzkleben

Laminieren → Folienkaschierung

Landkartenfalz — 114
Eine Kombination aus Parallel- und Kreuzbruchfalzen, die zum Falzen von Druckbogen, aber eben auch für Landkarten und besondere Faltposter verwendet wird.

Längstitel — 53
Bei Büchern und Broschuren wird der Titel üblicherweise auf dem Rücken vertikal wiederholt.

Langfaserig — 369, 374 f.
Langfaseriges Papier ist im Allgemeinen hochwertiger als Papier, das kürzere Fasern enthält, die zum Beispiel durch mehrmaliges Aufbereiten bereits gebrochen sind und nicht mehr in Laufrichtung verlaufen. Es ist widerstandsfähiger und lässt sich besser falzen und prägen.

Lasercut — 384
Digital gesteuerte Schneidetechnik, mit der man ausgehend von Vektordaten filigrane Motive ausschneiden kann.

Lasergravur → Papiergravur

Laufrichtung — 38 ff.
Die Richtung, in der das Papier bei seiner Herstellung durch die Maschine läuft und

in der sich die Papierfasern legen. Papier ist in Laufrichtung fester und dehnt sich weniger, deshalb sollte man es in der buchbinderischen Verarbeitung immer in Laufrichtung verwenden, also parallel zum Buchrücken.

Laufrichtung bestimmen — 40
Es gibt verschiedene Methoden, die Laufrichtung zu bestimmen: die Biegeprobe, die Einreißprobe, die Nagelprobe, die Falzprobe und die Feuchtprobe.

Lay-Flat-Bindung — 66, 161 ff.
Eine Bindetechnik, bei der die Seiten vollflächig miteinander verklebt werden und auf diese Weise den Buchblock zusammenhalten. Bücher und Broschuren mit Lay-Flat-Bindung lassen sich plan aufschlagen, bei über den Bund laufenden Motiven geht keinerlei Bildinformation verloren.

Lay-Flat-Verhalten → Aufschlagverhalten

Ledereinband — 374
Lange Zeit waren Bucheinbände aus Leder oder Pergament, bevor sich im 19. Jahrhundert günstigere Materialien wie Kaliko oder Leinen durchsetzten. Heute werden Ledereinbände nur noch für wertvolle, besondere Ausgaben genutzt, häufiger sind Bucheinbände aus Lederfaserstoffen.

Lederpappe — 367
Ein Buchdeckenmaterial aus Braunschliff, das lederartig aussieht. Lederpappe ist leicht und zäh und lässt sich gut weiterverarbeiten.

Leporellofalz — 102 ff., 107
Ein Parallelfalz, bei dem man den Bogen abwechselnd in entgegengesetzter Richtung falzt. Mit zwei oder drei Falzbrüchen lassen sich auf diese Weise Zickzack-Flyer falzen, mit aneinandergeklebten

Bogen oder im Rollendruckverfahren sind aber auch Produkte in Buchstärke möglich.

Leseband — 386
Ein schmales Stoffband, das üblicherweise an die obere Kante des Buchrückens geklebt wird und als Lesezeichen dient.

Libretto — 321
Spezielle Art der Freirückenbroschur, bei der ein Kaschiervorsatz den Broschurblock und den vierfach gerillten Umschlag miteinander verbindet.

Lochen — 210 ff.
In der Buchbinderei locht man Papier, indem man es stanzt oder mit einer Papierbohrmaschine durchbohrt.

Loseblattbindung → Einzelblattbindeverfahren

Loseblattsammlung — 210 ff.
Eine Publikation aus einzelnen austauschbaren Blättern, die zum Beispiel lose in einen Aktenordner eingelegt werden.

Lumbecken — 144 f.
Handwerkliche Klebebindung, die von Emil Lumbeck als günstige Alternative zum Fadenheften entwickelt wurde. Beim Lumbecken presst man den aus Einzelblättern bestehenden Buchblock zusammen, fächert ihn am Rücken auf und benetzt ihn dabei mit Kaltleim; den wieder aufgerichteten Buchblock hinterklebt man dann mit Gaze oder Krepp. Diese Bindetechnik wird nur noch selten angewendet.

M

Makulatur
Papierbogen, die nicht mehr für die Buchbindung verwendet werden, weil sie fehler-

haft bedruckt wurden, schmutzig sind – oder weil zu viel gedruckt wurde.

Marmorieren
Eine aus dem Mittelalter stammende Technik, bei der Temperafarben getropft oder mit einem Kamm gezogen werden. Die marmorartigen Muster wurden als Verzierung für Buchschnitte, aber auch zur Herstellung von Marmorpapieren verwendet.

maschinenglatt — 33, 362 f.
Oberfläche eines Papiers, wie es aus der Papiermaschine kommt. Maschinenglattes Papier ist rauer als kalandriertes und beschichtetes Papier.

Maschinenlaufrichtung → Laufrichtung

Mattgewebe — 370
Häufig verwendetes Bezugsmaterial, das aus Baumwollfäden mittlerer Garnstärke besteht, seine Oberfläche ist etwas rauer und matt. Mattgewebe lässt sich gut prägen und bedrucken, allerdings verschmutzt es leicht.

Mehrfachnutzen → Nutzen

Mehrlagenbroschur — 256 ff.
Broschur aus mehreren Lagen, die gesammelt, übereinandergelegt und mit einem Faden, Klammern oder Kleber zu einem Block verbunden werden.

Mehrteilige Buchdecke → Buchdecke

Messerfalz
Falztechnik in der Falzmaschine, bei der der Bogen mit einem Messer zwischen zwei sich gegenläufig drehenden Rollen gefalzt wird.

Mittenfalz — 105
Ein Parallelfalz, bei dem der Bogen immer wieder in der Mitte und in der gleichen

Richtung gefalzt wird, wodurch sich mit jedem Falz die Seitenzahl verdoppelt.

Musterband → Blindmuster

N

Nachfalz → Greiffalz

Nachfalzen
Das manuelle Nachbessern von Produktionsfehlern beim Falzen.

Nachsatz — 322 ff., 324 ff., 365
Pendant zum Vorsatz im hinteren Teil des Buches. Ebenso wie der Vorsatz besteht auch der Nachsatz aus einem Spiegel und einem fliegenden Nachsatzblatt.

Naturpapier — 33, 396, 375
Ein maschinenglattes, ungestrichenes Papier mit einer matten, sich angenehm anfühlenden Oberfläche. Naturpapier kann holzhaltig oder holzfrei sein. Es eignet sich besonders für den Druck von Texten, Bilder dagegen müssen extra lithografiert werden.

Niederhalten
Buchblöcke und Broschuren werden niedergehalten, das heißt gepresst, wenn man sie dreiseitig beschneidet. So kann man die Rückensteigung reduzieren und eine gleichmäßige Blockstärke erreichen.

Nietenheftung — 233 ff.
Bindeverfahren, für das man zweiteilige Bolzen aus Blech oder Kunststoff benutzt. Die Blätter werden gelocht, das Ober- und das Unterteil der Nieten durch die Löcher ineinandergesteckt und mit einer Nietenzange verschlossen. Die Nieten lassen sich dann nicht mehr öffnen.

Nuten — 68, 378
Damit keine Wülste entstehen, nutet man dicke Pappen vor dem Falzen. Dazu wird entlang der Falzlinie ein feiner Span ausgehoben.

Nutzen
Die Anzahl gleicher Seiten, die auf einem Druckbogen angeordnet und nach dem Drucken ausgeschnitten werden. Dabei geht es darum, die Fläche auf dem Bogen optimal auszunutzen und Kosten zu sparen. Bei einem Doppelnutzen werden zum Beispiel zwei gleiche Seiten auf den Bogen gedruckt.

O

Offsetpapier — 362, 369
Holzfreies oder holzhaltiges Papier, das maschinenglatt oder leicht satiniert und auf die Anforderungen des Offsetdrucks abgestimmt ist.

Opazität — 35, 365
Ein Maß dafür, wie viel Licht ein Papier durchdringt. Je höher die Opazität eines Papiers ist, desto undurchsichtiger ist es.

Öltunkpapier — 369
Handwerklich hergestelltes, marmoriertes Buntpapier, das in der Handbuchbinderei als Bezugsmaterial oder Vorsatz verwendet wird.

Ösenheftung — 233 ff.
Bindeverfahren, für das man hohle Metallzylinder mit einem verdickten Kopf benutzt. Die Ösen werden durch die gelochten Blätter gesteckt und auf der anderen Seite mit einer Ösenzange nach außen umgebogen – damit entsteht eine feste Verbindung.

P

Papierbahn — 39 ff.
Papier wird in breiten Bahnen in der Papiermaschine hergestellt und danach in schmalere Rollen oder Bogen geschnitten.

Papierbogen — 39 ff.
Ein auf ein bestimmtes Format geschnittenes Papier.

Papierformat — 26 f.
Die Größe eines Bogens, die in Breite × Höhe angeben wird. Je nach Verwendungszweck gibt es bestimmte Standardformate, zum Beispiel die Formate der DIN-A-Reihe, die für die Bürokommunikation wichtig sind.

Papiergrammatur → **Grammatur**

Papiergravur — 385
Mit einem Laser kann man ausgehend von Vektordaten filigrane Motive in einen Bedruckstoff eingravieren.

Papiervolumen — 36 f.
Das Verhältnis von Papierstärke zur Grammatur. Papiere mit einem höheren Volumen sind stärker, ihr Gewicht bleibt jedoch gleich.

Pappe — 367
Ein Werkstoff, der mit Grammaturen ab 500 g/m² stärker ist als Karton und aus Altpapier oder Zellstoff hergestellt wird. Pappe wird vor allem für Verpackungen verwendet, in der Buchbinderei dient sie aber auch als Buchdeckenmaterial.

Parallelfalz — 101 ff.
Falzart, bei der alle Falzbrüche parallel verlaufen. Der Parallelfalz wird vor allem zur Herstellung von Endprodukten wie Flyer, Folder oder Leporellos verwendet.

Passermarken — 46, 48
Markierungen, an denen man die Passgenauigkeit des Drucks kontrollieren kann. Sie haben die Form eines Fadenkreuzes und liegen außerhalb des Motivs auf dem Druckbogen.

Perfobindung
Eine spezielle Art der Klebebindung. Dabei stanzt man vor dem letzten Falzbruch Schlitze in den Rückenfalz, damit der Leim besser zwischen die Blätter und Lagen eindringen kann und die Bindung stabiler wird.

Perforation — 137, 157, 384
Aneinandergereihte Löcher oder Schlitze, die in das Papier gestanzt werden. Häufig dient die Perforation einer bestimmten Funktion, etwa bei einem Abreißkalender. In der Buchbinderei perforiert man manchmal die Falzlinien, um Spannung aus dem Falzbogen zu nehmen und Quetschfalten zu verhindern.

Pergament — 367, 374
Ein Bezugsmaterial aus Tierhaut, das noch zäher und widerstandsfähiger ist als Leder. Es wird nicht gegerbt, sondern durch Spannen, Schaben und Trocknen hergestellt. Verwendet werden unterschiedliche Sorten wie Ziegen- oder Kalbspergament.

Planobogen
Ein plan liegender, ungefalzter und unbedruckter Bogen.

Plastbuchdecke → **Kunststoffbuchdecke**

Plastikkammbindung — 15, 220
Ein Bindeverfahren, für das man einen flexiblen, zu einer Rolle geformten Kunststoffkamm nutzt. Er wird durch die gestanzten Langlöcher der Blätter geführt und verschlossen.

Polyurethankleber → **PUR-Klebstoff**

Posterfalz → **Sternfalz**

Prägefoliendruck — 378, 385
Veredelungstechnik, bei der man den
Bedruckstoff mit einer Matrize verformt
und gleichzeitig eine Folie überträgt.
Prägefolien gibt es in metallischen
Tönen, in verschiedenen Farben und
mit Diffraktionsmustern.

Prägefolie — 384
Eine spezielle Folie, die beim Prägen übertragen werden kann. Es gibt metallische
oder matte Folien, jeweils mit unterschiedlichen Farben und Strukturen.

Prägen — 384
Veredelungstechnik, bei der man den
Bedruckstoff mit einem Prägestempel und
unter Einwirkung von Hitze verformt. Dabei
lässt sich gleichzeitig auch eine Folie übertragen, dann ist es eine Folienprägung. Eine
Prägung ohne Folie ist eine Blindprägung.

Primer
Eine dünne Lackschicht, die vor dem Klebebinden auf den Blockrücken aufgetragen
wird, damit die Klebebindung glatter wird
und länger hält.

Print on Demand — 64 ff.
System der Buchherstellung, bei dem
Bücher erst dann gedruckt und gebunden
werden, wenn sie von einem Kunden
bestellt werden. Die Bücher werden
dabei ab einer Auflage von einem Stück
digital gedruckt.

Probeband → **Blindmuster**

Proof — 61 f., 69
Ein farbverbindlicher digitaler Ausdruck,
den man oft von wichtigen Bildern oder
Bildausschnitten machen lässt.
Der Druckerei dient er als Vorgabe, um die
Druckmaschine einzustellen.

Pulltest
Eine Methode, um die Ausreißfestigkeit von
Blättern einer Klebebindung zu überprüfen.
Dazu wird senkrecht zum Blockrücken
und mit steigender Kraft an einem Blatt
gezogen, bis es sich aus der Bindung löst
bzw. ausreißt.

PUR-Klebstoff — 150 ff., 201
Ein reaktiver Schmelzklebstoff mit zwei
Wirkungskomponenten: Die erste sorgt
dafür, dass die heiß aufgetragene Masse
beim Abkühlen abbindet, die zweite
Komponente gibt der Bindung eine äußerst
hohe und dauerhafte Stabilität, wie sie nur
mit der Fadenheftung zu vergleichen ist.

Quadratmetergewicht → **Grammatur**

Quartbogen → **Halber Bogen**

Quetschfalte — 98, 164
Bei Kreuzbruchfalzen können durch die
Verdrängung des Papiers Quetschfalten
entstehen – das hängt aber auch von
der Papierstärke und der Zahl der Falze
insgesamt ab.

Recyclingpapier — 32, 363
Vollständig aus Sekundärfasern (Altpapier)
hergestelltes Papier.

Registerhaltigkeit — 52
Gibt an, ob der Zeilenraster und die Ränder
des Satzspiegels auf der Vorder- und

Rückseite eines Druckbogens deckungsgleich sind.

Rillen — 68, 282 ff., 381
Werkstoffe wie Karton und Pappe werden
mit einer Metallkante an der Falzlinie
leicht eingedrückt, damit man sie falzen
kann, ohne dass sie brechen.

Rohbogen — 72
Unbeschnittener Druckbogen.

Rollendruck — 98, 104, 107, 127, 362
Das Bedrucken von durchgehenden, von
der Rolle laufenden Papierbahnen. Oft kann
dieselbe Maschine auch die weitere Verarbeitung wie das Schneiden und Falzen
übernehmen. Der Rollendruck wird
vor allem bei hohen Auflagen eingesetzt,
im Offsetdruck, im Tiefdruck und im
Digitaldruck.

Rückenbearbeitung — 143
Der Rücken von klebegebundenen
Buchblöcken wird abgefräst und
aufgeraut, damit der Kleber besser
zwischen die Fasern einziehen kann.

Rücken runden — 386
Der Buchrücken lässt sich runden, indem
man die einzelnen Blätter oder Lagen
gegeneinander verschiebt. Das ist besonders bei stärkeren Büchern zu empfehlen,
damit sie länger stabil bleiben und sich
besser aufschlagen lassen.

Rückeneinlage → **Schrenz**

Rückensteigung — 124, 175, 205, 386
Der im Vergleich zum Vorderschnitt
erhöhte Rücken eines Buchblocks. Je nach
Bindetechnik fällt die Rückensteigung
unterschiedlich aus, besonders hoch ist
sie wegen der relativ dicken Siegel-
fäden zum Beispiel beim Fadensiegeln.

Rückensteigungen können die weitere
Verarbeitung erschweren, etwa den Beschnitt oder das Stapeln.

Rüsten — 159
Das Einstellen einer Druck- oder Buchbindemaschine auf das richtige Maß und
die richtige Funktion für die jeweilige
Produktion. Manche Bindetechniken lohnen
sich zum Beispiel erst ab einer bestimmten
Auflage, weil das Einrichten der Maschine
recht aufwendig ist und so höhere Kosten
entstehen.

S

Sammeln → **Zusammentragen**

Satinieren — 33 f., 362
Das Glätten der Papieroberfläche mit
teilweise beheizten Walzen. Je stärker man
das Papier kalandriert, desto glänzender
wird es.

Schmalbahn — 38 f.
Die Laufrichtung von Schmalbahn-Papieren
verläuft parallel zur langen Seite.

Schnittmarken — 44 ff.
Nach dem Drucken und Falzen wird der
Druckbogen auf sein Endformat beschnitten. Dafür benötigt man Schnittmarken,
die jeweils an den Ecken des Endformats
liegen.

Schnittveredelung — 377 f.
Verzierung des Buchschnitts mit Farbe
oder Metallfolie. Bücher werden vor dem
Einhängen in die Buchdecke schnitt-
veredelt, Broschuren zusammen mit dem
Umschlag.

Schrankfalz → **Fensterfalz**

Schrenz — 344 ff., 367
Die Rückeneinlage bei mehrteiligen Buchdecken. Je nachdem, ob der Rücken gerundet wird oder gerade ist, wird dafür ein flexibler oder fester Karton verwendet.

Schuber — 53, 58
Eine Schachtel, die von der Größe her genau auf ein oder mehrere Bücher abgestimmt ist. Der Schuber bleibt an der Vorderseite offen, dort sind die Buchrücken zu sehen. Er schützt vor Staub, kann mehrere Bücher bzw. Ausgaben zusammenhalten und wirkt hochwertig.

Schutzumschlag — 73, 292 ff. 333 ff., 375
Ein loser Umschlag, der um das fertige Buch gelegt wird. Schutzumschläge werden üblicherweise bedruckt und laminiert oder lackiert, damit sie länger halten. Sie schützen das Buch vor Verschmutzungen und Abnutzung.

Schweizer Broschur — 13 f., 304 f.
Eine Broschur, bei der man den Broschurblock nur an einem schmalen Klebestreifen auf der dritten Umschlagseite in den Umschlag einklebt. Dadurch lässt sich der Umschlag so weit aufklappen, dass die erste Seite des Blocks und der Blockrücken freiliegen.

Seitliche Fadenheftung — 7 ff., 191 ff.
Eine Bindetechnik, bei der man die zusammengetragenen Falzbogen oder Einzelblätter durch vorgebohrte Löcher etwa 5 mm vor dem Bund mit einem Faden vernäht.

Seitliche Klammerheftung — 6 ff., 131 ff.
Eine Bindetechnik, bei der man Drahtklammern möglichst nahe am Bund oder am Kopfende durch die zusammengetragenen Falzbogen oder Einzelblätter stößt und fest verschließt.

Softcover → Broschur

Spiegel — 333 ff., 365
Die Hälfte des Vorsatzblatts, die auf die Innenseite der Buchdecke geklebt wird.

Spiralbindung — 7, 213 ff.
Einzelblattbindetechnik, mit der sich in Copyshops schnell und günstig Einzelexemplare und kleine Auflagen herstellen lassen. Man stanzt eine Lochreihe mit runden Löchern parallel zur Blattkante in den Broschurblock, dreht eine Spirale aus Kunststoff bzw. Draht durch die Löcher und biegt die Enden ein, damit sich die Blätter beim Benutzen nicht wieder herausdrehen.

Standardbroschur — 284 ff.
Die einfachste und kurzlebigste Art der Broschur. Der Broschurblock wird an seinem Rücken in einen einteiligen Umschlag eingeklebt und anschließend an drei Seiten beschnitten.

Standplot — 61 f., 69
Nicht farbverbindlicher Ausdruck der Druckdaten, anhand dessen man die Reihenfolge der Seiten und den Stand des Layouts vor dem Druck überprüfen kann.

Steg
Die überwiegend unbedruckten Bereiche um den Satzspiegel herum. Man unterscheidet zwischen dem Kopfsteg, dem Fußsteg und dem Bundsteg.

Steifbroschur — 322 ff.
Broschur mit zwei festen Deckeln aus Pappe, die auf das Vor- und Nachsatzpapier des gefälzelten Broschurblocks kaschiert werden. Von allen Broschuren kommt die Steifbroschur dem Buch am nächsten.

Steppheftung — 185 ff., 193 ff.
Eine Technik der Fadenheftung, für die man eine Industrienähmaschine verwendet. Die durchgehende, eng gesetzte Naht ist besonders stabil. Eine Steppheftung ist als Fadenrückstichheftung oder seitliche Fadenheftung möglich.

Sternfalz — 116 f.
Falzart, mit der man aus einem Poster ein achtseitiges Heft machen kann, das sich blättern lässt.

Strich — 31 ff., 360
Eine Streichmasse aus Pigmenten, Bindemittel und Zusatzstoffen, die auf das Papier aufgetragen wird, um es glatter und stabiler zu machen und damit es Bilder besser wiedergeben kann. Der aufgebrachte Strich ist erst mal matt, man kann ihn aber zum Glänzen bringen, wenn man das Papier noch kalandriert.

Substrat → **Bedruckstoff**

T

Tagesleuchtfarben — 367
Fluoreszierende Sonderfarben, die bei Tageslicht deutlich stärker leuchten als gewöhnliche Farben. Wegen ihrer Signalwirkung werden sie zum Beispiel auf Warnwesten oder Krankenwagen eingesetzt.

Taschenfalz
Falztechnik in der Falzmaschine, bei der der Bogen erst in eine Falztasche läuft und dann zwischen drei sich gegenläufig drehenden Rollen gefalzt wird.

Tiefdruckpapier — 362
Papier, das im Rollenrotationsdruck vor allem für Magazine in hohen Auflagen eingesetzt wird. Es ist ungestrichen, holzhaltig oder holzfrei, satiniert, sehr saugfähig und sehr robust.

Tubebind — 319
Eine besondere Form der Freirückenbroschur, bei der eine Papierhülse, die wie ein Fälzel aufgebracht wird, den Broschurblock mit einem vierfach gerillten Umschlag verbindet.

U

Überfalz → **Greiffalz**

Ungestrichenes Papier — 33, 360
Ein Papier, das nach der Herstellung nicht mit einem Strich beschichtet wird und eine offene, ein wenig raue Oberfläche hat. Es fühlt sich angenehm an und hat eine natürliche Wirkung.

V

Verbinder → **Binderinge**

Verkehrte Schweizer Broschur — 304
Eine Möglichkeit, zwei Broschuren in einer Publikation zu vereinen, bei der jeweils rechts und links ein Broschurblock in die Buchdecke eingeklebt wird.

Versetzter Stich — 175
Die Fäden einer Fadenheftung liegen hier in jedem Heft versetzt zueinander. So lässt sich zum Beispiel bei Bilderdruckpapieren und einer hohen Zahl von Falzbogen die Rückensteigung vermindern.

Viertelbogen — 27, 44, 103
Ein Falzbogen mit vier Seiten – und
damit ein Viertel des Ganzen Bogens, der 16
Seiten enthält.

Volumen → **Papiervolumen**

Vorderschnitt — 16 f., 377 ff.
Die vordere, dem Rücken gegenüberliegende Schnittfläche eines Buchblocks.

Vorkleben — 70, 175 ff.
Einzelne Blätter oder Falzbogen kann man
mit Kleber in ein bereits gebundenes
Produkt (zum Beispiel eine Zeitschrift oder
ein Buch) fest einfügen.

Vorsatz — 365 ff.
Ein einmal gefalzter Bogen, dessen eine
Hälfte vollflächig auf die Innenseite
der Buchdecke geklebt wird, während
die andere nur an einem schmalen Klebestreifen am Buchblock haftet.

W

Wattierte Buchdecke — 13 f., 354
Buchdecke, die mit Schaumstoff oder
einem anderen Material aufgepolstert ist.
Sie ist dicker als übliche Buchdecken und
fühlt sich weich und ungewöhnlich an.

Weiterverarbeitung — 43, 55, 62, 68
Alle Arbeitsschritte, die auf das Bedrucken
der Bogen folgen: Dazu gehören das
Beschneiden, Binden, Veredeln etc.

Wickelfalz — 104
Eine besondere Form des Parallelfalzes,
bei der jeder Bruch in der gleichen Richtung
um einen inneren Bogenteil herum gefalzt
wird.

Z

Z-Broschur — 280
Eine Broschur mit zwei separaten Heften,
die in einen gemeinsamen, Z-förmigen
Umschlag eingebunden werden und sich
von verschiedenen Seiten aufschlagen
lassen. Die Z-Broschur kann man mit einer
Fadenrückstichheftung, Klammerheftung
oder Klebebindung produzieren.

Zeichenband → **Leseband**

Zeitungspapier — 362
Holzhaltiges, ungestrichenes, maschinenglattes oder satiniertes Papier, das für
schnelllebige Produkte wie Zeitungen im
Rollenrotationsdruck eingesetzt wird.

Zusammentragen — 72
Das händische oder maschinelle Übereinan-
derlegen von Falzbogen oder Einzelblättern
in der Seitenreihenfolge.

Zuschuss — 165 ff.
Für den Druck- und Weiterverarbeitungs-
prozess benötigen Druckereien und Buchbindereien immer zusätzliche Druckbogen,
mit denen sie die Maschinen einstellen.
Um garantieren zu können, dass am Ende
die bestellte Auflage produziert wird,
müssen also mehr Bogen gedruckt werden.
Je nach Bindetechnik ist der Zuschuss
unterschiedlich hoch.

Zwillingsbroschur → **Z-Broschur**

Nachwort

Print lebt! möchte man den Totengräbern des gedruckten Buches und der gesamten Printproduktion triumphierend entgegenrufen, denn innovative Magazine entstehen an allen Ecken. In den Regalen des unabhängigen Buchhandels erleben wir ein Stelldichein schöner und schönster Bücher – und Kunden wissen diese Qualität zunehmend als Gegenpol zur glatten Digitalität zu schätzen.

Aber eigentlich ist »Print lebt« zu kurz gesprungen. Denn was ist Print ohne Weiterverarbeitung? Wer mag schon Druckbogen auf Palette? Erst Falzen, Heften und Binden macht aus platten Bogen dreidimensionale haptische Objekte der Begierde!

Und genau darum geht es in diesem Buch: Grafikdesignerinnen und Gestaltern, Agenturkreativen, Einsteigerinnen und Meistern der visuellen Kommunikation die Vielzahl an Verarbeitungsmöglichkeiten aufzuzeigen und schmackhaft zu machen.
Drei Jahre lang haben Franziska Morlok und Miriam Waszelewski mit Unterstützung der besten Buchbinder und Hersteller der Welt alle Tricks und Kniffe analysiert und dokumentiert, um Ihre Magazin- und Buchträume wahr werden zu lassen.

Sie möchten Sie ermutigen, herstellerisch neue Wege zu gehen – und geben Ihnen dazu das Rüstzeug an die Hand. Sie möchten Ihre Lust wecken, Neues zu wagen – und verraten Ihnen Tricks und Stolpersteine, Kostentreiber, Effizienzbringer und was Sie im Vorfeld gestalterisch schon bedenken sollten. Sie denken dabei nicht nur an Bücher, sondern an alle Printprodukte mit mehreren Seiten.

Wir als Verlag machen uns mit diesem Buch selbst Konkurrenz – und freuen uns darauf! Wir – und selbst die involvierten Buchbinder – haben bei der Arbeit an diesem Buch noch viel gelernt, denn auch mit viel Erfahrung weiß man nie alles. Deshalb wendet sich dieses Buch bewusst sowohl an Studierende – die das erworbene Wissen gleich für ihr Bachelor-Projekt anwenden können – als auch an »alte Hasen«, die neue Wege gehen wollen. Vor allem aber wendet es sich an alle, die an die Zukunft des Gedruckten glauben – und daran arbeiten wollen.

Mit herzlichen Grüßen aus der Gutenbergstadt

Karin & Bertram Schmidt-Friderichs

Danke!

Dieses Buch wäre nicht möglich gewesen ohne die Unterstützung von engagierten Buchbinder*innen:

Den gesamten Prozess über hat uns Hans Burkhardt, Seniorchef von Bubu in Mönchaltorf in der Schweiz, mit vielen Beratungsgesprächen und Blindmustern begleitet. Zum Start des Prozesses haben wir auch das »Bindorama« dort besichtigt, was eine tolle Inspiration war. Auch Thomas Freitag und Daniel Kappeler haben sich immer wieder mit guten Hinweisen unseres Buches angenommen.

Ein ebenso wichtiger Ansprechpartner war die Firma Kösel, Erik Kurtz, Andreas Burkard, Ralf Fischer und Hans-Georg Trentz haben uns mit vielen Informationen und wunderbaren Blindmustern versorgt.

Auch die Buchbinderei der DZA, Druckerei zu Altenburg, Marina Arnoldt und Matthias Löbel haben uns tatkräftig mit Blindmustern, aber auch einem offenen Ohr für Fragen unterstützt.

Einen besonderen Einblick in sehr experimentelle Herangehensweisen haben wir durch Bettina Mönch in der Buchbinderei Mönch in Leipzig erhalten.

Vor Ort in Berlin haben uns die Firma Zeitdruck und die Buchwerkstatt Gobel mit Blindmustern ausgestattet.

Die Diegmann Bückers Industriebuchbinderei hat uns beim Thema Falzkleben mit Rat und Mustern versorgt.

Ein großes Lob und herzliches Dankeschön geht auch an alle, die uns in der gestalterischen und textlichen Arbeit an diesem Buch unterstützt haben:

Die Fotografien stammen von Matthias Weingärtner, dessen Geduld wir in vielen Fotoshootings mit Büchern und Papier strapaziert haben – selten haben wir erlebt, dass jemand so virtuos, mit Feingefühl und immer neuen Ideen an solch ein Sujet herangeht wie er.

Bei der Textbearbeitung hat Markus Zehentbauer akribisch jedes einzelne Wort sorgsam begutachtet.

Ein besonderer Dank gilt Till Beckmann und Maj Mlakar. Sie waren mit Rat, aber auch mit Tat immer in den Prozess involviert.

Vielen Dank für die Unterstützung an Friederike Goll, Claire Chéry, Jenny Hasselbach und Gabriel Tecklenburg.

Auch bei den Gestalter*innen, die für uns in ihren Schubladen gewühlt und uns ihre schönen Blindmuster und Bücher zur Verfügung gestellt haben, möchten wir uns ganz herzlich bedanken!

Zu guter Letzt möchten wir uns natürlich bei Karin und Bertram Schmidt-Friderichs bedanken. Sie waren ab der ersten Sekunde Feuer und Flamme und haben durch Ideenaustausch, Expertise und mit viel Geduld dieses Projekt möglich gemacht.

Gefördert vom Kulturwerk der VG Bild-Kunst GmbH, Bonn.

Nachweise

Literaturverzeichnis

Peter J. Biel
**Buchherstellung für Medienkaufleute
und angehende Hersteller**
Wiley-VCH Verlag, Weinheim, 2012

Fritz Wiese
Der Bucheinband
Schlütersche Verlagsgesellschaft,
Hannover, 2008

Robert Klanten, Mika Mischler, Silja Bilz
(Hrsg.)
Der kleine Besserwisser
Die Gestalten Verlag, Berlin, 2015

Helmut Teschner
Fachwörterbuch Digital- und Printmedien
Christiani, Konstanz, 2010

Gavin Ambrose, Paul Harris
Format
Stiebner Verlag, München, 2013

Dieter Liebau, Inés Heinze
Industrielle Buchbinderei
Verlag Beruf + Schule, Itzehoe, 2010

Dieter Liebau, Inés Heinze
Lexikon, Buchbinderische Verarbeitung
Verlag Beruf + Schule, Itzehoe, 2000

Daniel Graefen
**Print – Professionell vom Monitor
zum Druck**
Graefen und Hronek Verlag, Berlin, 2013

Ursula Rautenberg (Hrsg.)
Reclams Sachlexikon des Buches
Reclam, Ditzingen, 2003

Erwin Bachmaier
ZFA-Tutorials Buchbinderei
Zentral-Fachausschuss
Berufsbildung Druck und Medien

Bildnachweis

Matthias Weingärtner:
8, 10, 18, 45, 49, 52, 74, 76, 78, 80, 82, 84,
85, 86, 88, 89, 90, 92, 94, 100, 108, 112, 116,
117, 118, 120, 124, 128, 130, 138, 140, 154, 157,
160, 164, 168, 170, 174, 178, 180, 184, 185,
190, 193, 195, 200, 204, 208, 212, 214, 215,
221, 224, 227, 228, 232, 234, 235, 237, 240,
242, 246, 248, 254, 263, 271, 277, 281, 285,
289, 293, 297, 301, 305, 309, 315, 325, 330,
339, 343, 347, 351, 355, 356, 361, 363, 364,
368, 371, 372, 375, 379, 382, 386, 387

Miriam Waszelewski:
12, 13, 14, 15, 16, 17, 265, 273, 279, 287, 291,
295, 299, 303, 307, 311, 316, 327, 341, 349,
353

© 2016 Verlag Hermann Schmidt,
Franziska Morlok und Miriam Waszelewski

Idee, Konzeption, Text, Gestaltung, Satz:
Franziska Morlok, Miriam Waszelewski
Fotografie: Matthias Weingärtner
Textbearbeitung: Markus Zehentbauer
Korrektorat: Sandra Mandl
Lithografie: Europrint Medien
Verwendete Schriften: Circular, Larish
Papier: 120 g/m² Munken Kristall FSC®
Flatbook: Zweimal 170 g/m²
Druck: Inhalt: Grammlich, Pliezhausen
Überzug: Zeidler, Mainz-Kastel,
Kreye, Koblenz
Buchbinderei: Kösel, Altusried,
Buchbinderei Burkhardt, Mönchaltorf CH

Verlag Hermann Schmidt
Gonsenheimer Straße 56
55126 Mainz
Tel. 06131/50600
Fax 06131/506080
info@verlag-hermann-schmidt.de
www.verlag-hermann-schmidt.de
facebook: Verlag Hermann Schmidt
twitter: VerlagHSchmidt

ISBN 978-3-87439-877-0
Printed in Germany with Love.

Impressum

verlag **hermann** schmidt

Wir übernehmen Verantwortung.
Nicht nur für Inhalt und Gestaltung,
sondern auch für die Herstellung.
Das Papier für dieses Buch stammt aus
sozial, wirtschaftlich und ökologisch
nachhaltig bewirtschafteten Wäldern und
entspricht deshalb den Standards der
Kategorie »FSC Mix«.

»Die Zukunft sollte man nicht vorhersehen
wollen, sondern möglich machen.«
Antoine de Saint-Exupéry

Bücher haben feste Preise!
In Deutschland hat der Gesetzgeber zum
Schutz der kulturellen Vielfalt und eines
flächendeckenden Buchhandelsangebotes
ein Gesetz zur Buchpreisbindung erlassen.
Damit haben Sie die Garantie, dass Sie
dieses und andere Bücher überall zum
selben Preis bekommen: Bei Ihrem engagierten Buchhändler vor Ort, im Internet,
beim Verlag. Sie haben die Wahl. Und die
Sicherheit. Und ein Buchhandelsangebot,
um das uns viele Länder beneiden.